POUR RÉUSSIR

Guide méthodologique pour les études et la recherche

BERNARD DIONNE

5e édition

Beauchemin

CHENELIÈRE ÉDUCATION

Pour réussir
Guide méthodologique pour les études et la recherche, 5e édition

Bernard Dionne

© 2008, 2004 Groupe Beauchemin, Éditeur Ltée

Édition : Luc Tousignant
Recherche et entrevues : Maude Nepveu-Villeneuve
Coordination : Chantal Lamarre et Josée Desjardins
Révision linguistique : Suzanne Delisle
Correction d'épreuves : Michèle Levert (Zérofôte)
Conception graphique : Jean-François Lejeune
Infographie : Infoscan Collette, Sherbrooke, Groupe Colpron et
    Luc Gingras (Protocole)
Conception de la couverture : Protocole
Impression : Imprimeries Transcontinental

Catalogage avant publication
de Bibliothèque et Archives nationales du Québec
et Bibliothèque et Archives Canada

Dionne, Bernard, 1951-

    Pour réussir

    5e éd.

    Comprend des réf. bibliogr. et un index

    ISBN 978-2-7616-5134-9

    1. Étude – Méthodes.   2. Recherche – Méthodologie.   3. Recherche de
l'information.   4. Thèses et écrits académiques.   I. Titre.

LB82395.D56 2008   378.1'7   C2008-940697-4

Beauchemin

CHENELIÈRE ÉDUCATION

7001, boul. Saint-Laurent
Montréal (Québec) Canada H2S 3E3
Téléphone : 514 273-1066
Télécopieur : 450 461-3834 / 1 888 460-3834
info@cheneliere.ca

ISBN 978-2-7616-5134-9

Dépôt légal : 2e trimestre 2008
Bibliothèque et Archives nationales du Québec
Bibliothèque et Archives Canada

Imprimé au Canada

    3   4   5   ITIB   12   11   10   09   08

Nous reconnaissons l'aide financière du gouvernement du Canada par l'en-
tremise du Programme d'aide au développement de l'industrie de l'édition
(PADIÉ) pour nos activités d'édition.

Gouvernement du Québec – Programme de crédit d'impôt pour l'édition de
livres – Gestion SODEC.

Sources iconographiques

Page couverture : © Randy Farris/Corbis.

Chapitre 1   p. 2 : Pedro Tavares/Shutterstock ; **p. 4 :** Megapress.ca/Dupuis ;
p. 6 : Arthur Tilley/Getty Images ; **p. 7 :** Urs Kuester/maXx images ; **p. 8 :** Andrew
Manley/iStockphoto ; **p. 12 :** © LWA-Dann Tardif/Corbis ; **p. 15 :** (photo) : collection personnelle, (logo) : gracieuseté du cégep de Chicoutimi.

Chapitre 2   p. 16 : iStockphoto ; **p. 20 :** PhotoDisc ; **p. 21 :** PhotoDisc ; **p. 22 :**
PhotoDisc ; **p. 28 :** Conception : Robert Hiet ; **p. 29 :** PhotoDisc ; **p. 31 :** (photo) :
Image Écoterre, (logo) : gracieuseté du collège Lionel-Groulx.

Chapitre 3   p. 32 : Mikhail Bistrov/iStockphoto ; **p. 34 :** Dino O./Shutterstock ;
p. 36 : Jacob Wackerhausen/iStockphoto ; **p. 37 :** Sofos Design/Shutterstock ;
p. 38 : Jacob Wackerhausen/iStockphoto ; **p. 43 :** Jonathan Maddock/iStockphoto ;
p. 47 : Franzizka Richter/iStockphoto ; **p. 53 :** (photo) © Monic Richard ; (logo) :
gracieuseté du collège Jean-de-Brébeuf.

Chapitre 4   p. 54 : Anyka/Shutterstock ; **p. 63 :** Kelly Redinger/Design Pics/
Corbis ; **p. 65 :** PhotoCreate/Shutterstock ; **p. 71 :** (photo) : © Sylvain Lalande
photographe ; (logo en haut) : gracieuseté du collège André-Grasset ; (logo en
bas) : gracieuseté du Petit Séminaire de Québec.

Chapitre 5   p. 72 : iStockphoto ; **p. 74 :** Dmitriy Shironosov/Shutterstock ; **p. 75 :**
iStockphoto ; **p. 76 :** Kris Hanke/iStockphoto ; **p. 81 :** Chris Schmidt/iStockphoto ;
p. 85 : Diane Diederich/iStockphoto ; **p. 87 :** (photo) : Marie-Reine Mattera ; (logo
en haut) : gracieuseté du collège de Bois-de-Boulogne ; (logo en bas) : gracieuseté du Conservatoire de musique et des arts dramatiques du Québec.

Chapitre 6   p. 90 : Johanna Goodyear/Shutterstock ; **p. 104 :** Megapress.ca/
Pharand ; **p. 107 :** (photo) : Photo Jacques Grenier ; (logo) : gracieuseté du collège Ahuntsic.

Chapitre 7   p. 108 : Amanda Rohde/iStockphoto ; **p. 126 :** iStockphoto ; **p. 127 :**
Miodrag Gajic/iStockphoto ; **p. 129 :** (photo) : gracieuseté du CGI ; (logo) : gracieuseté du cégep de Limoilou.

Chapitre 8   p. 130 : Jocicalek/Shutterstock ; **p. 132 :** *Bulletin APHCQ – Bulletin
de l'Association des professeures et des professeurs d'histoire des collèges du
Québec ;* **p. 134 :** (en haut) : « Géographie des idées » *Sciences humaines,* no 189S
(janvier 2008) ; **p. 134 :** (au centre) : *Revue d'histoire de l'Amérique française,*
vol. 51, no 2 (automne 1997) ; (en bas) : *L'actualité* (janvier 2008), Numéro souvenir
– 400e anniversaire ; **p. 135 :** *Le magazine littéraire,* no 471 (janvier 2008) ; **p. 141 :**
Le Devoir (31 janvier 2008), p. A6 ; **p. 144 :** *L'histoire,* no 326 (décembre 2007) ;
p. 147 : (photo) : Martine Doyon ; (logo) : gracieuseté du cégep de Saint-Jérôme.

Chapitre 9   p. 150 : Photos.com ; **p. 153 :** Réunion des Musées Nationaux/Art
Resource, NY ; **p. 154 :** Bloomimage/Corbis ; **p. 156 :** Vasiliki Varvaki/iStockphoto ;
p. 158 : Getty Images ; **p. 159 :** gracieuseté des Éditions Boréal ; **p. 162 :** Laurence
Gough/iStockphoto ; **p. 163 :** Anne Clark/iStockphoto ; **p. 167 :** Greek/Getty images ;
p. 173 : (photo) : © Catherine Gravel ; (logo) : gracieuseté du collège de Rosemont.

Chapitre 10   p. 174 : iStockphoto ; **p. 178 :** CP PHOTO/Jacques Boissinot ;
p. 179 : Chris Schmidt/iStockphoto ; **p. 185 :** (en haut à gauche) : Bibliothèque
et Archives nationales du Québec ; (en haut à droite) : Ron Kokcis/Publiphoto ;
(en bas) : Steve Button ; **p. 186 :** (en bas) : Senator Film/The Kobal Collection ;
p. 189 : Chris Schmidt/iStockphoto ; **p. 191 :** Chris Schmidt/iStockphoto ; **p. 199 :**
(photo) : archives, J.-F. Lisée ; (logo) : gracieuseté du cégep de Thetford Mines.

Chapitre 11   p. 200 : Tim Pohl/iStockphoto ; **p. 202 :** iStockphoto ; **p. 215 :** Denis
Chabot/Images du Québec ; **p. 219 :** iStockphoto ; **p. 233 :** (photo) : Mathieu
Laberge, économiste à l'Institut économique de Montréal ; (logo) : gracieuseté
du cégep Saint-Jean-sur-Richelieu.

Chapitre 12   p. 234 : iStockphoto ; **p. 238 :** Charles Gupton/Corbis ; **p. 240 :**
Canadian Olympic Committee/CP Photo ; **p. 241 :** Jacob Wackerhausen/
iStockphoto ; **p. 245 :** Michael Walker/iStockphoto ; **p. 246 :** Chris Schmidt/
iStockphoto ; **p. 249 :** (photo) : André Kedl ; (logo) : gracieuseté du collège international Marie-de-France.

Dans cet ouvrage, le masculin est utilisé comme représentant des deux sexes,
sans discrimination à l'égard des hommes et des femmes, et dans le seul but
d'alléger le texte.

Plusieurs marques de commerce sont mentionnées dans cet ouvrage. L'Éditeur
n'a pas établi de liste de ces marques de commerce et de leur propriétaire, et
n'a pas inséré le symbole approprié à chacune d'elles puisqu'elles sont nom-
mées à titre informatif et au profit de leur propriétaire, sans aucune intention
de porter atteinte aux droits de propriété relatifs à ces marques.

Avant-propos

**À la mémoire de ma mère, Isabelle Laperle,
qui m'a légué l'amour du travail bien fait.**

 éussir ses études supérieures… tout un programme ! Et pourtant, c'est possible.

Le présent manuel vous est destiné si vous étudiez au cégep et il continuera de vous être utile à l'université. Il vous fournit un condensé pratique des règles et des moyens permettant de maîtriser la démarche du travail intellectuel, clé de la réussite.

La réussite varie d'une personne à l'autre. Toutefois, dans tous les cas, elle est la combinaison d'un rêve ou d'une source de motivation, des efforts pour concrétiser ce rêve, de l'acquisition de connaissances ainsi que du développement des habiletés et des attitudes nécessaires pour obtenir les résultats escomptés. Il n'y a pas de réussite sans travail comme en témoignent les personnalités québécoises qui nous ont accordé une entrevue dans le cadre de cette cinquième édition.

De fait, la méthodologie est un ensemble de moyens qui permet de mieux chercher, de s'exprimer, de présenter ses idées, de lire, de découvrir de nouvelles réalités et de créer. Acquérir de bonnes méthodes de travail, c'est se donner les moyens de comprendre le monde et d'en faire partie. À l'heure d'Internet, c'est apprendre à traiter une masse d'informations que nous serons tous appelés à utiliser de plus en plus au cours des années. Avec les nouvelles technologies de l'information, l'étudiant du 21e siècle doit se documenter, communiquer et produire des documents écrits, audiovisuels et électroniques en maîtrisant les codes, les outils informatiques et les règles de ce que l'on appelle aujourd'hui la *présentatique*. Le défi ne consiste pas tant à emmagasiner des connaissances qu'à traiter l'information provenant d'innombrables sources avec un esprit critique.

LE MANUEL

Ce manuel est divisé en trois parties. La première, « S'organiser pour réussir », présente les principes de base du métier d'étudiant : gérer son temps (chapitre 1), prendre des notes en classe (chapitre 2), lire efficacement (chapitre 3), étudier et réussir ses examens (chapitre 4) et travailler en équipe (chapitre 5).

La deuxième, « S'outiller pour réussir », aborde successivement la recherche en bibliothèque (chapitre 6), la navigation dans Internet (chapitre 7) et la documentation à l'aide de journaux et de revues (chapitre 8).

Enfin, la troisième, « Réussir de bons travaux », présente les consignes pour rédiger des textes tels qu'un résumé, un compte rendu, une dissertation explicative et critique en littérature ou une dissertation philosophique (chapitre 9), pour effectuer un travail de recherche (chapitre 10), pour présenter un rapport (chapitre 11) et pour réussir un exposé oral (chapitre 12).

Remerciements

Depuis 1977, de nombreux collègues, enseignants, professionnels, techniciens et recherchistes m'ont aidé à produire les différentes versions de ce *Guide méthodologique pour les études et la recherche*. Je profite de la publication de cette cinquième édition pour les remercier à nouveau. Je voudrais rendre hommage à Raymonde Beaudry, bibliothécaire au cégep de Rosemont, qui nous a quittés tragiquement à l'automne 2007.

J'aimerais remercier les personnes suivantes qui m'ont fourni des suggestions et des commentaires pour cette cinquième édition :

- Nathalie Bastien, conseillère pédagogique TIC au cégep André-Laurendeau ;
- Mélanie Beaubien, professeure de psychologie au cégep de Trois-Rivières ;
- Valérie Berthiaume, professeure d'anthropologie au cégep André-Laurendeau ;
- Patrice Charron, professeur d'histoire au cégep Saint-Jean-sur-Richelieu ;
- Micheline Cloutier, conseillère pédagogique au cégep de Saint-Jérôme ;
- Chantal Desrosiers, conseillère pédagogique TIC au cégep de Trois-Rivières ;
- Martin Geoffroy, professeur de sociologie à l'Université de Moncton ;
- Pierre Lacasse, professeur de science politique au collège de Maisonneuve ;
- Louise Lapierre, professeure d'anthropologie au cégep de Saint-Laurent ;
- Annissa Laplante, professeure de français au cégep de Sherbrooke ;
- Hélène Laramée, professeure de philosophie au cégep de Saint-Jérôme ;
- Réjeanne Marcotte, professeure de psychologie au collège François-Xavier-Garneau ;
- Daniel Marquis, bibliothécaire au cégep de Granby – Haute-Yamaska ;
- Jon Paquin, professeur de philosophie au collège François-Xavier-Garneau ;
- Sylvie Richard-Bessette, professeure de psychologie au cégep André-Laurendeau ;
- Éric Riendeau-Fontaine, professeur de philosophie au collège Jean-de-Brébeuf ;
- Nora Robichaud, professeure de psychologie au cégep de Saint-Jérôme ;
- Christian Sabourin, professeur de géographie au collège de Rosemont ;
- Raymonde Trudel, bibliothécaire au cégep de Saint-Jérôme.

J'aimerais aussi exprimer ma gratitude aux personnes qui ont accepté de parler de leur histoire, de leurs études collégiales et universitaires, ainsi que de leur réussite.

Je remercie également les collèges publics et privés qui ont gracieusement fourni leur logo pour accompagner le témoignage de ces personnalités.

Enfin, je voudrais remercier Maude Nepveu-Villeneuve, qui a mené les entrevues avec compétence et rigueur, et qui a effectué les recherches nécessaires pour la mise à jour de certaines informations, Danielle Nepveu, ma conjointe, qui m'a soutenu tout au long de ce périple, et toute l'équipe du Groupe Beauchemin et de Chenelière Éducation, en particulier Luc Tousignant, Chantal Lamarre, Michèle Levert et Josée Desjardins, qui ont soutenu le projet et l'auteur avec professionnalisme et enthousiasme.

Bernard Dionne

Avril 2008

LES PARTICULARITÉS DE L'OUVRAGE

LA PRÉSENTATION DES CHAPITRES

Vous trouverez au début de chaque chapitre un **plan** qui vous permet de prendre rapidement connaissance de son contenu ;

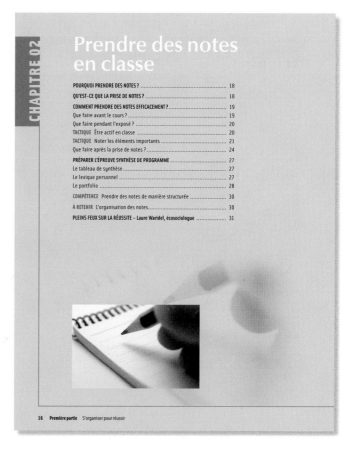

Julien et Stéphanie
au cégep

Les élections pour pourvoir les postes de l'Association étudiante approchent et Julien se présente à la présidence. Il passe beaucoup de temps à préparer sa campagne. Pendant ses cours, il gribouille des idées de discours électoral et de slogans. Dans son cours « Dynamique de groupes sociaux », il a même élaboré un budget prévisionnel pour l'Association au lieu de prendre des notes. Julien prend soudain conscience que la semaine des premiers examens est arrivée et qu'il a consacré peu de temps à l'étude. Il commence à étudier le mardi soir pour les deux gros examens de jeudi en se disant qu'il n'aura qu'à apprendre les notions par cœur, quitte à y passer la nuit de mercredi. Mais en relisant les consignes des enseignants, il découvre que le premier examen consistera à répondre à des questions à développement et que la matière sur laquelle portera le second examen est beaucoup plus étendue qu'il ne le croyait. C'est l'affolement total : même en travaillant nuit et jour jusqu'à jeudi, il est certain d'échouer à ces examens...

La perception de Julien est classique : au lieu de considérer l'examen comme une occasion de réviser la matière, de finaliser un apprentissage ou de démontrer ses compétences, il réduit l'examen à un test de mémoire. Il n'a aucune stratégie à long terme et il reste passif devant les tâches à accomplir et les échéances à respecter. Pourtant, les examens revêtent une importance cruciale pour la poursuite de ses études et, plus tard, dans sa vie professionnelle.

OBJECTIFS

Après avoir lu attentivement le présent chapitre, vous serez en mesure :
- d'adopter et d'appliquer une stratégie et une méthode d'étude efficaces ;
- de comprendre la nature des différents types d'examens ;
- d'adopter les comportements appropriés avant, pendant et après les examens.

Chapitre 04 Étudier et réussir ses examens **55**

une **mise en situation** vous révèle l'enjeu et l'intérêt de chaque chapitre. Comme vous, Stéphanie et Julien entreprennent leurs études collégiales ; Stéphanie étudie en Sciences humaines et Julien, en Techniques de travail social ;

des **objectifs d'apprentissage** clairement énoncés vous permettent de cerner la nature des apprentissages à faire.

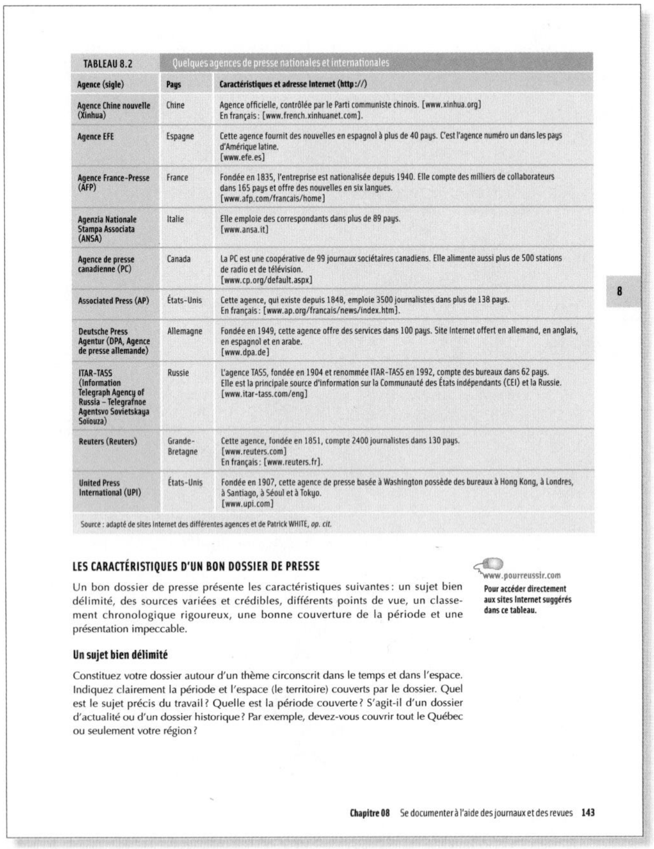

TABLEAU 8.2	Quelques agences de presse nationales et internationales	
Agence (sigle)	**Pays**	**Caractéristiques et adresse Internet (http://)**
Agence Chine nouvelle (Xinhua)	Chine	Agence officielle, contrôlée par le Parti communiste chinois. [www.xinhua.org] En français : [www.french.xinhuanet.com].
Agence EFE	Espagne	Cette agence fournit des nouvelles en espagnol à plus de 40 pays. C'est l'agence numéro un dans les pays d'Amérique latine. [www.efe.es]
Agence France-Presse (AFP)	France	Fondée en 1835, l'entreprise est nationalisée depuis 1940. Elle compte des milliers de collaborateurs dans 165 pays et offre des nouvelles en six langues. [www.afp.com/francais/home]
Agenzia Nationale Stampa Associata (ANSA)	Italie	Elle emploie des correspondants dans plus de 89 pays. [www.ansa.it]
Agence de presse canadienne (PC)	Canada	La PC est une coopérative de 99 journaux sociétaires canadiens. Elle alimente aussi plus de 500 stations de radio et de télévision. [www.cp.org/default.aspx]
Associated Press (AP)	États-Unis	Cette agence, qui existe depuis 1848, emploie 3500 journalistes dans plus de 138 pays. En français : [www.ap.org/francais/news/index.htm].
Deutsche Press Agentur (DPA, Agence de presse allemande)	Allemagne	Fondée en 1949, cette agence offre des services dans 100 pays. Site Internet offert en allemand, en anglais, en espagnol et en arabe. [www.dpa.de]
ITAR-TASS (Information Telegraph Agency of Russia – Telegrafnoe Agentsvo Sovietskaya Soïouza)	Russie	L'agence TASS, fondée en 1904 et renommée ITAR-TASS en 1992, compte des bureaux dans 62 pays. Elle est la principale source d'information sur la Communauté des États indépendants (CEI) et la Russie. [www.itar-tass.com/eng]
Reuters (Reuters)	Grande-Bretagne	Cette agence, fondée en 1851, compte 2400 journalistes dans 130 pays. [www.reuters.com] En français : [www.reuters.fr].
United Press International (UPI)	États-Unis	Fondée en 1907, cette agence de presse basée à Washington possède des bureaux à Hong Kong, à Londres, à Santiago, à Séoul et à Tokyo. [www.upi.com]

Source : adapté de sites Internet des différentes agences et de Patrick WHITE, *op. cit.*

8

LES CARACTÉRISTIQUES D'UN BON DOSSIER DE PRESSE

Un bon dossier de presse présente les caractéristiques suivantes : un sujet bien délimité, des sources variées et crédibles, différents points de vue, un classement chronologique rigoureux, une bonne couverture de la période et une présentation impeccable.

www.pourreussir.com
Pour accéder directement aux sites Internet suggérés dans ce tableau.

Un sujet bien délimité

Constituez votre dossier autour d'un thème circonscrit dans le temps et dans l'espace. Indiquez clairement la période et l'espace (le territoire) couverts par le dossier. Quel est le sujet précis du travail ? Quelle est la période couverte ? S'agit-il d'un dossier d'actualité ou d'un dossier historique ? Par exemple, devez-vous couvrir tout le Québec ou seulement votre région ?

Chapitre 08 Se documenter à l'aide des journaux et des revues **143**

Un texte clair et concis, abondamment illustré.

- Des **photos** soigneusement sélectionnées illustrent le propos et vous permettent de visualiser les tâches à effectuer.
- Des **tableaux et des figures** en grand nombre allègent le texte et vous permettent d'aller rapidement à l'essentiel de l'information.
- Des **renvois au site web pourreussir.com** vous donnent accès à une multitude de ressources complémentaires (banque d'hyperliens, outils à télécharger, etc.).

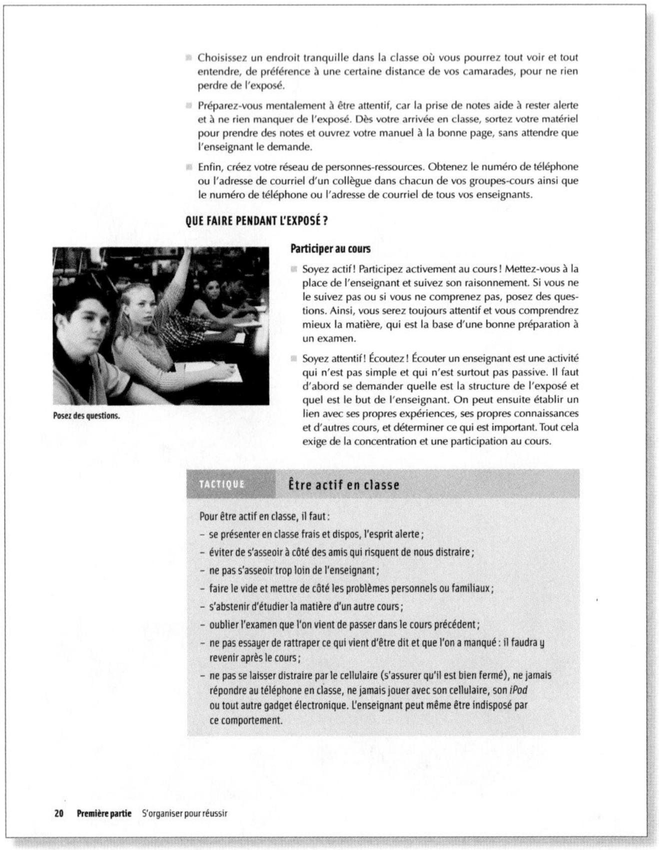

- Choisissez un endroit tranquille dans la classe où vous pourrez tout voir et tout entendre, de préférence à une certaine distance de vos camarades, pour ne rien perdre de l'exposé.
- Préparez-vous mentalement à être attentif, car la prise de notes aide à rester alerte et à ne rien manquer de l'exposé. Dès votre arrivée en classe, sortez votre matériel pour prendre des notes et ouvrez votre manuel à la bonne page, sans attendre que l'enseignant le demande.
- Enfin, créez votre réseau de personnes-ressources. Obtenez le numéro de téléphone ou l'adresse de courriel d'un collègue dans chacun de vos groupes-cours ainsi que le numéro de téléphone ou l'adresse de courriel de tous vos enseignants.

QUE FAIRE PENDANT L'EXPOSÉ ?

Posez des questions.

Participer au cours

- Soyez actif ! Participez activement au cours ! Mettez-vous à la place de l'enseignant et suivez son raisonnement. Si vous ne le suivez pas ou si vous ne comprenez pas, posez des questions. Ainsi, vous serez toujours attentif et vous comprendrez mieux la matière, qui est la base d'une bonne préparation à un examen.
- Soyez attentif ! Écoutez ! Écouter un enseignant est une activité qui n'est pas simple et qui n'est surtout pas passive. Il faut d'abord se demander quelle est la structure de l'exposé et quel est le but de l'enseignant. On peut ensuite établir un lien avec ses propres expériences, ses propres connaissances et d'autres cours, et déterminer ce qui est important. Tout cela exige de la concentration et une participation au cours.

TACTIQUE **Être actif en classe**

Pour être actif en classe, il faut :
- se présenter en classe frais et dispos, l'esprit alerte ;
- éviter de s'asseoir à côté des amis qui risquent de nous distraire ;
- ne pas s'asseoir trop loin de l'enseignant ;
- faire le vide et mettre de côté les problèmes personnels ou familiaux ;
- s'abstenir d'étudier la matière d'un autre cours ;
- oublier l'examen que l'on vient de passer dans le cours précédent ;
- ne pas essayer de rattraper ce qui vient d'être dit et que l'on a manqué : il faudra y revenir après le cours ;
- ne pas se laisser distraire par le cellulaire (s'assurer qu'il est bien fermé), ne jamais répondre au téléphone en classe, ne jamais jouer avec son cellulaire, son *iPod* ou tout autre gadget électronique. L'enseignant peut même être indisposé par ce comportement.

20 **Première partie** S'organiser pour réussir

La rubrique « Tactique »

Le texte est ponctué d'encadrés contenant des « tactiques » qui sont, en fait, des conseils pratiques pour vous aider à effectuer une tâche.

La rubrique « Compétence »

À la fin de chaque chapitre, la rubrique « Compétence » met l'accent sur un comportement ou un savoir-faire dont la maîtrise est aussi essentielle que celle des informations contenues dans le chapitre.

La rubrique « À retenir »

À la fin de chaque chapitre, une liste de questions auxquelles vous devez répondre vous permet de dresser en un clin d'œil le bilan des compétences et des connaissances que vous avez acquises et celles que vous devrez développer.

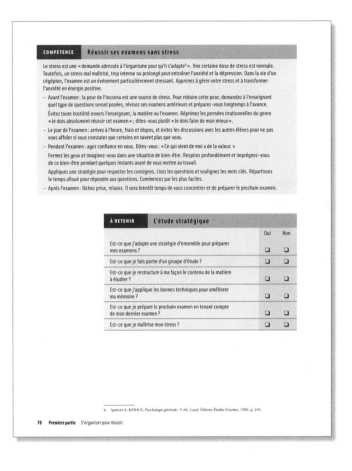

La rubrique « Pleins feux sur la réussite »

Dans chaque chapitre, une personnalité parle de son histoire, de ses études et de sa réussite pour vous encourager à persévérer.

Table des matières

S'organiser pour réussir

Gérer son temps

Julien et Stéphanie au cégep

Julien et Stéphanie profitent du soleil de ce dernier samedi du mois d'août. Pourtant, étendus sur leurs chaises longues, ils n'arrivent pas à se détendre complètement… La première semaine de la première session au cégep vient de se terminer et ils ont l'impression de jouir de leur dernier moment de répit avant Noël tant les prochaines semaines s'annoncent chargées !

Julien et Stéphanie ont eu 17 ans le printemps dernier. Stéphanie a choisi d'étudier en Sciences humaines, alors que Julien a opté pour le programme Techniques de travail social. Julien, qui a travaillé tout l'été, avait décidé de ne pas travailler pendant la première session afin d'avoir du temps pour participer activement à la vie étudiante. Quant à Stéphanie, elle comptait travailler une quinzaine d'heures par semaine comme monitrice de natation pour s'offrir un voyage en Espagne l'été prochain.

Les deux amis étaient donc enthousiastes à l'idée d'entreprendre leur première session au cégep, mais en voyant leurs plans de cours, leur excitation a vite fait place au stress. Il y a tellement de travaux et de lectures qu'ils se demandent comment ils s'en sortiront… avec seulement 15 semaines pour tout faire.

Le stress de Julien et de Stéphanie est attribuable en bonne partie aux difficultés liées à la transition du secondaire au collégial. En juin dernier, ils terminaient leur cinquième secondaire dans un système où ils étaient encadrés, où les absences en classe étaient signalées à leurs parents, où les cours s'échelonnaient sur une année complète… En août, ils arrivent au collégial, dans un système où ils doivent être parfaitement autonomes et où la gestion du temps devient cruciale.

Une foule de questions se bousculent dans leur tête : Comment réussir dans un tel système ? Quelle est l'importance de la gestion du temps pour réussir ? Comment organiser son travail pour maximiser les chances de réussite ?

OBJECTIFS

Après avoir lu attentivement le présent chapitre, vous serez en mesure :

- de comprendre le système collégial ;
- de connaître les facteurs de réussite au collégial ;
- de comprendre l'importance d'une bonne gestion du temps ;
- d'analyser les aspects positifs de la gestion du temps et les points à améliorer ;
- de planifier une session, une semaine et même une journée de travail.

ÉTUDIER AU COLLÉGIAL

Félicitations ! Vous êtes inscrit dans un collège ou un cégep. Vous avez donc réussi vos études secondaires. Vous pouvez entreprendre des études collégiales pour diverses raisons : explorer le système collégial pour trouver votre voie ; obtenir un DEC en Sciences humaines pour entrer en Communications à l'université ; faire partie de l'association étudiante tout en maintenant une bonne moyenne ; réaliser un vieux rêve en quittant la maison familiale et en prouvant que vous pouvez gérer tous les aspects de la vie quotidienne ; ou encore, si vous êtes arrivé au Canada depuis peu, vous intégrer à la société et à son système scolaire.

Le collège vous attend :
à vous d'en profiter pleinement !

Dans le présent chapitre, vous verrez que la gestion du temps joue un rôle déterminant dans votre réussite scolaire en vous permettant de prendre de bonnes décisions et d'allouer le temps requis à la réalisation des tâches scolaires et aux activités de la vie quotidienne. La gestion du temps inclut la gestion des activités liées à la réalisation des tâches : devoirs, exercices, répétitions, étude, visites de musées ou d'entreprises, travaux de recherche, stages, laboratoires, examens, etc. Pour gérer ces activités, il faut connaître les règles de fonctionnement du système collégial et les règles d'une bonne gestion du temps, mais il faut aussi avoir une bonne connaissance de soi.

LA SESSION DE COURS

Contrairement à ce qui se passe à l'enseignement secondaire, l'enseignement collégial est réparti sur des sessions ou trimestres. Ordinairement, les cours offerts dans un programme s'échelonnent sur 15 semaines plus une semaine d'examens tant à la session d'automne qu'à la session d'hiver. La session d'été peut être plus condensée : les cours peuvent être offerts sur une période de huit semaines, par exemple.

Les sessions d'automne et d'hiver comptent chacune 82 jours d'activités selon le *Règlement sur le régime des études collégiales*. C'est donc dire que tout va vite, très vite, d'autant plus que les cours sont souvent élaborés selon le modèle universitaire des trois heures d'affilée. Manquer un cours, c'est donc rater au moins trois heures d'activités pédagogiques, ce qui constitue le meilleur moyen d'aboutir à un échec.

LES COURS

Le collège élabore un programme d'études comprenant de 12 à 30 cours de formation spécifique, en plus des 13 cours de formation générale. Pour chaque cours, l'enseignant dresse un plan de cours détaillé qui est distribué au début du trimestre. Ce plan de cours contient :

- les objectifs du cours ;
- le contenu ;
- les indications méthodologiques ;
- une médiagraphie ;
- les modalités de participation au cours ;
- les modalités d'évaluation des apprentissages.

Lisez votre plan de cours et conservez-le pendant toute la session et même pendant toutes vos études pour les raisons suivantes :

1. Le plan de cours est le « contrat » qui vous lie à l'enseignant pour la durée du cours. Si le plan prévoit des examens, un stage, un travail de recherche, une visite dans un musée ou une entreprise, vous devez accomplir toutes ces tâches, sinon vous risquez un échec. En général, l'enseignant suit son plan de cours et respecte la séquence des activités d'apprentissage prévues.

2. Le plan de cours est aussi un « plan de match ». Il contient tout ce que vous devez savoir pour planifier votre session. Vous pourrez ainsi préparer vos examens, entreprendre vos travaux et suivre l'évolution de vos cours sans vous affoler.

3. Le plan de cours contient aussi de précieux renseignements : le nom de l'enseignant, ses coordonnées, son adresse de courriel, son site intranet, ses heures de disponibilité au bureau, ses publications le cas échéant, et ses consignes disciplinaires (retards, interdiction du cellulaire en classe, absence aux examens, etc.).

4. Enfin, le plan de cours décrit la nature des apprentissages que vous aurez faits à la fin de la session. Vous aurez peut-être besoin de ce plan de cours à la fin de votre programme, dans un cours d'intégration des acquis, par exemple, ou encore si vous changez de programme ou de collège, pour faire reconnaître vos acquis à l'aide d'un portfolio (au sujet du portfolio, ➤ voir p. 28).

La pondération, c'est-à-dire la répartition des activités d'apprentissage en classe (théorie et laboratoire) et sous forme de travail personnel, constitue l'un des éléments clés d'un cours. La pondération de chaque cours comprend trois chiffres. Prenons l'exemple de la première session de Stéphanie en Sciences humaines (profil « Administration ») au cégep de Saint-Jérôme à l'automne 2008.

TABLEAU 1.1	Répartition des cours par session dans le profil « Administration » du programme Sciences humaines 300.A0 au cégep de Saint-Jérôme, automne 2008		
Code du cours	Titre	Pondération	Unités
Formation générale			
601-GJT-04	Communication	2-2-2	2,00
340-103-04	Philosophie et rationalité	3-1-3	2,33
604-AAA-03	Anglais I	2-1-3	2,00
109-103-02	Santé et éducation physique	1-1-1	1,00
Formation spécifique			
360-300-RE	Méthodes quantitatives en Sciences humaines	2-2-2	2,00
383-920-RE	Initiation à l'économie globale	2-1-3	2,00
401-103-JR	Entreprise et environnement	2-1-3	2,00
Total	7 cours	14-9-17	13,33

Source : CÉGEP DE SAINT-JÉRÔME, *Site du cégep de Saint-Jérôme*, [En ligne], www.cegep-st-jerome.qc.ca/accueil.html (Page consultée le 15 janvier 2008) Reproduit avec l'aimable autorisation du cégep de Saint-Jérôme.

Dans les grilles de programmes, la pondération à trois chiffres, par exemple 3-1-3, apparaît sous la rubrique «périodes/semaines». Le premier chiffre indique le nombre d'heures de théorie par semaine. Le deuxième chiffre renvoie aux heures consacrées à des activités pratiques (laboratoires, stages ou activités en classe). Le troisième chiffre indique le nombre d'heures de travail personnel prévu, en moyenne, par semaine, pour les 15 semaines de la session. Le travail personnel inclut les lectures, l'étude, les devoirs, les travaux de recherche, etc.

Stéphanie suivra donc sept cours à sa première session, ce qui signifie 23 heures de présence en classe par semaine (14 heures de théorie et 9 heures de travaux pratiques). Elle devra aussi prévoir au moins 17 heures de travail personnel par semaine, soit un total de 40 heures de travail scolaire. Les sessions suivantes représentent 42, 43 et 44 heures de travail par semaine pour les 15 ou 16 semaines d'une session d'études au collégial. Julien, lui, doit compter 29 heures de présence en classe pour les cours de sa première session en Techniques de travail social et 20 heures de travail personnel, soit un total de 49 heures par semaine.

Le travail rémunéré n'est pas nécessairement l'ennemi de la réussite.

Pour réussir leurs cours, Julien et Stéphanie doivent donc gérer respectivement 40 et 49 heures de travail scolaire par semaine. Il y a là un saut prodigieux entre le secondaire et le collégial!

Bien entendu, la présence aux cours est le premier facteur de réussite. C'est en classe que l'enseignant explique la matière, donne les consignes, organise les exercices et les laboratoires, insiste sur l'essentiel des notions à réviser pour les examens, revient sur des notions mal comprises, distribue des documents importants. Bref, c'est en classe que ça se passe!

Le deuxième facteur de réussite consiste à prévoir et à organiser les activités de travail personnel. La suite de ce chapitre propose des outils de planification.

TACTIQUE   Concilier le travail rémunéré et les études

Au collégial, près de 7 étudiants sur 10 ont un emploi rémunéré. Des études ont démontré qu'en général, le fait de travailler de 10 à 15 heures par semaine ne nuit pas à la réussite scolaire si l'on respecte certaines conditions. Toutefois, les études révèlent aussi que, sauf exception, le fait de travailler plus de 20 heures par semaine entraîne un effet négatif sur le rendement scolaire.

Pour concilier le travail rémunéré et les études, il faut donc:

- déterminer le nombre d'heures de travail rémunéré en fonction de ses besoins réels, de son budget et de ses objectifs;

- ne jamais dépasser 20 heures par semaine;

- s'entendre avec son employeur pour diminuer les heures de travail pendant les périodes d'examen;

- ne jamais prendre le travail comme excuse pour ne pas se présenter à un examen, car cela entraîne des effets négatifs à court terme (vous devrez vous rattraper) et à long terme (risque d'échec, baisse des notes, effet négatif sur la cote R);

- concentrer ses efforts sur le travail d'été plutôt que sur le travail pendant la période scolaire;

- connaître ses droits: la *Loi sur les normes du travail* existe aussi pour les étudiants (➤ *voir le site de la Commission des normes du travail* [www.cnt.gouv.qc.ca/fr/index.asp]);

- participer activement: si votre entreprise est syndiquée, participez aux réunions dans la mesure du possible ou informez-vous des décisions qui pourraient vous toucher.

PLANIFIER UNE SESSION

Un bureau de travail bien à soi, un agenda et une grille de planification de ses travaux scolaires, voilà trois moyens pour réussir une session de cours au collégial.

ÊTRE BIEN INSTALLÉ

- Aménagez un espace de travail bien à vous dans votre chambre ou dans une autre pièce.

- Procurez-vous un bureau qui servira exclusivement au travail. Assurez-vous d'avoir un bon éclairage et un espace de rangement, par exemple un classeur.

- Ayez un ordinateur (avec accès à Internet), une imprimante et l'équipement de bureau requis.

- Une chaise ergonomique est un bon investissement, car vous passerez des heures à travailler à votre bureau.

- Assurez-vous que votre surface de travail soit dégagée. Libérez-la des feuilles, des revues, de la vaisselle, et des autres objets qui pourraient vous distraire ou vous nuire.

- Affichez un grand calendrier indiquant les dates importantes de la session à venir.

- Si c'est possible, placez un tableau d'affichage devant votre bureau afin d'y épingler le calendrier scolaire, des feuilles de tâche, etc.

- Installez une bibliothèque dans laquelle vous pourrez ranger tous les livres nécessaires à vos études collégiales. Ces ouvrages deviendront des sources de référence fort utiles.

Une surface de travail doit être bien dégagée.

UTILISER UN AGENDA

En général, les collèges ou les associations étudiantes fournissent un agenda aux étudiants. Parcourez-le, car il contient souvent des renseignements fort utiles, comme le calendrier scolaire, les règles de comportement, la politique d'évaluation, les services offerts, etc.

Inscrivez-y immédiatement les jours de vos cours, les dates d'examens que vous trouverez dans les plans de cours, les échéances de remise des travaux, les dates des congés et des journées pédagogiques, et les autres dates importantes pour vous (anniversaires, événements particuliers, etc.).

Consultez votre agenda tous les jours. Notez-y l'information nouvelle, par exemple le changement de date d'un examen.

Notez soigneusement les rendez-vous avec vos enseignants, avec votre aide pédagogique individuel (API) ou votre conseiller en orientation, ainsi qu'avec les membres de vos équipes de travail. Notez leurs numéros de téléphone et leurs adresses de courriel.

Enfin, notez les moments de loisir, les sorties, les rendez-vous et planifiez-les pour gagner du temps et éviter d'en faire perdre aux autres.

UTILISER UNE GRILLE DE PLANIFICATION

Grâce aux plans de cours, dès la deuxième semaine, vous connaissez les exigences des enseignants en matière de travaux et d'examens. Vous savez combien de travaux de recherche, de travaux pratiques, d'exercices et de rapports de laboratoire vous devrez effectuer.

Le tableau 1.2 présente un exemple de grille de planification dans laquelle l'information peut être notée afin d'éviter les engorgements au milieu et à la fin de la session. Planifiez vous-même votre session à l'aide de cette grille, que vous pouvez télécharger à partir du site Internet *Pour réussir* [www.pourreussir.com]. Dans la colonne de gauche, indiquez le titre de chacun de vos cours, les principaux travaux qui sont demandés et la pondération de chaque travail. Indiquez les dates d'échéance (remise du rapport, date d'examen, etc.) dans les autres colonnes. Conservez cette grille sur votre bureau tout au long de la session et n'hésitez pas à la modifier au besoin. Vous pouvez, par exemple, ajouter des lignes pour vos loisirs, votre travail rémunéré, etc.

Consultez votre agenda tous les jours.

Ne vous laissez pas écraser par le poids des travaux : répartissez la charge sur toute la session. Attention surtout aux fins de session : en décembre et en mai, tout le monde est fatigué, la session a été dure, les travaux s'accumulent et les échéances se rapprochent. Les examens arrivent et votre stress augmente. C'est le temps de planifier minutieusement chaque journée de la semaine et d'éviter de surcharger votre horaire en acceptant les heures supplémentaires que votre employeur vous propose. Évitez aussi de terminer des travaux de recherche au moment où vous avez besoin de toute votre énergie pour préparer les examens. Assurez-vous d'avoir l'esprit libre pendant les deux dernières semaines de la session.

TACTIQUE	S'organiser dès la première semaine

Le passage du secondaire au collégial est un événement marquant pour la plupart des étudiants. C'est le temps de passer aux choses sérieuses, mais c'est aussi l'occasion de disposer enfin de son temps et de le gérer en fonction de ses priorités.

Malheureusement, plus du tiers des étudiants échouent ou abandonnent des cours dès leur première session au cégep parce qu'ils n'ont pas planifié leur emploi du temps. Pour bien gérer son temps, il faut planifier sa session, utiliser les outils pertinents (agenda, grilles hebdomadaires, instruments de planification d'une session, etc.) et apprendre à éviter les pertes de temps.

Il faut donc commencer à planifier son temps dès la première semaine de cours en prenant les mesures suivantes :

- se procurer un bon agenda ;
- assister à tous ses cours ;
- lire attentivement tous ses plans de cours pour se faire une idée des attentes de chaque enseignant ;
- organiser la première semaine à l'aide de la grille de planification ;
- planifier les travaux de recherche, s'il y a lieu ;
- acheter ses manuels à la coopérative et commencer les lectures obligatoires ;
- effectuer une visite de la bibliothèque ;
- réduire immédiatement le nombre d'heures de travail rémunéré.

TABLEAU 1.2	Exemple de planification des travaux à effectuer au cours d'une session																	
SEMAINES	1	2	3	4	5	6	7	8	9	10	11	12	13	14	15	16	17
COURS dates	27 août	3 sept.	10 sept.	17 sept.	24 sept.	1er oct.	8 oct.	15 oct.	22 oct.	29 oct.	5 nov.	12 nov.	19 nov.	26 nov.	3 déc.	10 déc.	17 déc.
Philosophie																	
Résumé de livre (25 %)					▓												
Dissertation sur Socrate (40 %)														▓			
Économie globale																	
Recherche (50 %)																	
•Bibliographie				▓													
•Fiches de lecture									▓								
•Rapport													▓				
Entreprise et environnement																	
Étude de cas (25 %)																	
•Remise des données										▓							
•Remise de l'étude														▓			
Méthodes quantitatives																	
Examens (4 x 25 %)				▓				▓				▓					▓
Anglais																	
Compositions (3 x 25 %)					▓					▓				▓			
Examen oral (25 %)																▓	
Français communication																	
Roman 1 (20 %)					▓												
Roman 2 (25 %)										▓							
Exposé oral (15 %)																	▓
Éducation physique																	
Examen 1 (20 %)						▓											
Examen 2 (25 %)															▓		
Journal de bord (20 %)													▓				
Loisirs																	
Festival des films du monde		▓	▓														
Salon du livre de Montréal												▓					
Tournoi de hockey						▓											

Les exemples de travaux et d'examens ne sont donnés qu'à titre indicatif. Les enseignants peuvent demander d'autres types de travaux, planifier plus de mesures d'évaluation et varier les délais pour la remise de travaux ou pour la tenue d'un examen.

www.pourreussir.com

Grille de planification d'une session

▨ PLANIFIER UNE SEMAINE

OBSERVER SON EMPLOI DU TEMPS PENDANT UNE SEMAINE

Le tableau 1.3 à la page suivante présente un exemple d'horaire hebdomadaire de travail. À l'aide de votre horaire de cours, notez les différentes activités de votre propre emploi du temps pendant une semaine sur la grille d'horaire hebdomadaire à télécharger du site Internet *Pour réussir* [www.pourreussir.com]. Faites cet exercice sans tricher afin de constater, noir sur blanc, si votre gestion du temps est bien faite ou comment elle pourrait s'améliorer. Notez aussi à quels moments vous êtes le plus productif intellectuellement : ce sont des heures qu'il faut réserver pour l'étude.

Ensuite, faites le total des heures que vous consacrez à chacun des types d'activités suivantes : tâches scolaires, emploi, sommeil, repas et soins personnels, loisirs, déplacements et autres activités. Reportez les totaux dans le tableau 1.4.

TABLEAU 1.3	Exemple de l'horaire hebdomadaire de Stéphanie, inscrite en Sciences humaines, profil « Administration », première session						
Semaine : 2	**Dates : du 2 au 8 septembre**						
Heures	**Lundi**	**Mardi**	**Mercredi**	**Jeudi**	**Vendredi**	**Samedi**	**Dimanche**
7 h à 8 h	TR		TR	Déjeuner	Déjeuner		
8 h à 9 h	MQ	Déjeuner	Philo.	TR	TR	TR	Déjeuner
9 h à 10 h	MQ	TR	Philo.	Biblio.	Biblio.	EM	EM
10 h à 11 h	Biblio.	Éd. phys.	Biblio.	Biblio.	Biblio.	EM	EM
11 h à 12 h	Dîner	Éd. phys.	Biblio.	Dîner	Biblio.	EM	EM
12 h à 13 h	FR	Dîner	Dîner	Philo.	Dîner	EM	Dîner
13 h à 14 h	FR	Entreprise	FR	Philo.	Angl.	EM	Étude
14 h à 15 h	Éco.	Entreprise	FR	TL	Angl.	EM	Étude
15 h à 16 h	Éco.	Entreprise	Biblio.	MQ	Angl.	EM	Étude
16 h à 17 h	Éco.	TR	Biblio.	MQ	TL	EM	Étude
17 h à 18 h	TR	TL	TR	TR/souper	TL	TR	TL
18 h à 19 h	Souper	Souper	Souper	EM	Souper	Souper	Souper
19 h à 20 h	Étude	Étude	Étude	EM	TL	TL	TL
20 h à 21 h	Étude	Étude	Étude	EM	TL	TL	TL
21 h à 22 h	TL	TL	TL	TL	TL	TL	TL
22 h à 23 h	S	S	S	S	TL	TL	S
23 h à 24 h	S	S	S	S	S	TL	S

Source : Répartition des cours par session dans le profil « Administration » du programme Sciences humaines 300.A0 au cégep de Saint-Jérôme, automne 2008, tableau 1.1, p. 5.

www.pourreussir.com

Horaire hebdomadaire vierge

LÉGENDE

Activités		**Cours**	
Biblio.	Bibliothèque, centre d'aide en français ou en mathématiques	Angl.	Anglais I (3 heures)
		Éco.	Économie globale (3 heures)
Étude	Étude, travaux scolaires, etc.	Philo.	Philosophie et rationalité (4 heures)
EM	Emploi	Éd. phys.	Éducation physique (2 heures)
S	Sommeil	Entreprise	Entreprise et environnement (3 heures)
TL	Temps libre	FR	Français, Communication (4 heures)
TR	Transport	MQ	Méthodes quantitatives (4 heures)

En somme, Stéphanie est occupée 57 heures par semaine :

■ elle a 23 heures de cours ;

■ elle travaille 14 heures comme monitrice de natation ;

■ elle prévoit 10 heures d'étude à la maison et 10 heures de travail à la bibliothèque ou au centre d'aide en français ou en mathématiques.

ANALYSER SES RÉSULTATS

Reportez les résultats de l'observation de votre emploi du temps dans le tableau 1.4.

TABLEAU 1.4	Analyse de mon emploi du temps					
	Exemple de Stéphanie	–	Votre prévision	=	Écart (+ ou -)	Remarques / Analyse
1. Tâches scolaires						
Heures de cours	23	–	_____	=	_____	Nous reprenons ici l'exemple de la grille de cours de Stéphanie, qui prévoit 23 heures de présence en classe à sa première session en Sciences humaines. La grille de Julien, en Techniques de travail social, en prévoit 29. Adaptez ce total à votre programme et prévoyez le nombre d'heures suggéré par le troisième chiffre de la pondération de vos cours pour le travail scolaire personnel. Il faut donc compter entre 35 et 50 heures.
Heures d'étude	20	–	_____	=	_____	
Total	**43**	–	_____	=	_____	
2. Emploi						
Heures de travail	14	–	_____	=	_____	Le nombre d'heures de travail rémunéré devrait se situer autour de 15 sans jamais dépasser 20, parce qu'alors le risque d'échec est élevé. N'oubliez pas que chaque année d'études est un investissement à long terme. Une année supplémentaire à cause d'un trop grand nombre d'échecs peut coûter cher. Demandez-vous pourquoi vous travaillez autant pour gagner de l'argent. Est-ce pour combler des besoins réels ou pour vous payer du luxe ? Le nombre d'heures consacrées à votre emploi vous empêche-t-il d'atteindre vos objectifs scolaires ?
3. Sommeil						
Heures de sommeil	56	–	_____	=	_____	Il faut une moyenne de 8 heures de sommeil par jour, soit 56 heures par semaine. Si vous manquez de sommeil, il ne faudra pas vous surprendre d'être fatigué. Si vous dormez trop, votre énergie en souffrira. Toutefois, si vous éprouvez une grande difficulté à vous lever, il faudra consulter votre médecin pour vérifier si c'est un symptôme de fatigue psychologique.
4. Repas et soins personnels						
Heures de repas	17,5	–	_____	=	_____	À raison de 30 minutes pour le petit déjeuner, d'une heure pour le dîner et d'une heure pour le souper, il faut compter 17,5 heures par semaine pour les repas. Il est important de prendre le temps de bien s'alimenter. Une saine alimentation a une incidence positive sur la réussite scolaire.
Heures pour les soins	3,5	–	_____	=	_____	
5. Loisirs, déplacements, autres activités						
Heures d'activités	34	–	_____	=	_____	Il n'y a pas de norme pour déterminer la place de ces activités dans une semaine ordinaire. Toutefois, si l'on fait le total de tout ce qui précède, il ne reste plus que de 25 à 40 heures pour ces activités. À vous de planifier !
Total	**168**	–	_____	=	_____	C'est maintenant l'heure du bilan ! Avez-vous sous-estimé le temps nécessaire à l'étude ? Vous êtes-vous inscrit à trop de cours, ce qui ne vous laisse plus assez de temps pour vous occuper de la maison, élever votre enfant, travailler pour subvenir à vos besoins ou pour toute autre activité ?

www.pourreussir.com

Grille de planification hebdomadaire

CONSTRUIRE SON HORAIRE CHAQUE SEMAINE

En vous fondant sur les informations que vous avez recueillies au tableau 1.4, téléchargez de nouveau la grille de planification hebdomadaire pour construire votre horaire définitif pour la session en cours. Il ne s'agit pas de construire un horaire de travail idéal, mais plutôt un horaire réaliste que vous pourrez toujours améliorer au fil des semaines. Utilisez la même légende que celle du tableau 1.3 pour remplir cette grille.

Un bon horaire possède les caractéristiques suivantes :

- **La précision** Un horaire précis permet de développer de bonnes habitudes de travail et de vérifier chaque jour si le travail prévu a été accompli.

- **La souplesse** Il ne faut pas devenir esclave de son horaire. Il faut être capable de le modifier selon les besoins. Par exemple, en période d'examens, il faut adopter un horaire de travail particulier.

- **La conformité à la réalité** Un horaire de travail est une contrainte que l'on s'impose pour être plus efficace. Il doit être conforme à la réalité et non aux rêves... Placez votre horaire bien en vue dans votre agenda ou sur votre bureau afin de pouvoir le consulter matin et soir.

PLANIFIER UNE JOURNÉE DE TRAVAIL

Un conseil : utilisez l'agenda de votre collège afin de visualiser toute la semaine. Le travail de planification sera plus facile.

Dressez une liste des tâches quotidiennes en commençant par les plus importantes. Cette simple suggestion est drôlement efficace. Vous pourrez vérifier votre liste tous les soirs, noter ce qui a été oublié ou négligé et reporter ces éléments sur la liste du lendemain.

Ne soyez pas l'esclave du cellulaire !

Sachez profiter des courtes périodes de temps, par exemple les battements entre les cours, pour réviser vos notes, lire les notes du cours précédent, faire un saut à la bibliothèque ou rencontrer un enseignant. Ces petits gestes « rapportent » beaucoup et exigent peu de planification.

Attention aux voleurs de temps, par exemple les courriels. N'ouvrez votre messagerie qu'à des moments déterminés, par exemple le matin et le soir, sinon vous serez esclave du courriel et, par conséquent, des priorités des autres. Il en va de même pour le cellulaire : utilisez la boîte vocale, faites vos appels avant ou après les cours, ou le soir. Ne soyez pas suspendu à votre « cell » !

Respectez les règles suivantes

- Commencez à travailler dès que vous vous installez à votre bureau.

- Utilisez les courtes périodes de temps entre deux cours ou avant le début d'un cours pour réviser la matière ou réorganiser vos notes.

- Consacrez un maximum de trois à quatre heures d'affilée à une tâche scolaire. Prenez une pause toutes les heures.

- Ne consacrez pas plus de cinq heures par jour à une même tâche.

- Ne consacrez pas plus de 10 heures par jour à des tâches scolaires, incluant les cours. Évitez, dans la mesure du possible, de surcharger les journées de cours. Ne suivez jamais plus de trois cours dans une même journée.

- Accomplissez les tâches planifiées dans l'agenda.

■ Après avoir étudié, accordez-vous une heure de repos avant d'aller vous coucher.

■ Fermez la télé, rangez le cellulaire et n'ouvrez l'ordinateur que pour travailler. Ne mêlez pas les loisirs et le travail scolaire.

■ Sachez dire non : effectuez seulement les tâches que vous avez planifiées.

■ Reportez les appels des amis, les visites, les distractions.

FIGURE 1.1	Liste des tâches quotidiennes

Lundi 4 octobre
Remettre le résumé à M. Lalancette.
Aller à la biblio. pour la recherche en économie.
Acheter le livre d'histoire à la coop.
Acheter une carte d'anniversaire pour Stéphanie.
Appeler Jean pour le travail en équipe.

TACTIQUE	Bannir la procrastination

La procrastination est l'habitude de reporter inutilement des décisions à prendre, des tâches à accomplir ou des activités à faire.

Quelles sont les causes de la procrastination ? La peur d'être évalué, le refus de répondre aux exigences d'autrui, le perfectionnisme (se fixer des objectifs si élevés qu'ils deviennent impossibles à atteindre), l'incapacité à prendre des décisions, la peur de l'inconnu et la volonté de se soustraire à des tâches désagréables (tels le lavage, le ménage ou... l'étude des statistiques[1]).

Des moyens pour bannir la procrastination

– N'attendez pas d'avoir le goût de faire une tâche : il n'y a pas de moment idéal. Faites ce que vous avez à faire maintenant.

– Soyez réaliste, ne visez pas la perfection. Écrivez les principaux éléments de la tâche à accomplir et peaufinez votre travail plus tard.

– Planifiez le travail en fonction de priorités clairement établies.

– Choisissez les meilleurs moments d'étude à l'aide de la grille de planification de votre horaire de travail (➤ *voir le tableau 1.3*).

– Changez de lieu de travail si les distractions sont trop nombreuses. Votre chambre ou le salon chez vos parents ne sont pas toujours les meilleurs endroits pour vous concentrer.

– Subdivisez les longs travaux afin de ne pas être découragé par leur ampleur.

– Joignez-vous à un groupe d'étude (➤ *voir le chapitre 4, p. 62*). Vous serez ainsi soutenu par d'autres étudiants et vous vous efforcerez de contribuer au succès de chacun.

– Enfin, quand vous sentez que la procrastination vous guette, revenez aux objectifs que vous vous êtes fixés en début de session et accomplissez les tâches nécessaires à l'atteinte de ces objectifs, qu'elles soient agréables ou non !

1. Inspiré de UNIVERSITÉ LAVAL, CENTRE D'ORIENTATION ET DE CONSULTATION PSYCHOLOGIQUE, *Surmonter la procrastination*, Québec, 1999, p. 6-9. www.cocp.ulaval.ca/webdav/site/cocp/shared/reussite/ Guide_Procrastination.pdf (Page consultée le 27 mai 2007)

Gérer son temps efficacement

- Établissez d'abord vos priorités pour la session. Combien de cours devez-vous suivre ? Quelle note vous semble satisfaisante compte tenu de votre potentiel et de vos intérêts ? Quels moyens devez-vous prendre pour l'obtenir ?

- Organisez-vous. Ayez un agenda et aménagez un lieu de travail propre et aéré. Utilisez les outils suggérés dans le présent chapitre.

- Soyez réaliste ! Questionnez-vous sur votre emploi du temps. Planifiez le temps nécessaire à la réalisation de chaque tâche. Ne sous-estimez pas le temps requis pour les recherches à la bibliothèque, les déplacements, etc. Prévoyez en moyenne une heure d'étude ou de travail scolaire pour chaque heure de cours.

- Soyez souple ! Pensez aux imprévus. Dans votre horaire de la semaine, gardez quelques heures pour les impondérables et les cas d'urgence.

- Planifiez vos loisirs. Prenez le temps de vous amuser, de vous faire plaisir, de flâner.

- Offrez-vous des récompenses ! Après une période d'étude intense, prévoyez du temps pour vous faire plaisir.

- Décelez les périodes creuses ! Profitez de certaines périodes, par exemple entre 16 h et 18 h, ou le soir après le repas, ou le samedi matin, pour accomplir des tâches simples, telles que de petits travaux domestiques.

- Enfin, ne vous laissez pas submerger par le travail. Établissez vos priorités et réalisez d'abord les tâches les plus importantes.

À RETENIR **La priorité : les études**

	Oui	Non
Ai-je établi mes priorités pour l'année ?	❑	❑
Est-ce que je connais la structure d'un programme d'études au collégial ?	❑	❑
Est-ce que je suis bien installé pour travailler ?	❑	❑
Ai-je un agenda ? Est-ce que je m'en sers chaque jour ?	❑	❑
Est-ce que je travaille trop (plus de 20 heures) à l'extérieur ?	❑	❑
Est-ce que j'ai lu tous mes plans de cours afin de planifier ma session ?	❑	❑
Est-ce que j'utilise mes plans de cours afin de déterminer les efforts que je devrai fournir dans chaque cours ?	❑	❑
Est-ce que je choisis mes meilleurs moments d'étude chaque semaine ?	❑	❑

Josée Gauthier

entrepreneure

CÉGEP DE CHICOUTIMI

Née à Dolbeau le 30 août 1973, Josée Gauthier obtient son diplôme d'études collégiales en Techniques de diététique au cégep de Chicoutimi en 1993. Pendant ses études, elle obtient des bourses pour son implication sociale et ses excellents résultats scolaires. Titulaire d'une maîtrise en Gestion des organisations de l'Université du Québec à Chicoutimi, elle devient copropriétaire et directrice d'usine au sein de l'entreprise Les Bergeries du Fjord, au Saguenay–Lac-Saint-Jean. Elle choisit un secteur non traditionnel, soit l'agriculture et la transformation alimentaire, et demeure dans sa région. Son entreprise a reçu le Grand Prix national du concours québécois en entrepreneurship 2004 et le Prix innovation technologique en agroalimentaire DEC/CRDA. Josée Gauthier fait aussi partie de plusieurs organismes de développement importants dans la région du Saguenay–Lac-Saint-Jean.

La gestion du temps : un défi quotidien

Pour cette entrepreneure, mère de trois enfants et bénévole au sein de nombreux organismes, la gestion du temps représente un défi quotidien. L'agenda est un outil indispensable pour Josée Gauthier. Depuis toujours, elle utilise un agenda pour noter ses activités personnelles, ses rendez-vous, ses activités de bénévolat, ses activités familiales, les dates d'anniversaire, tout, tout, tout... « Cette petite bible personnelle me permet de me retrouver, d'être à jour, de visualiser ma semaine, et surtout de me retrouver dans le passé. Je conserve mes agendas, j'y retourne lorsque je désire savoir ce que j'ai fait ou pour savoir où j'étais à une date précise. »

Un travail d'équipe

Le facteur clé de sa réussite réside dans le travail en équipe avec ses deux actionnaires : « Chacun possède des connaissances et une expertise distinctes qui nous permettent d'être complémentaires et performants dans nos secteurs d'activité. » Toutefois, sans agenda et sans une gestion rigoureuse du temps, le travail en équipe est impossible selon Josée Gauthier. ■

Prendre des notes en classe

Julien et Stéphanie au cégep

M. Gadbois, le professeur de philosophie de Julien, parle beaucoup et écrit peu au tableau. Comme Julien a parfois du mal à faire la différence entre les digressions et les éléments d'information importants, il note tout, pour ne pas être pris au dépourvu à l'examen. Au secondaire, c'était plus facile: les professeurs remettaient souvent des « notes trouées » que les étudiants complétaient pendant le cours ou ils utilisaient des transparents que les étudiants n'avaient qu'à copier. Maintenant, au bout d'une heure de cours, Julien a mal au poignet tellement il a écrit, et quand il relit ses notes, il n'arrive pas toujours à s'y retrouver…

M. Gadbois n'en a cure. Il poursuit son exposé sur les philosophes grecs des 5e et 4e siècles avant Jésus-Christ: Socrate, Platon et Aristote. Il présente un extrait de film sur la ville d'Athènes et explique les 20 concepts à apprendre en vue de l'examen de mi-session: démocratie, oligarchie, démagogue, citoyen, cité, clérouque, tyrannie, idéalisme, matérialisme, etc. Enfin, il invite un étudiant à lire un extrait de *La République* de Platon et il demande aux autres de faire ressortir les « enjeux philosophiques » de ce texte. Julien est complètement déboussolé. Il n'a pas l'habitude de suivre un cours de quatre heures en prenant des notes sans consignes précises. Les questions se bousculent dans sa tête. Que faut-il retenir de tout cela? Qu'est-ce qui est le plus important? Comment prendre des notes qui seront utiles pour préparer l'examen?

OBJECTIFS

Après avoir lu attentivement le présent chapitre, vous serez en mesure :

- de comprendre l'importance de la prise de notes en classe et dans votre vie professionnelle ;

- d'adopter les comportements appropriés avant, pendant et après la prise de notes ;

- d'utiliser le mieux possible vos notes de cours pour préparer des examens.

POURQUOI PRENDRE DES NOTES?

La prise de notes est-elle un cauchemar pour vous? Pour plusieurs, cette activité est pénible, voire inutile. Vous vous demandez peut-être à quoi vous servira la prise de notes sur le marché du travail. Pourtant, il se passe rarement une journée au travail sans que nous ayons à prendre des notes. Le graphiste qui prépare une esquisse, la stagiaire en droit qui consulte la jurisprudence, la technicienne qui rédige un rapport, l'infirmier qui assiste à une conférence sur les soins gériatriques, tous doivent prendre des notes pour bien effectuer leur travail.

Au collège et à l'université, il faut prendre des notes pour préparer un examen, pour mieux suivre et comprendre un exposé, pour préparer soi-même un exposé et pour compléter sa documentation en vue de rédiger un rapport de recherche. Bien entendu, la manière de prendre des notes et la manière d'apprendre sont propres à chaque étudiant. L'important, c'est de maîtriser une méthode de prise de notes. Le présent chapitre vous aidera à en développer une.

QU'EST-CE QUE LA PRISE DE NOTES?

«Prendre des notes, c'est relever le plus rapidement possible les points essentiels d'un exposé écrit ou oral avec la préoccupation de pouvoir, à partir de ces notes, recréer l'exposé. [...] Retrouver, relire et utiliser des notes bien prises est à la base de la vie intellectuelle et de la vie professionnelle[1].»

Retenez de cette définition les éléments suivants:

- Relever les points essentiels: retenir les arguments majeurs et les exemples significatifs, laisser de côté les répétitions et les points secondaires.

- Procéder le plus rapidement possible: en utilisant des mots clés et des abréviations (➤ *voir la liste des abréviations courantes, p. 26*).

- Recréer l'exposé: être en mesure de retrouver le contenu et les principales articulations d'un exposé écrit ou oral.

- Base de la vie intellectuelle et professionnelle: votre succès scolaire et professionnel dépend d'une bonne technique de prise de notes, car celle-ci vous permet de réfléchir en utilisant la pensée des autres ou vos propres idées retranscrites.

Prenez conscience du fait que les notes ne sont pas une fin en soi, mais:

- un moyen de vous concentrer pendant un exposé;

- un moyen de recueillir de l'information et de l'organiser;

- un moyen d'approfondir une question.

Bref, les notes sont un moyen d'organiser son propre processus d'apprentissage et sa vie professionnelle.

On prend des notes en classe pour aider sa mémoire (➤ *voir le chapitre 4, p. 60 à 62*) et classer l'information. La figure 2.1 illustre ce qui se passe après avoir suivi un cours: le lendemain, si l'on n'a pas pris de notes, on oublie 80 % de ce qui a été dit[2]. Par conséquent, il est important de réviser ses notes le jour même après un exposé, un cours ou une conférence et, si on le juge nécessaire, de les recopier au propre immédiatement après l'activité ou avant la fin de la journée.

---

1. Claude DARTOIS, *Comment prendre des notes*, Paris, Éditions du Centurion, 1965, p. 3.
2. Adapté de Tony BUZAN, *Une tête bien faite*, 3e éd., Paris, Éditions d'Organisation, 2004.

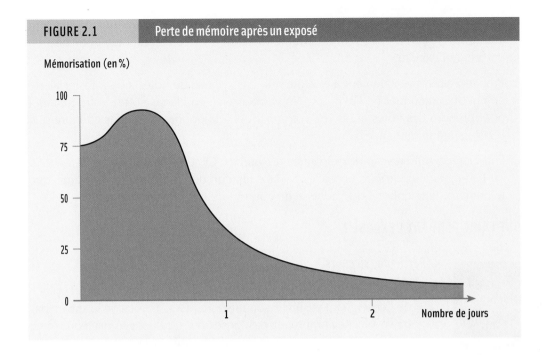

FIGURE 2.1 — Perte de mémoire après un exposé

Mémorisation (en %)

Nombre de jours

COMMENT PRENDRE DES NOTES EFFICACEMENT ?

Prendre des notes efficacement, c'est d'abord planifier le travail. C'est être actif et structuré pendant l'exposé. C'est finalement réorganiser et classer ses notes en vue d'un examen ou d'une recherche.

QUE FAIRE AVANT LE COURS ?

Dès le début d'une année scolaire, achetez :

- des feuilles blanches, lignées et perforées, de 22 cm x 28 cm ;
- quelques reliures à anneaux pour y mettre vos notes de cours et les feuilles distribuées en classe.

Avant chaque cours, suivez les consignes ci-dessous.

- Lisez le plan du cours que l'enseignant distribue au début de la session afin de savoir quelles sont les activités prévues.

- Relisez et complétez les notes du cours précédent : c'est la meilleure façon de vous préparer à prendre des notes.

- Faites une lecture préparatoire dans le manuel, dans une encyclopédie ou dans un site Internet sérieux (pour savoir comment évaluer un site Internet, ▶ *voir le chapitre 7, p. 118*) et notez les idées principales, les titres et les intertitres des textes que vous lirez. Cette lecture vous donnera un aperçu de la matière qui sera abordée dans le cours.

- Cherchez les définitions des mots techniques ou scientifiques en vue de vous constituer un lexique personnel (▶ *voir p. 27*). Si vous connaissez déjà le vocabulaire de la révolution industrielle qui sera utilisé dans votre cours d'Histoire de la civilisation occidentale (révolution, exode rural, bourgeoisie, classe ouvrière ou prolétariat, machinisme, libéralisme, socialisme, marxisme, syndicalisme, etc.), vous ne vous interrogerez pas continuellement sur le sens des mots et vous suivrez mieux l'exposé de l'enseignant.

- Choisissez un endroit tranquille dans la classe où vous pourrez tout voir et tout entendre, de préférence à une certaine distance de vos camarades, pour ne rien perdre de l'exposé.

- Préparez-vous mentalement à être attentif, car la prise de notes aide à rester alerte et à ne rien manquer de l'exposé. Dès votre arrivée en classe, sortez votre matériel pour prendre des notes et ouvrez votre manuel à la bonne page, sans attendre que l'enseignant le demande.

- Enfin, créez votre réseau de personnes-ressources. Obtenez le numéro de téléphone ou l'adresse de courriel d'un collègue dans chacun de vos groupes-cours ainsi que le numéro de téléphone ou l'adresse de courriel de tous vos enseignants.

QUE FAIRE PENDANT L'EXPOSÉ ?

Posez des questions.

Participer au cours

- Soyez actif! Participez activement au cours! Mettez-vous à la place de l'enseignant et suivez son raisonnement. Si vous ne le suivez pas ou si vous ne comprenez pas, posez des questions. Ainsi, vous serez toujours attentif et vous comprendrez mieux la matière, qui est la base d'une bonne préparation à un examen.

- Soyez attentif! Écoutez! Écouter un enseignant est une activité qui n'est pas simple et qui n'est surtout pas passive. Il faut d'abord se demander quelle est la structure de l'exposé et quel est le but de l'enseignant. On peut ensuite établir un lien avec ses propres expériences, ses propres connaissances et d'autres cours, et déterminer ce qui est important. Tout cela exige de la concentration et une participation au cours.

TACTIQUE	Être actif en classe

Pour être actif en classe, il faut :

- se présenter en classe frais et dispos, l'esprit alerte ;

- éviter de s'asseoir à côté des amis qui risquent de nous distraire ;

- ne pas s'asseoir trop loin de l'enseignant ;

- faire le vide et mettre de côté les problèmes personnels ou familiaux ;

- s'abstenir d'étudier la matière d'un autre cours ;

- oublier l'examen que l'on vient de passer dans le cours précédent ;

- ne pas essayer de rattraper ce qui vient d'être dit et que l'on a manqué : il faudra y revenir après le cours ;

- ne pas se laisser distraire par le cellulaire (s'assurer qu'il est bien fermé), ne jamais répondre au téléphone en classe, ne jamais jouer avec son cellulaire, son *iPod* ou tout autre gadget électronique. L'enseignant peut même être indisposé par ce comportement.

Bref, il faut être entièrement disponible mentalement et physiquement, car ce que l'on vient chercher dans un cours, c'est le savoir d'un spécialiste, l'enseignant. Pourquoi ne pas en profiter au maximum ?

Noter l'essentiel

Faut-il tout prendre en note ou se concentrer sur les grandes lignes ?

Cela dépend en partie de votre jugement personnel. Les grandes lignes vous suffisent-elles ou devez-vous tout noter ? Retenez-vous plus d'information à l'aide des exemples qu'à l'aide de la seule structure d'un exposé ?

La prise de notes est d'abord un travail mental effectif sur une matière donnée. On cherche à saisir la logique de l'exposé de l'enseignant, car on apprend et on retient seulement ce que l'on comprend. Il faut donc retenir la trame de l'exposé, sa structure.

Ensuite, on s'intéresse aux exemples significatifs sur lesquels l'enseignant insiste. On délaisse les commentaires sur les exemples et les questions secondaires et, surtout, on met de côté ce qui ne contribue pas à éclairer l'essentiel.

Soyez entièrement disponible mentalement et physiquement.

TACTIQUE	**Noter les éléments importants**

Il faut noter :
- le plan général de l'exposé (souvent présenté verbalement ou au tableau au début du cours) ;
- les noms propres ;
- les chiffres ;
- les dates importantes ;
- les schémas, les figures et les tableaux ;
- les équations ;
- les définitions ;
- les arguments majeurs ;
- les suggestions de lectures complémentaires ;
- les dates de remise de travaux, d'examens, de rencontres particulières ou d'activités ;
- les questions susceptibles d'être reprises à l'examen.

Il faut surtout être attentif aux indices donnés par l'enseignant quand :
- il insiste sur un point (« Ceci est très important. ») ;
- il souligne des termes oralement ou en les indiquant au tableau ;
- il répète une explication ;
- sa posture, le ton de sa voix ou sa mimique indiquent un point important ;
- il parle des questions de l'examen.

Prendre des notes de manière structurée

La prise de notes est une activité personnelle. Vous devez organiser vos notes de sorte qu'elles s'adaptent à votre style d'apprentissage. Les figures 2.2 et 2.3 présentent des exemples de mauvaise structure de notes, alors que la figure 2.4 (➤ *voir p. 24*) illustre une prise de notes structurée. Dans ce dernier cas, remarquez que chaque subdivision est précédée d'une lettre ou d'un chiffre, selon le système usuel « I, A, 1, a » (➤ *voir le chapitre 10, p. 194*), et qu'elle est décalée vers la droite de façon à repérer rapidement la structure de l'exposé de l'enseignant.

Voici quelques consignes générales relatives à une prise de notes structurée.

■ Laissez une marge vierge à gauche de la feuille. Vous utiliserez cette marge par la suite pour écrire des questions sur les notes de cours ou pour transcrire le plan de l'exposé.

■ N'écrivez qu'au recto des feuilles afin de pouvoir utiliser, le cas échéant, le verso de la page précédente pour noter des définitions, des schémas, des questions ou d'autres points accessoires.

■ Laissez des espaces entre les points importants de l'exposé : vous pourrez ainsi ajouter des remarques ou des compléments d'information.

■ Décalez vos notes vers la droite selon leur importance :
  – inscrivez les titres principaux à l'extrême gauche ;

Repérez la structure de l'exposé de l'enseignant.

FIGURE 2.2 Premier exemple de *mauvaise* structure de notes

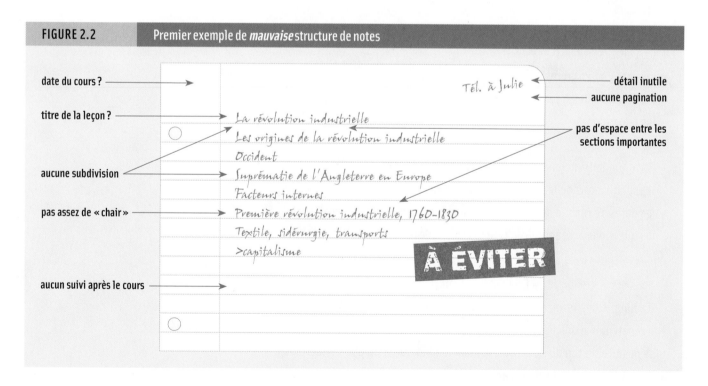

- décalez chaque intertitre vers la droite;

- gardez le même espace entre les titres de même importance.

■ Paginez vos feuilles de notes afin de vous y retrouver facilement.

■ Indiquez la date du cours dans le coin supérieur gauche de la feuille.

■ Ne perdez pas de temps à utiliser un correcteur liquide. Biffez plutôt les erreurs et continuez d'écrire pour suivre le fil de l'exposé. L'important n'est pas de prendre de « belles notes », mais de comprendre le sens de l'exposé et d'en retenir les grandes lignes.

■ Dressez une table des matières pour vos notes de cours : elle vous servira pendant les examens si l'enseignant vous autorise à utiliser vos notes.

■ Enfin, consultez le tableau 2.1 (► *voir p. 25*), qui présente les lacunes les plus courantes dans la prise de notes. Vous y trouverez des éléments de solution pour résoudre vos problèmes.

| FIGURE 2.3 | Second exemple de *mauvaise* structure de notes |

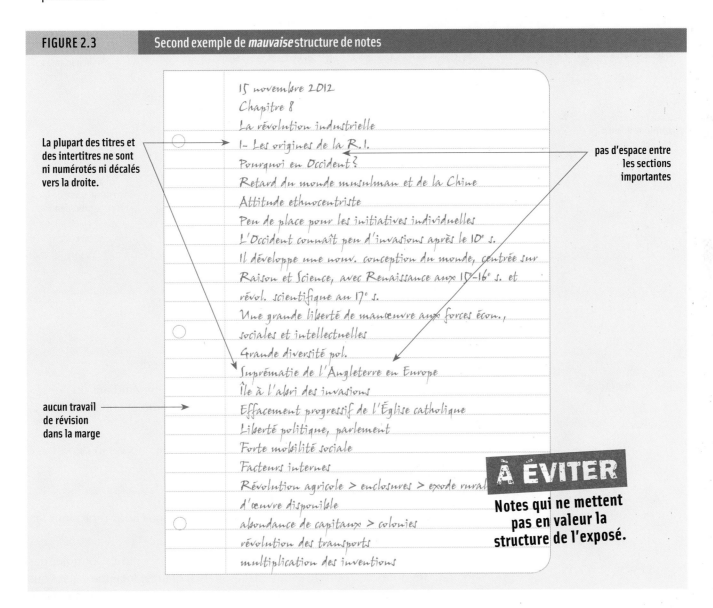

La plupart des titres et des intertitres ne sont ni numérotés ni décalés vers la droite.

pas d'espace entre les sections importantes

aucun travail de révision dans la marge

15 novembre 2012
Chapitre 8
La révolution industrielle
1- Les origines de la R.I.
Pourquoi en Occident?
Retard du monde musulman et de la Chine
Attitude ethnocentriste
Peu de place pour les initiatives individuelles
L'Occident connaît peu d'invasions après le 10ᵉ s.
Il développe une nouv. conception du monde, centrée sur
Raison et Science, avec Renaissance aux 15-16ᵉ s. et
révol. scientifique au 17ᵉ s.
Une grande liberté de manœuvre aux forces écon.,
sociales et intellectuelles
Grande diversité pol.
Suprématie de l'Angleterre en Europe
Île à l'abri des invasions
Effacement progressif de l'Église catholique
Liberté politique, parlement
Forte mobilité sociale
Facteurs internes
Révolution agricole > enclosures > exode rural
d'œuvre disponible
abondance de capitaux > colonies
révolution des transports
multiplication des inventions

À ÉVITER

Notes qui ne mettent pas en valeur la structure de l'exposé.

FIGURE 2.4 Exemple d'une *bonne* prise de notes

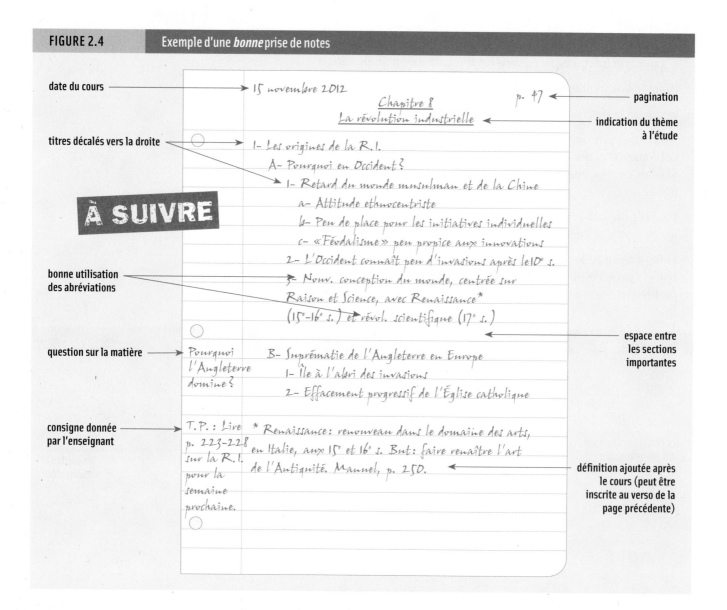

date du cours — 15 novembre 2012

Chapitre 8
La révolution industrielle

p. 47 — **pagination**

— **indication du thème à l'étude**

titres décalés vers la droite —

À SUIVRE

1- Les origines de la R.I.

   A- Pourquoi en Occident ?

     1- Retard du monde musulman et de la Chine

       a- Attitude ethnocentriste

       b- Peu de place pour les initiatives individuelles

       c- «Féodalisme» peu propice aux innovations

     2- L'Occident connaît peu d'invasions après le10e s.

bonne utilisation des abréviations — 3- Nouv. conception du monde, centrée sur Raison et Science, avec Renaissance* (15e-16e s.) et révol. scientifique (17e s.)

— **espace entre les sections importantes**

question sur la matière — Pourquoi l'Angleterre domine ?

   B- Suprématie de l'Angleterre en Europe

     1- Île à l'abri des invasions

     2- Effacement progressif de l'Église catholique

consigne donnée par l'enseignant — T.P. : Lire p. 223-228 sur la R.I. pour la semaine prochaine.

* Renaissance: renouveau dans le domaine des arts, en Italie, aux 15e et 16e s. But: faire renaître l'art de l'Antiquité. Manuel, p. 250.

— **définition ajoutée après le cours (peut être inscrite au verso de la page précédente)**

QUE FAIRE APRÈS LA PRISE DE NOTES ?

Il faut réviser le plus tôt possible les notes que l'on vient de prendre.

- Relisez vos notes et complétez-les avec votre manuel, un autre étudiant ou l'enseignant. Certains auront avantage à recopier leurs notes au complet afin de réviser la matière.

- Cherchez le sens des mots inconnus et notez les définitions au verso de la page précédente.

- Déterminez les titres importants et soulignez (ou surlignez) les mots clés.

- Soignez les schémas, les figures et les tableaux. N'hésitez pas à les reproduire en les agrandissant.

- Depuis 50 ans, de nombreuses recherches ont démontré que le fait de formuler des questions sur les notes de cours améliore les résultats scolaires. Imaginez que vous êtes l'enseignant et que vous préparez des questions d'examen portant sur une partie du cours. Relisez vos notes et écrivez dans la marge de gauche toutes les questions qui vous viennent à l'esprit (▶ *voir le chapitre 4, p. 57 et 61*).

Exemples

- « Qu'est-ce que… ? »   (définition)
- « Décrivez… »   (description)
- « Pourquoi… ? »   (causes)
- « Comment… ? »   (description d'un processus)
- « Comparez… »   (avantages/désavantages, aspects positifs/négatifs)
- « Situez dans son contexte… » (date, époque, idéologie)

■ Organisez vos notes en tableaux de classification ou en réseaux de concepts (➤ *voir le chapitre 4, p. 58 et 59*). En histoire, construisez une ligne du temps ; en géographie, dessinez vos propres cartes ; en économie, indiquez les données sur des graphiques ou, à l'inverse, rédigez des phrases complètes à partir des graphiques ; en philosophie, faites des tableaux comprenant les noms des philosophes, leurs idées, etc. En utilisant vos notes et en les structurant, vous arriverez plus facilement à maîtriser la matière et à améliorer vos résultats scolaires.

■ Choisissez un mode de classement pour vos notes de cours : regroupez les sujets ou les cours semblables dans une même reliure à anneaux ; classez vos reliures à anneaux ou vos cahiers de manière à les retrouver facilement, et ce, chaque année, car les notes d'un cours peuvent vous être utiles dans un autre cours au cégep ou à l'université.

TABLEAU 2.1	Principales difficultés relatives à la prise de notes
Difficultés	**Solutions**
Vous perdez facilement le fil de l'exposé.	Notez le plan de l'exposé si l'enseignant vous en propose un au début du cours ; sinon, suivez l'exposé en regardant le plan du cours. Prenez des notes sans interruption. Ainsi, vous serez constamment attentif.
Vous manquez des portions de phrases.	Tracez une ligne horizontale et continuez de noter. Vous demanderez plus tard à l'enseignant ce que vous avez manqué ou un étudiant vous renseignera. Peut-être aussi qu'en révisant vos notes, vous découvrirez, par le contexte, les mots manqués. Faites une photocopie des notes d'un bon étudiant.
Vous ignorez le sens de certains mots « savants ».	Notez-les au verso de la page précédente. Ensuite, demandez le sens de ces mots à l'enseignant ou consultez le glossaire de votre manuel ou un dictionnaire, et notez les définitions. Vous pourrez ainsi vous construire un lexique personnel (➤ *voir p. 27*).
Vous n'arrivez pas à suivre le rythme des exposés dans la plupart de vos cours.	Demandez à l'enseignant de ralentir ou de revenir sur un point important. Dressez une liste d'abréviations et de symboles pour chaque cours (le vocabulaire de l'économie est différent de celui de la philosophie). Placez cette liste bien en vue pendant l'exposé. Faites un effort pour utiliser ces abréviations. En peu de temps, vous prendrez deux fois plus de notes qu'avant (➤ *voir le tableau 2.2, p. 26*).
Malgré l'utilisation des abréviations, vous ne notez pas assez rapidement.	Allez voir l'enseignant après le cours : il répondra avec plaisir à vos questions et il vous suggérera des lectures pertinentes. Demandez aux autres étudiants s'ils éprouvent la même difficulté que vous. Il est possible que vous ne soyez pas le seul à avoir du mal à prendre des notes. Il faut alors en parler à l'enseignant et chercher avec lui des moyens d'améliorer la situation.

TABLEAU 2.2   Abréviations et symboles utiles

Abréviations courantes

A abrév. — abréviation
anc. — ancien
a.n.è. — avant notre ère
apr. J.-C. — après Jésus-Christ
a/s de — aux (bons) soins de
auj. — aujourd'hui
av. J.-C. — avant Jésus-Christ

B bd ou boul. — boulevard
bibl. — bibliothèque
bibliogr. — bibliographie

C c.a. — comptable agréé
c.-à-d. — c'est-à-dire
c.c. — copie conforme
cf. — *confer* (se reporter à)
chap. — chapitre
chronol. — chronologie
Cie — compagnie
coll. — collection
c.r. — compte rendu
cté ou cté — comté
cv — curriculum vitæ

D dép. — département
dir. — directeur
doc. — document
Dr ou Dr — docteur
douz. ou dz. — douzaine

E éd. — édition
encycl. — encyclopédie
enr. — enregistrée (entreprise)
env. — environ
et al. — *et alii* (et les autres)
etc. — *et cetera* (et le reste ; ne pas mettre de points de suspension)
ex. — exemple
exc. — exception
excl. — exclusivement

F fém. — féminin
fig. — figure, figuré
fr. — français

G géogr. — géographie
GMT — (*Greenwich Mean Time*) heure moyenne de Greenwich

H hab. — habitant
hist. — histoire

I *ibid.* — *ibidem* (là même, au même endroit ; remplace le titre d'un ouvrage dans une référence)
id. — *idem* (le même, la même chose ; remplace le nom d'un auteur dans une référence)
i.e. — *id est* (c'est-à-dire ; utilisez plutôt l'abréviation c.-à-d.)
ill. — illustration
inc. — incorporée (compagnie)
incl. — inclus, inclusivement
ital. — italique

L *loc. cit.* — *loco citato* (passage cité, à l'endroit déjà cité, pour un article de périodique)
ltée — limitée (compagnie)

M M., MM. — monsieur, messieurs
masc. — masculin
maths — mathématiques
max. — maximum
Me, Mes — maître, maîtres (avocat, notaire)
min. — minimum
Mlle, Mlles — mademoiselle, mesdemoiselles
Mme, Mmes — madame, mesdames

N N.B. — *nota bene* (notez bien)
NDLR — note de la rédaction
n et b — noir et blanc
n°, nos — numéro, numéros

O op. cit. — *opere citato* (dans l'ouvrage déjà mentionné)

P p. — page, pages
paragr. — paragraphe
p. 100, p. c., % — pour cent
P.-D.G. ou PDG — président-directeur général
p. ex. — par exemple
PME — petites et moyennes entreprises
po — pouce
P.-S. — post-scriptum

Q qq. — quelques
qqch. — quelque chose

R réf. — référence
RSVP — Réponse (répondez) s'il vous plaît

S s. — siècle
s.d. — sans date
s.l. — sans lieu (d'édition)
s.l.n.d. — sans lieu ni date
suppl. — supplément
SVP ou svp — s'il vous plaît

T t. — tome
tél. — téléphone

V vol. — volume(s)

Mois de l'année

| janv. | janvier | mars | mars | mai | mai | juill. | juillet | sept. | septembre | nov. | novembre |
| févr. | février | avril | avril | juin | juin | août | août | oct. | octobre | déc. | décembre |

Symboles

@ — arobas, séparateur dans une adresse de courriel
© — tous droits réservés (*copyright*)
= — égale, veut dire, est
≠ — n'égale pas, ne veut pas dire, n'est pas

→ — entraîne une conséquence, une conclusion
+ — plus
– — moins
+ ou – — plus ou moins
F — femme

H — homme
↗ — augmente, croissance, progrès
↘ — diminue, décroissance, recul
< — plus petit
> — plus grand

? — question
P — politique
C — culture
É — économie
S — société, social

Territoires et provinces du Canada

Alb.	Alberta	Man.	Manitoba	NT	Nunavut	Sask.	Saskatchewan
C.-B.	Colombie-Britannique	N.-B.	Nouveau-Brunswick	Ont.	Ontario	T.-N.-L.	Terre-Neuve-et-Labrador
Î.-P.-É.	Île-du-Prince-Édouard	N.-É.	Nouvelle-Écosse	QC	Québec	T. N.-O.	Territoires du Nord-Ouest
						Yn	Yukon

PRÉPARER L'ÉPREUVE SYNTHÈSE DE PROGRAMME

Au collégial, chaque étudiant est inscrit dans un programme d'études à la fin duquel il devra passer une épreuve synthèse de programme pour évaluer sa maîtrise et sa capacité d'intégrer en un tout cohérent les notions acquises pendant son séjour au collège. Cette épreuve pourra prendre la forme d'un stage, de l'élaboration d'un portfolio ou d'un examen.

Trois techniques permettent de s'y préparer dès la première session de cours.

LE TABLEAU DE SYNTHÈSE

Après avoir suivi un cours de 45 heures, par exemple en philosophie ou en histoire, faites un tableau de synthèse d'une ou deux pages, qui regroupera les principales notions apprises dans ce cours. Servez-vous aussi de votre plan de cours et des notes prises pendant la session.

LE LEXIQUE PERSONNEL

> Un lexique est un « dictionnaire spécialisé regroupant les termes utilisés dans une science ou une technique », selon *Le Petit Larousse illustré*[3].

En Sciences humaines par exemple, vous devrez maîtriser le sens de nombreux concepts, tels que comportement, évolution, marché, classe sociale, légitimité, développement, entreprise, éthique et culture. Les définitions de ces concepts varient parfois selon les disciplines et selon les auteurs.

C'est pourquoi nous vous recommandons de vous constituer un lexique personnel dès le début du collégial. Vous pouvez noter les mots dans une reliure à anneaux, dans un cahier de notes, sur des fiches (► *voir le chapitre 3, p. 43*) ou dans une banque de données, à l'aide d'un logiciel de traitement de texte, comme Word©, ou à l'aide d'un logiciel plus spécialisé, comme FileMaker Pro© ou Interprète, du CCDMD (pour y accéder gratuitement, ► *voir le site Internet* Pour réussir [*www.pourreussir.com*]).

Avec Word ou Interprète, créez un document intitulé « Lexique » et entrez vos définitions les unes à la suite des autres, par ordre alphabétique ou en les regroupant selon les disciplines (philosophie, littérature, histoire, etc.). Word indexera automatiquement tous les mots de votre document. Ainsi, si vous entrez la définition de « classe sociale » et la définition de « révolution sociale » et qu'elles contiennent les mots « Karl Marx », vous n'aurez qu'à inscrire Karl Marx en utilisant l'onglet « rechercher » du menu « Édition » pour avoir accès en un clin d'œil à toutes les définitions qui contiennent ces mots et vous pourrez faire des liens entre elles.

Avec FileMaker Pro ou Interprète, c'est un jeu d'enfant de créer une grille (► *voir la figure 2.5, p. 28*) comportant les entrées suivantes : nom du concept, définition, source de cette dernière, discipline. Ajoutez un espace pour insérer une réflexion personnelle, un autre pour indexer, etc.

---

3. « Lexique », *Le Petit Larousse illustré*, Paris, Larousse, 1998, p. 593.

FIGURE 2.5	Exemple d'une fiche réalisée à l'aide d'une base de données

Les entrées sont classées, au choix, selon l'ordre alphabétique des noms, des disciplines ou des sources. La grandeur du champ est illimitée ; vous pouvez y inclure autant de lignes que vous le souhaitez. Créez votre propre mise en pages, avec ou sans encadrés.

Nom	Révolution
Définition	Changement brusque de la structure politique et sociale d'un État, qui se produit quand un groupe se révolte contre l'autorité en place et prend le pouvoir. Changement brusque d'ordre économique, moral ou culturel, qui se produit dans une société.
Source	Bernard DIONNE et Michel GUAY, *Histoire et civilisation de l'Occident*, 2ᵉ éd., Laval, Éditions Études Vivantes, 1994, p. 301.
Notes	Sur la révol. ind., voir les p. 371-379 et 405-410 dans DIONNE-GUAY.
Discipline	Histoire, politique, économie, sociologie.
Index	État, pouvoir, économie, culture, société, morale, révolte, structure politique.

LE PORTFOLIO

Dès votre première session au collégial, commencez votre portfolio. Un portfolio est un « document écrit dans lequel les acquis de formation d'une personne sont définis, démontrés et articulés en fonction d'un objectif[4] ».

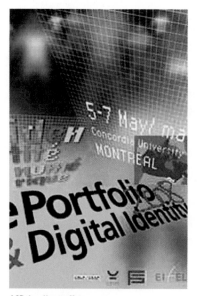

Affiche d'un colloque sur le eportfolio, tenu à Montréal en mai 2008.

C'est un « dossier évolutif » rassemblant notamment des « œuvres » et des travaux que vous avez produits au cours d'une année scolaire ou même de plusieurs[5]. Le portfolio sert à conserver, à regrouper et à classer les travaux qui font état de vos connaissances. Il vous permet donc de vous préparer pour l'épreuve synthèse de programme ou l'activité qui se déroulera à la dernière session de votre programme d'études. Le portfolio numérique (eportfolio) « est une collection d'informations numériques décrivant et illustrant l'apprentissage ou la carrière d'une personne, son expérience et ses réussites. Un eportfolio est un espace privé et son propriétaire a le contrôle complet de qui y a accès, comment et quand. Le contenu des eportfolios et les services associés peuvent être partagés avec d'autres pour accompagner les validations des acquis de l'expérience ; compléter ou remplacer des examens ; réfléchir sur son apprentissage ou sa carrière ; accompagner le développement professionnel continu, la planification de l'apprentissage ou la recherche du travail[6]. »

---

4. Renald LEGENDRE, *Dictionnaire actuel de l'éducation*, 2ᵉ éd., Montréal, Guérin, 1993, p. 1003.
5. François MULLER, « Le portfolio », dans *Diversifier sa pédagogie*, [En ligne], http://francois.muller.free.fr/diversifier//index.htm (Page consultée le 11 avril 2008)
6. QUÉBEC, SOCIÉTÉ DE FORMATION À DISTANCE DES COMMISSIONS SCOLAIRES DU QUÉBEC (SOFAD) et le CÉGEP@DISTANCE, *Le portfolio numérique : un atout pour le citoyen apprenant*, Québec, ministère de l'Éducation, du Loisir et des Sports, 2006, p. 11. www.sofad.qc.ca/pdf/portfolio_numerique.pdf (Page consultée le 19 février 2008)

Un portfolio contient:

- des travaux écrits, des examens corrigés;

- des documents multimédias (photos numériques, documents électroniques, vidéos, enregistrements sonores, sites Internet, etc.);

- des textes que vous avez rédigés dans le cadre de vos études et qui portent sur un ou plusieurs éléments de votre programme d'études: analyses de texte, résumés, notes de lecture, etc.;

- les plans de cours qui vous ont été remis;

- des attestations de formation autre que celle que vous avez suivie au collège: cours de langue, d'informatique, formation sur mesure en emploi, etc.;

- des attestations d'activités parascolaires, telles que des activités sportives, du bénévolat, etc.;

- des lettres d'appréciation de vos enseignants;

- tout autre document pertinent, tels les cahiers d'apprentissage que les enseignants vous ont demandé d'acheter tout au long de votre formation, etc.

Conservez vos plans de cours et vos notes de cours en vue de l'épreuve synthèse de programme.

En Sciences humaines, comme l'enseignant vous demande de faire le point sur la formation acquise au collège dans le cours «Démarche d'intégration des acquis en sciences humaines», qui se donne à la dernière session du programme, vous devez conserver vos plans de cours, vos rapports de recherche et d'autres textes pertinents. En Arts et lettres, le portfolio sera utile dans les cours «Épreuve synthèse» ou «Projet d'intégration». Quel que soit votre programme, vous avez intérêt à conserver des traces de vos apprentissages au collégial.

COMPÉTENCE	Prendre des notes de manière structurée

La prise de notes est une activité importante dans la vie étudiante et dans la vie profession-nelle. Pour que la prise de notes soit efficace et structurée, il faut être actif au moment d'un exposé. Cela veut dire :

- lire et suivre le plan du cours, se préparer avant chaque cours et réviser les notes des cours précédents ;

- être concentré, s'installer avant que l'enseignant commence à donner son cours, préparer son matériel, être attentif et ne pas se laisser distraire ;

- participer, poser des questions à l'enseignant, être critique et se questionner sur le contenu du cours et sur les textes ;

- toujours prendre des notes pour résumer des textes et reproduire la structure d'un exposé ; en prendre également après la projection d'un film, lors d'une sortie pédagogique, à la fin d'une journée de stage, quand on navigue dans Internet, quand on lit un journal ou un texte relatif à la matière d'un cours, etc. ;

- être actif dans tous ses apprentissages, en classe et à l'extérieur des cours, faire des lectures complémentaires, constituer une banque de notes de lecture et un lexique personnel, et conserver ces habitudes à l'université et dans sa vie professionnelle.

À RETENIR	L'organisation des notes		
		Oui	Non
Ai-je tout le matériel nécessaire pour prendre des notes ?		❑	❑
Est-ce que je prépare soigneusement le prochain cours en révisant mes notes du cours précédent ?		❑	❑
Est-ce que je participe activement aux cours ?		❑	❑
Est-ce que je pose des questions sur le contenu de mes cours et de mes lectures ?		❑	❑
Est-ce que j'organise le contenu de mes notes à l'aide de schémas, de tableaux, etc. ?		❑	❑
Est-ce que j'utilise un logiciel pour constituer ma banque de données ou mon lexique personnel ?		❑	❑

Laure Waridel

écosociologue

Le collège Lionel-Groulx

Laure Waridel est née le 10 janvier 1973 à Vevey, en Suisse. Après des études en Sciences humaines au collège Lionel-Groulx, elle obtient un baccalauréat en Sociologie de l'Université McGill, un certificat en Communications de l'Université du Québec à Montréal et une maîtrise en Environnement de l'Université de Victoria en Colombie-Britannique. En 1993, elle participe à la fondation de l'organisation Équiterre dont elle deviendra la présidente. Pionnière du commerce équitable au Québec, elle a publié *Acheter c'est voter, le cas du café* et *L'envers de l'assiette*. Le magazine *Maclean's* l'a présentée comme l'une des « *25 young Canadians who are already changing our world* ».

Son intérêt pour l'international

Au collège Lionel-Groulx, Laure Waridel a participé à un stage au Burkina Faso. « Ce fut ma première rencontre avec un petit bout du continent africain, sans doute le plus malmené de la planète. J'ai compris ce que voulait dire le mot « pauvreté » en croisant le regard d'enfants malades dans une clinique médicale au Sahel. [...] C'est lors de ce stage que j'ai constaté les bienfaits du commerce équitable. J'y ai rencontré un groupe de femmes qui faisait sécher des mangues au soleil, puis les exportait directement en Suisse dans des magasins de commerce équitable. Je trouvais ces femmes belles avec leur large sourire et leur boubou coloré. Elles avaient souvent un bébé accroché au dos et une ribambelle d'enfants qui leur tournait autour. Elles étaient dignes dans leur lutte pour l'amélioration de leurs conditions de vie. »

Prendre des notes encore aujourd'hui

« La prise de notes alimente ma "mémoire papier". Elle me permet de me souvenir de ce que je lis, de ce que j'entends, de concepts théoriques, d'exemples et d'histoires. Ces notes m'aident à organiser mes pensées pour ensuite les partager sous forme de livres, d'articles, lors de conférences ou d'entrevues que je prépare. » « Je prends des notes dans les livres que je lis, parfois même des romans ! Je note puis découpe des articles dans les journaux et les magazines d'information que je classe dans des dossiers auxquels je me réfère par la suite. Lorsque j'assiste à des conférences, je prends des notes comme si j'assistais à un cours et je me fais un devoir de les relire dans les jours qui suivent. J'en retiens ainsi davantage le contenu. »

Motivation

« Un facteur clé de réussite? Mon immense envie d'une suite du monde plus équitable et plus écologique, et l'énergie que j'y mets pour y contribuer. » ■

Lire efficacement

Julien et Stéphanie au cégep

C'est aujourd'hui dimanche. Il est 13 h. Stéphanie revient à la maison après avoir donné des cours de natation pendant tout l'avant-midi à la piscine municipale. Épuisée, elle n'a qu'une idée en tête : s'asseoir et regarder un bon film. Hélas ! en entrant dans sa chambre, elle aperçoit son agenda ouvert sur son bureau... Elle y jette un œil et constate qu'elle a des lectures à faire pour le lendemain, sans compter celles qu'elle doit faire pour mardi, mercredi et vendredi... Elle se résigne donc à ouvrir son manuel d'administration, mais elle se rend vite compte qu'elle n'a rien retenu des pages qu'elle a lues vendredi dans l'autobus. Elle se sent découragée à l'idée de tout recommencer. Doit-elle vraiment lire tout ça, de la première à la dernière page ?

De plus, elle a un rapport de recherche à préparer pour son cours d'économie. Madame Manseau demande la lecture d'au moins trois articles de périodiques, deux sites Internet contenant des statistiques sur l'économie du Québec et deux extraits de livres récents. Elle a parlé d'un « fichier de lecture » à remettre à la neuvième semaine de cours et Stéphanie n'a jamais conçu un tel fichier. Que veut dire « le respect des sources », « fiches-citations » et « classement des fiches », expressions chères à madame Manseau ? Pourquoi faut-il prendre des notes sur les lectures et ne pas se contenter de recopier des extraits des textes consultés ? Par quoi commencer ? Comment aller à l'essentiel ? Comment procéder ?

OBJECTIFS

Après avoir lu attentivement le présent chapitre, vous serez en mesure :

■ d'appliquer des méthodes de lecture en fonction de vos objectifs ;

■ de lire activement des textes en vue de les résumer ou d'effectuer une recherche ;

■ de lire activement des textes pour en faire des comptes rendus ou pour répondre à des questions ;

■ de classer et de traiter l'information recueillie en utilisant des fiches bibliographiques et documentaires.

La lecture est probablement l'activité intellectuelle la plus courante et la plus exigeante qui soit. En effet, lire, c'est d'abord comprendre les idées des autres. C'est recevoir une série de messages qui font appel à notre culture, à nos émotions et à notre intelligence. Cette activité très complexe suppose une bonne connaissance de la grammaire et de la syntaxe de la langue française ou des autres langues, le cas échéant.

La lecture est aussi l'une des activités les plus enrichissantes qui soient. On pénètre dans le monde intérieur d'une romancière, on acquiert de nouvelles connaissances, on ressent l'émotion du poète ou la passion de l'essayiste. Même si Internet prend une place importante dans nos vies, la lecture occupera toujours une place de choix.

CINQ MYTHES SUR LA LECTURE[1]

PREMIER MYTHE : IL Y A UNE SEULE BONNE FAÇON DE LIRE

Lire un journal quotidien, un roman de Michel Tremblay, un article dans une revue scientifique ou un manuel de philosophie, ce n'est pas tout à fait la même chose. L'état d'esprit n'est pas le même quand on lit par plaisir et quand on lit pour faire un travail de recherche ou pour préparer un examen.

DEUXIÈME MYTHE : LES BONS LECTEURS LISENT UNE SEULE FOIS ET VITE

Certains cours de « lecture rapide » laissent entendre que le but de la lecture, c'est de lire une seule fois et vite. Toutefois, les bons lecteurs, ceux qui cherchent à comprendre les idées exprimées et non à battre des records de vitesse, savent qu'il faut parfois lire lentement et relire une seconde fois afin de bien saisir l'idée de l'auteur. Si vous n'arrivez pas à comprendre du premier coup un article scientifique, cela ne signifie pas que vous êtes stupide ; cela signifie simplement qu'il faut faire des efforts pour comprendre des idées complexes.

Les bons lecteurs cherchent à comprendre les idées exprimées et non à battre des records de vitesse.

TROISIÈME MYTHE : IL Y A UNE SEULE FAÇON D'INTERPRÉTER « CORRECTEMENT » CE QU'ON LIT

Vraiment ? Pourtant, il existe divers types d'analyse de texte et différents niveaux de compréhension, selon que l'on soit un spécialiste dans le domaine ou un novice, par exemple. Il vous suffit d'atteindre le niveau de compréhension nécessaire pour le cours ou pour le travail que vous devez effectuer.

QUATRIÈME MYTHE : IL FAUT TOUJOURS LIRE UN TEXTE EN ENTIER

Cela dépend... Il faut parfois lire un livre au complet, qu'il s'agisse d'un essai ou d'un roman, pour bien saisir la pensée de l'auteur ou pour connaître la fin de l'histoire. Cependant, si votre enseignant vous demande de lire un texte sur l'histoire de la Révolution française en ne vous intéressant qu'aux causes et aux conséquences de cette

1. Adapté de B.T. WILLIAMS et M.B. MILLER, *Concept to Completion. Writing Well in the Social Sciences*, N.Y., Harcourt Brace College Publishers, 1997, p. 58-60.

révolution, il n'est pas nécessaire de faire une lecture intégrale; une lecture sélective suffit. Certains auteurs prétendent même que 80 % de l'information contenue dans un texte est concentrée dans 20 % de l'écrit (l'introduction, la conclusion, une section majeure, etc.).

CINQUIÈME MYTHE : LA LECTURE ET L'ÉCRITURE SONT DEUX ACTIVITÉS DISTINCTES

Au contraire, ce sont deux activités étroitement liées. Un bon lecteur lit avec un crayon à la main; il prend des notes, pose des questions et jette quelques idées sur papier, car l'écriture aide à réfléchir sur la matière. En écrivant, vous organisez vos idées, vous établissez des liens et vous répondez à des questions, ce qui est essentiel pour une bonne lecture. En somme, plus vous lirez, mieux vous écrirez, car l'analyse de texte que vous ferez en lisant vous permettra de développer votre habileté à écrire des textes structurés, clairs et « bien tournés ».

DÉTERMINER CLAIREMENT SES OBJECTIFS DE LECTURE

Les étapes de la lecture active peuvent être légèrement différentes selon les objectifs visés. Lisez-vous un livre pour en faire le résumé ou pour recueillir de l'information dans le cadre d'une recherche documentaire? Devez-vous répondre à des questions ou faire un compte rendu de l'ouvrage?

Pour faire un résumé

Si vous rédigez un compte rendu ou un résumé du livre (► *voir le chapitre 9*), lisez d'abord l'introduction et la conclusion afin de bien saisir les intentions et les thèses de l'auteur; ensuite, lisez chaque chapitre. Commencez par l'introduction et la conclusion de chacun des chapitres : vous y trouverez une présentation de la structure du texte et les conclusions de l'auteur. Sur une feuille, notez les arguments de l'auteur dans l'ordre selon lequel ils sont présentés. Vous aurez ainsi le matériel requis pour résumer le livre.

Pour répondre à des questions

Si vous répondez à des questions par écrit, analysez les questions (► *voir la méthode décrite dans le chapitre 4, p. 65*) et repérez les réponses dans les différentes parties du livre ou du texte. Lisez les intertitres et la première phrase de chaque paragraphe, puisque généralement cette phrase sert d'introduction au paragraphe et révèle l'idée maîtresse qui y sera développée. S'il n'y a pas d'intertitres, survolez la première phrase de chaque paragraphe, entourez au crayon deux ou trois mots importants (des concepts ou des faits) et formulez une question comprenant ces mots. Répondez à cette question et notez votre réponse sur une feuille.

Pour rassembler de l'information en vue d'une recherche

Si vous devez faire une recherche sur un thème précis, utilisez l'un des deux outils suggérés : le cahier de notes à double entrée (► *voir p. 41*) ou les fiches (► *voir p. 43*). Toutefois, peu importe l'objectif visé, la lecture active suppose toujours de souligner ou de surligner un texte et de l'annoter (► *voir la figure 3.2, p. 41*).

LES TYPES DE LECTURE

Distinguons d'abord la lecture traditionnelle des types de lecture proactive[2].

LA LECTURE TRADITIONNELLE

La lecture traditionnelle, c'est celle qu'on nous apprend à l'école : lire un texte du début à la fin, un mot après l'autre, de manière plutôt linéaire et passive. Ce type de lecture s'applique à un roman ou à un poème, mais, en général, il est peu pertinent lorsque vient le temps de lire pour chercher de l'information ou pour découvrir la thèse d'un essayiste. De plus, la lecture traditionnelle aide peu le lecteur à mettre en évidence la structure de la pensée de l'auteur ou à mémoriser l'information essentielle d'un texte.

LA LECTURE INDICATIVE

La lecture indicative est tout indiquée pour effectuer une recherche. Supposons que vous allez à la bibliothèque pour faire une recherche sur la famille québécoise et que vous trouvez une liste d'une trentaine d'ouvrages sur le sujet. La lecture indicative vous permettra de repérer l'un des ouvrages pour en connaître l'auteur et les idées principales. Vous pourrez ensuite évaluer la pertinence d'aller plus à fond et de lire le texte en entier. Ce type de lecture permet de repérer certains éléments du texte, des chapitres ou des sections qui seront plus utiles que d'autres.

La lecture active suppose toujours de souligner ou de surligner un texte et de l'annoter.

Parcourez d'abord la page couverture et la quatrième de couverture. Vous y trouverez le titre de l'ouvrage, le nom de l'auteur avec, parfois, une description de sa carrière, la date de publication, le nom de la collection, le résumé du livre, etc. Lisez ensuite la table des matières, l'introduction et la conclusion du volume avant de prendre une décision sur son utilisation ultérieure.

LA LECTURE EN DIAGONALE

La lecture en diagonale va encore plus loin que la lecture indicative. Elle sert à écrémer le contenu en survolant toutes les lignes du texte afin d'y découvrir les principales idées, les concepts et les passages importants. Il faut prêter une attention particulière aux titres et aux intertitres, aux mots en gras, aux définitions dans la marge, s'il y a lieu, aux résumés des chapitres, bref, à tout ce qui permet de découvrir la structure argumentative d'un texte. À cet égard, la recherche des connecteurs ou marqueurs de relation peut être fort utile, car les connecteurs établissent les liens entre les idées et annoncent les parties importantes de l'argumentation, une introduction, une conclusion, une alternative, une opposition, etc. Le tableau 3.1 (▶ voir p. 39) présente les principaux connecteurs.

LA LECTURE ACTIVE

La lecture active est l'ensemble des opérations qui permettent de saisir la nature d'un texte et d'en retenir les composantes essentielles. Elle s'appuie sur la lecture indicative et la lecture en diagonale pour intégrer toutes les dimensions du texte et pour stocker l'information pertinente en fonction de l'objectif du lecteur. La section suivante présente les techniques de base pour faire une lecture active efficace.

---

2. Voir Denis BERTRAND et Hassan AZROUR, *Réapprendre @ apprendre au collège, à l'université et en contexte de travail*, Montréal, Guérin, 2004, p. 479-511.

LIRE ACTIVEMENT

Pour lire activement, il faut avoir une idée claire de l'objectif poursuivi, soit de faire un travail intellectuel sur le texte. Il faut toujours annoter et surligner un texte, et prendre des notes afin d'en retenir l'essentiel, mais d'abord, il faut survoler l'ouvrage.

FAIRE UN SURVOL DE L'OUVRAGE

Ne commencez pas votre lecture par la première phrase du volume. Faites d'abord un survol de l'ouvrage pour avoir une idée globale de son contenu et de l'objectif poursuivi par l'auteur. Ce survol comprend les éléments suivants.

Il faut d'abord faire un survol d'un ouvrage pour avoir une idée globale de son contenu.

La page couverture

Elle fournit des indications telles que le titre et le sous-titre (qui précisent le sujet du livre), le nom de l'auteur, la maison d'édition et, parfois, des renseignements complémentaires sur le contenu du livre (l'annonce d'une préface par une personne connue, par exemple).

La quatrième de couverture

Elle peut contenir une courte biographie de l'auteur, un résumé ou des commentaires sur le livre.

La page de titre

Cette page peut contenir des renseignements sur l'édition ou sur la traduction. Par exemple, il peut être important de savoir que le livre est traduit de l'allemand si vous faites un travail sur la Seconde Guerre mondiale.

Le verso de la page de titre

On y trouve souvent la liste des publications de l'auteur ainsi que son évolution. On y trouve également le copyright (précédé du symbole ©) et la mention du dépôt légal du livre (Bibliothèque et Archives nationales du Québec), de même que le numéro de l'édition et l'année de publication, ce qui est très important pour situer l'œuvre dans son contexte.

La préface

La préface peut être rédigée par un collègue de l'auteur, une personnalité ou un spécialiste. Elle met en lumière l'importance du livre dans la production courante.

La table des matières

C'est probablement l'élément le plus important du survol, car on y trouve le plan du livre et la logique du cheminement de l'auteur. On détermine s'il est utile de lire l'ouvrage au complet ou si la lecture de quelques chapitres pertinents suffit.

L'introduction

Habituellement, l'auteur y expose la structure de son livre, de même que le sujet, le but de l'ouvrage, la méthode qu'il a choisie pour aborder son sujet et les hypothèses qu'il formule.

La conclusion

L'auteur y présente les conclusions auxquelles il est parvenu, les solutions qu'il propose, etc.

Le survol de l'ouvrage permet de répondre à deux questions essentielles. Pourquoi faut-il entreprendre la lecture du livre ? Faut-il lire tout le volume ou choisir seulement les chapitres pertinents ?

Le surlignage des mots clés facilite la relecture du texte et le repérage des concepts.

DÉTECTER LES MOTS CLÉS

Les mots clés sont les mots essentiels à la compréhension du message de l'auteur. Généralement, ce sont des concepts, c'est-à-dire des idées ou des représentations mentales des réalités que l'auteur aborde dans son ouvrage (➤ *voir le chapitre 4, p. 58*). Ainsi, un ouvrage sur la famille parlera de mariage, d'union libre, de famille nucléaire (cellule familiale père-mère-enfant), de famille élargie, de famille monoparentale, etc. Ces mots clés, ou concepts, sont des constructions abstraites qui ont pour but de saisir le réel et d'y donner un sens ou de proposer une explication.

Le surlignage des mots clés facilite la relecture du texte et le repérage des concepts.

DÉCELER LES CONNECTEURS

Il faut aussi surligner les connecteurs ou marqueurs de relation afin de repérer la logique du texte et des arguments présentés. Le tableau 3.1 présente les principaux connecteurs et le type de relation qu'ils établissent dans un texte.

Selon Marie-Éva de Villers, les connecteurs « sont des éléments qui établissent la liaison entre des phrases et qui assurent l'organisation générale d'un texte en marquant son articulation logique, une succession dans le temps ou une situation dans l'espace[3] ». Elle distingue les connecteurs « argumentatifs » (ou « marqueurs de relation »), qui permettent de détecter aisément la logique argumentative de l'auteur du texte, des connecteurs spatiaux ou des connecteurs temporels.

---

3. Marie-Éva de VILLERS, « Connecteurs », *Multidictionnaire de la langue française*, 4e éd., Montréal, Québec-Amérique, 2003, p. 335. Le tableau 3.1 est adapté de cette source, ainsi que de Brigitte CHEVALIER, *Lecture et prise de notes*, Paris, A. Colin, 2004, p. 85-86, de Michel DURAND, *Les marqueurs de relation*, Montréal, Collège de Bois-de-Boulogne, [s.d.], www.colvir.net/prof/michel.durand/marqueurs.html (Page consultée le 9 juin 2007) et de Marie MALO, « Transition et marqueur de relation », *Guide de la communication écrite au cégep, à l'université et en entreprise*, Montréal, Québec-Amérique, 1996, p. 287-292.

| TABLEAU 3.1 | Principaux connecteurs dans un texte |

Connecteurs (ou organisateurs textuels)			
Connecteurs argumentatifs	**Pour marquer une introduction**		**Pour marquer une addition**
	Au premier abord	D'une part	Ainsi que	De surcroît
	Avant tout	En premier lieu	Alors	Également
	À première vue	Premièrement	Aussi	En outre
	D'abord		Au surplus	Ensuite
			De plus	Et
	Pour marquer une alternative		**Pour marquer une opposition**	
	Ou		À la différence de	Inversement
	Ou au contraire		À l'inverse	Mais
	Ou bien		À l'opposé	Malgré tout
	Soit… soit		Au contraire	Néanmoins
	Tantôt… tantôt		Contrairement à	Par contre
			D'autre part	Tandis que
			D'un autre côté	Toutefois
			En revanche	
	Pour marquer une cause		**Pour marquer une conséquence**	
	À cause de	En raison de	Ainsi	Donc
	Car	Étant donné que	Ainsi donc	D'où
	Compte tenu de	Parce que	C'est ainsi que	En conséquence
	D'autant plus que	Par suite de	C'est pourquoi	Par conséquent
	De ce fait	Puisque	Conséquemment à	Par voie de conséquence
	En effet		De là	Par suite de
			Dès lors	Si bien que
			De telle sorte que	Voilà pourquoi
	Pour marquer un but		**Pour marquer une concession, une atténuation**	
	À cet effet	De façon que	Bien que	Mais
	À cette fin	De manière que	Cependant	Malgré
	Afin de	En vue de	Du moins	Néanmoins
	Dans ce but	Pour	Du reste	Or
	Dans cette optique		En dépit de	Pourtant
			En tout état de cause	Toutefois
	Pour marquer une explication		**Pour marquer une conclusion**	
	À savoir	En effet	Ainsi	Enfin
	Autrement dit	Par exemple	Donc	Finalement
	C'est-à-dire	Soit	En définitive	Pour conclure
	De même		En fin de compte	Pour terminer
			En résumé	Tout bien considéré
			En somme	Tout compte fait
Connecteurs spatiaux	À droite	À l'est	D'un côté	En dehors
	À gauche	À l'ouest	De l'autre côté	En dessous
	Au-dedans	Au loin	D'une part	En dessus
	Au-dehors	Devant	D'autre part	Hors
	Au-delà	Derrière	En arrière	Ici
	Au-dessous	Dedans	En avant	Là
	Au-dessus	Dehors	En bas	Partout
	Au nord	Dessous	En haut	
	Au sud	Dessus	En dedans	
Connecteurs temporels	D'abord	En deuxième lieu	Finalement	Secundo
	Dans un premier temps	En premier lieu	Premièrement	Tertio
	Dans un deuxième temps	Enfin	Primo	Tout d'abord
	Deuxièmement	Ensuite	Puis	Troisièmement
	En dernier lieu			

SURLIGNER ET ANNOTER UN TEXTE

Dans le cadre d'un cours de sociologie, vous lisez, par exemple, un extrait du livre *L'annuaire du Québec 2008* (► *voir la figure 3.2*). Bien entendu, vous devez comprendre le sens du texte et prendre des notes en vue de rédiger un rapport de recherche sur les défis démographiques dans la société québécoise.

Il y a deux erreurs à éviter. Certains abusent du surligneur, de sorte qu'à la fin, plus rien ne ressort tellement le texte est coloré. D'autres, au contraire, croient posséder la science infuse et une mémoire indéfectible : ils lisent sans rien surligner et sans même prendre de notes…

Dans l'exemple de la figure 3.1, rien ne ressort, car presque tout le texte est surligné. Lorsque viendra le temps d'utiliser ce texte, il faudra le relire en entier, puisque rien n'a été mis en évidence. Observez l'exemple de la figure 3.2 dans lequel le texte est surligné et annoté correctement.

Remarquez les éléments suivants : les chiffres significatifs sont récrits dans la marge ; les idées principales sont surlignées ; certains mots sont encadrés, car il s'agit d'idées principales ; les tableaux sont annotés ; certaines idées importantes sont récrites dans la marge.

FIGURE 3.1   Exemple d'un texte *mal* surligné

Rien ne ressort, car presque tout le texte est surligné.

134 • L'ANNUAIRE DU QUÉBEC 2008

Dans ce contexte, il y a rien d'étonnant à ce qu'un nombre grandissant de gens estiment que les minorités religieuses « prennent trop de place » dans l'espace public. Pour d'aucuns, cette situation découle du fait que nous serions en train d'assister à un déferlement [religions non chrétiens]. Qu'en est-il au juste ?

À ÉVITER

...ceptes de religions orientales (judaïsme, islam, hindouisme, sikhisme, bouddhisme, etc.) au Québec est passée de 2,0 à 3,8 %. Malgré la hausse sensible, l'apport ne semble pas spectaculaire. Toutes choses étant relatives, ces chiffres peuvent mieux s'apprécier si on les compare à ceux que l'on relève ailleurs au Canada, ou dans les pays occidentaux qui ont le plus attiré l'immigration non chrétienne.

Ailleurs au Canada et en Occident

En 2001, à l'échelle canadienne, 6,1 % de la population adhère à une [tradition religieuse orientale] C'est dire que le Québec se place en dessous de la moyenne canadienne. La situation rencontrée au Québec ne se compare guère avec ce que l'on observe en Colombie-Britannique et en Ontario, où ces minorités dépassent les 8 % (*voir tableau 1*).

Du côté international, si la proportion des religions orientales au Québec est semblable à celle que l'on retrouve aux États-Unis (même si le poids numérique est sans rapport) et en Belgique (*voir tableau 2*), elle reste en deçà des situations rencontrées dans la plupart des pays d'Europe occidentale (Autriche, Allemagne, Suisse, Grande-Bretagne) ou d'Océanie (Australie, Nouvelle-Zélande), où les appartenances non chrétiennes oscillent

TABLEAU 1
Religions non chrétiennes en %
Québec comparé aux autres provinces
(2001)

Maritimes	0,7
Saskatchewan	0,9
Manitoba	3,1
Québec	3,8
Alberta	5,7
Colombie-Britannique	8,7
Ontario	8,8

Source : Statistique Canada, 2001
Calculs de l'auteur

Culture, identité et accommodements raisonnables • 135

de 4 à 6 %. On est encore loin des Pays-Bas et de la France, où ces appartenances pourraient (par estimation) atteindre les 9 %.

Dans cette perspective, la place qu'occupe la population non chrétienne au Québec n'a donc rien d'extraordinaire.

Cela dit, dans le contexte canadien, il faut mentionner que cet état de choses a beaucoup à voir avec la géographie. Contrairement à l'Ontario et à la Colombie-Britannique, l'immigration du tiers-monde qui s'installe au Québec est moins marquée par l'apport asiatique que par les contingents d'Amérique latine (comme c'est d'ailleurs le cas aux États-Unis), du monde arabe ou d'Afrique noire.

La religion la plus pratiquée par les [minorités visibles]

Si on peut maintenant dire que la place qu'occupent les religions orientales au Québec demeure encore relativement modeste, d'où vient donc l'impression populaire inverse ?

Il est vrai que la présence à Montréal de minorités visibles provenant du monde arabe, de l'Afrique, du sous-continent indien et de l'Extrême-Orient incline à penser que ces dernières contribuent naturellement au grand essor des religions « exotiques ». C'est pourtant loin d'être le cas, puisque 55 % de l'ensemble des membres de minorités visibles adhèrent à l'une ou à l'autre des Églises chrétiennes, la majorité étant des catholiques.

Bien que l'association automatique des Arabes avec l'islam soit compréhensible, il faut savoir que cette vision ne correspond pas à la réalité arabe québécoise. Déjà, 3 Palestiniens sur 10 sont chrétiens.

TABLEAU 2
Religions non chrétiennes en %
Québec et quelques États occidentaux
(2000 ou 2001)

Pays-Bas	7,0/9,0
France	6,5/9,0
Nouvelle-Zélande*	6,6
Grande-Bretagne*	5,3
Suisse*	5,3
Australie*	4,8
Allemagne	4,8
Autriche*	4,3/4,5
Québec*	3,8
Belgique	3,0/4,4
États-Unis	3,0

Source : Recensement nationaux (*) et estimés de l'auteur

Source : Frédéric CASTEL, « Envahissement des minorités religieuses au Québec ? », dans Michel VENNE et Myriam FAHMY, dir., *L'annuaire du Québec 2008*, Montréal, Fides, 2007, p. 134-135.

134 • L'ANNUAIRE DU QUÉBEC 2008

Dans ce contexte, il n'y a rien d'étonnant à ce qu'un nombre grandissant de gens estiment que les minorités religieuses « prennent trop de place » dans l'espace public. Pour d'aucuns, cette situation découle du fait que nous serions en train d'assister à un déferlement d'immigrants non chrétiens. Qu'en est-il au juste ?

Depuis 40 ans

Entre 1961 et 2001, la part des adeptes de religions orientales (judaïsme, islam, hindouisme, sikhisme, bouddhisme, etc.) au Québec est passée de 2,0 à 3,8 %. Malgré la hausse sensible, l'apport ne semble pas spectaculaire. Toutes choses étant relatives, ces chiffes peuvent mieux s'apprécier si on les compare à ceux que l'on relève ailleurs au Canada, ou dans les pays occidentaux qui ont le plus attiré l'immigration non chrétienne.

Le Rc inférieur à la moyenne canadienne

Ailleurs au Canada et en Occident

En 2001, à l'échelle canadienne, 6,1 % de la population adhère à une tradition religieuse orientale. C'est dire que le Québec se place en dessous de la moyenne canadienne. La situation rencontrée au Québec ne se compare guère avec ce que l'on observe en Colombie-Britannique et en Ontario, où ces minorités dépassent les 8 % (*voir tableau 1*).

Du côté international, si la proportion des religions orientales au Québec est semblable à celle que l'on retrouve aux États-Unis (même si le poids numérique est sans rapport) et en Belgique (*voir tableau 2*), elle reste en deçà des situations rencontrées dans la plupart des pays d'Europe occidentale (Autriche, Allemagne, Suisse, Grande-Bretagne) ou d'Océanie (Australie, Nouvelle-Zélande), où les appartenances non chrétiennes oscillent

TABLEAU 1
Religions non chrétiennes en %
Québec comparé aux autres provinces
(2001)

Maritimes	0,7
Saskatchewan	0,9
Manitoba	3,1
Québec	3,8
Alberta	5,7
Colombie-Britannique	8,7
Ontario	8,8

Source : Statistique Canada, 2001
Calculs de l'auteur

Rc < Ont
3,8 %   8,8 %!

---

de 4 à 6 %. On est encore loin des Pays-Bas et de la France, où ces appartenances pourraient (par estimation) atteindre les 9 %.

Dans cette perspective, la place qu'occupe la population non chrétienne au Québec n'a donc rien d'extraordinaire.

Cela dit, dans le contexte canadien, il faut mentionner que cet état de choses a beaucoup à voir avec la géographie. Contrairement à l'Ontario et à la Colombie-Britannique, l'immigration du tiers-monde qui s'installe au Québec est moins marquée par l'apport asiatique que par les contingents d'Amérique latine (comme c'est d'ailleurs le cas aux États-Unis), du monde arabe ou d'Afrique noire.

Origine des immigrants au Rc

La religion la plus pratiquée par les minorités visibles

Si on peut maintenant dire que la place qu'occupent les religions orientales au Québec demeure encore relativement modeste, d'où vient donc l'impression populaire inverse ?

Il est vrai que la présence à Montréal de minorités visibles provenant du monde arabe, de l'Afrique, du sous-continent indien et de l'Extrême-Orient incline à penser que ces dernières contribuent naturellement au grand essor des religions « exotiques ». C'est pourtant loin d'être le cas, puisque 55 % de l'ensemble des membres de minorités visibles adhèrent à l'une ou à l'autre des Églises chrétiennes, la majorité étant des catholiques.

Bien que l'association automatique des Arabes avec l'islam soit compréhensible, il faut savoir que cette vision ne correspond pas à la réalité arabe québécoise. Déjà, 3 Palestiniens sur 10 sont chrétiens.

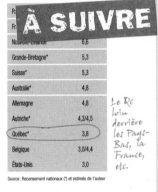

TABLEAU 2
Religions non chrétiennes en %
Québec et quelques États occidentaux
(2000 ou 2001)

Nouvelle-Zélande	6,6
Grande-Bretagne*	5,3
Suisse*	5,3
Australie*	4,8
Allemagne	4,8
Autriche*	4,3/4,5
Québec*	3,8
Belgique	3,0/4,4
États-Unis*	3,0

Source : Recensement nationaux (*) et estimés de l'auteur

Le Rc loin derrière les Pays-Bas, la France, etc.

Source : Frédéric CASTEL, « Envahissement des minorités religieuses au Québec ? », dans Michel VENNE et Myriam FAHMY, dir., *L'annuaire du Québec 2008*, Montréal, Fides, 2007, p. 134-135.

PRENDRE DES NOTES DE LECTURE

Après avoir lu et annoté le texte, il faut transcrire ses notes pour les avoir à portée de la main au moment de rédiger un rapport de recherche, un compte rendu ou un résumé. Pour ce faire, on peut utiliser un cahier de notes à double entrée ou des fiches.

LE CAHIER DE NOTES À DOUBLE ENTRÉE

Si l'on prend des notes sur un seul texte, des feuilles mobiles feront l'affaire. Elles permettent de noter plusieurs éléments d'information et se conservent facilement dans une reliure à anneaux. On parle de « double entrée » parce que, d'un côté, il y a les notes et, de l'autre, des questions et des indications pertinentes.

Voici des éléments à remarquer dans la figure 3.3 (voir p. 42) :

■ La source est encadrée pour la mettre en évidence. Il s'agit du texte de Frédéric Castel reproduit en partie dans les figures 3.1 et 3.2.

■ La source est complète : NOM DE L'AUTEUR, Prénom. « Titre de l'article », dans Prénom NOM et Prénom NOM DES DIRECTEURS DU LIVRE, <u>Titre du livre souligné</u>, lieu d'édition, maison d'édition, année de publication, pages de l'article. Bien noter tous les éléments de la référence bibliographique. Cela est d'une importance capitale dans un rapport ou une bibliographie (voir le chapitre 11, p. 222).

- Les intertitres sont décalés vers la droite selon leur importance.

- Les titres et les intertitres sont soulignés.

- On a recours à des abréviations.

- Il y a peu de guillemets. Ils sont utilisés lorsqu'on cite textuellement l'auteur. Le reste est paraphrasé.

- Le numéro des pages est inscrit dans la marge.

- Des commentaires personnels sont ajoutés dans une autre couleur : un calcul de proportion, une note, une critique.

| FIGURE 3.3 | Exemple d'une *bonne* prise de notes de lecture sur une feuille mobile |

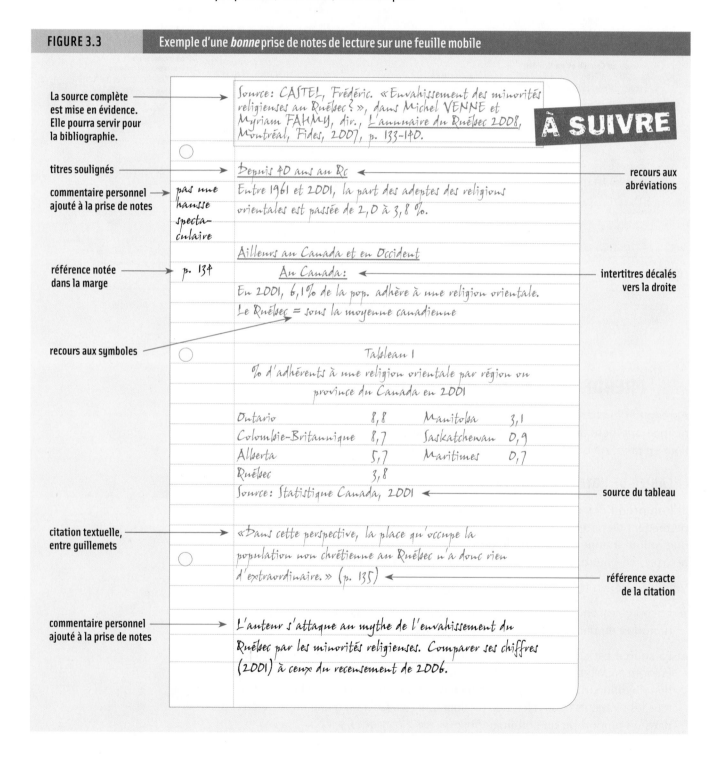

LES FICHES DE LECTURE

Pourquoi créer des fiches? Parce que les fiches permettent d'indiquer une idée à la fois et de noter la source (auteur). De plus, elles peuvent être classées selon un mode de classement personnel. Vous pouvez décider que telle idée, tel fait, telle citation se trouveront, par exemple, dans la troisième section du premier chapitre de votre rapport. Les fiches vous obligent à classer l'information et à reconstituer une argumentation personnelle.

Utilisez des grandes fiches de 12,7 cm x 20,3 cm ou coupez en deux des feuilles de 22 cm x 28 cm. Les petites fiches ne sont pas recommandées parce qu'on ne peut y écrire qu'une ou deux courtes phrases. Cependant, elles peuvent être utiles pour les fiches bibliographiques.

Les fiches permettent de classer les idées une par une.

La fiche titre

Chaque fichier doit comporter une fiche titre sur laquelle se trouvent les renseignements suivants:

- votre prénom et votre nom, le titre et le numéro du cours; vous pouvez ajouter le numéro du groupe (01, 02…) s'il y a lieu;

- le titre du travail, en majuscules, suivi de l'expression « Fiches de lecture »;

- le nom de l'enseignant à qui vous présenterez le travail, s'il y a lieu;

- le nom du collège et la date de remise du travail.

FIGURE 3.4	Fiche titre

Jeanne CORMIER

Société québécoise et famille

387-223-JR, gr. 01

LES EFFETS DE LA CHUTE DE LA NATALITÉ

SUR LA SOCIÉTÉ QUÉBÉCOISE

Fiches de lecture

Travail remis à M. Serge CHARLAND

Cégep de Saint-Jérôme

Le lundi 9 mai 2011

La fiche bibliographique

Notez la référence bibliographique complète (➤ *voir le chapitre 11, p. 222*) et indiquez la cote de l'ouvrage, s'il y a lieu. Ainsi, vous trouverez facilement l'ouvrage si vous devez le consulter de nouveau.

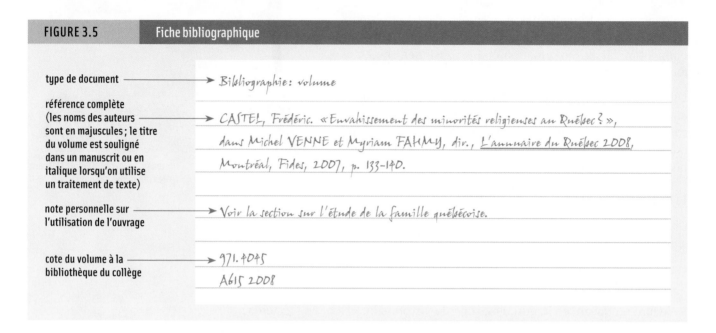

FIGURE 3.5 | Fiche bibliographique

type de document ———➤ *Bibliographie : volume*

référence complète
(les noms des auteurs ———➤ *CASTEL, Frédéric. «Envahissement des minorités religieuses au Québec?»,*
sont en majuscules ; le titre *dans Michel VENNE et Myriam FAHMY, dir., L'annuaire du Québec 2008,*
du volume est souligné *Montréal, Fides, 2007, p. 133-140.*
dans un manuscrit ou en
italique lorsqu'on utilise
un traitement de texte)

note personnelle sur ———➤ *Voir la section sur l'étude de la famille québécoise.*
l'utilisation de l'ouvrage

cote du volume à la ———➤ *971.7045*
bibliothèque du collège *A615 2008*

Vous pouvez ajouter d'autres renseignements sur les chapitres essentiels à lire, la biographie de l'auteur, etc. Les fiches bibliographiques sont essentielles, car elles contiennent les sources de documentation qui apparaîtront dans la bibliographie que vous joindrez à votre travail.

La fiche de lecture

La fiche de lecture sert à différents usages et contient des renseignements divers. En théorie, on peut tout mettre sur une fiche de lecture : des citations, un résumé, un tableau statistique, la photocopie d'une carte, des commentaires, une critique, etc. Toutefois, il faut présenter une seule idée par fiche. De plus, pour éviter les pertes de temps, il est recommandé de ne pas recopier ses fiches au propre.

Une fiche de lecture comprend quatre éléments.

■ **Le thème** Placé en haut, à gauche, le thème résume la fiche. Il exprime une seule idée. Le thème est déduit à partir du contenu de la fiche : c'est la première étape du classement de l'information.

■ **La source** En haut, à droite, il faut écrire le prénom et le NOM (en majuscules) de l'auteur, suivi du titre de l'ouvrage et de la page qui contient les renseignements notés sur la fiche. Si vous consultez un seul ouvrage du même auteur, la mention du titre est facultative (➤ *voir la figure 3.7*), pourvu que l'on trouve ce titre dans une fiche bibliographique complète. Si vous consultez plusieurs ouvrages d'un même auteur, vous pouvez indiquer le titre des ouvrages en abrégé et l'année de publication après le nom de l'auteur.

■ **Le contenu** Il apparaît sous la ligne rose. Écrivez lisiblement ; si vous ajoutez un commentaire personnel, utilisez un crayon d'une autre couleur. Pour des exemples de contenu, reportez-vous aux fiches résumé, citation, citation et résumé, et commentaire dans les pages suivantes (➤ *voir les figures 3.6, 3.7, 3.8 et 3.9*).

■ **Le classement** Au-dessus du thème, on classe la fiche dans le plan du rapport de recherche. Ce classement est possible à la condition d'avoir élaboré un plan de travail et peut changer au fur et à mesure que les lectures permettront d'ajouter des fiches. Il est donc recommandé d'écrire le classement à la mine.

La fiche résumé

Cette fiche peut être utilisée pour résumer les propos d'un auteur dans ses propres mots sans modifier le sens de sa pensée. On peut ainsi résumer une idée, un paragraphe ou un chapitre, pourvu que cela porte sur un seul et même thème.

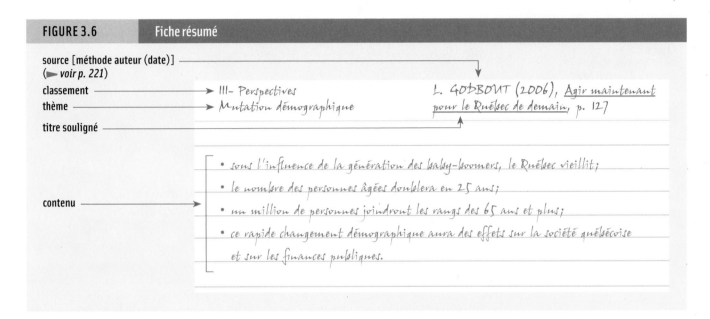

FIGURE 3.6   Fiche résumé

source [méthode auteur (date)]
(▶ voir p. 221)
classement
thème
titre souligné

L. GODBOUT (2006), *Agir maintenant pour le Québec de demain*, p. 127

contenu

- sous l'influence de la génération des baby-boomers, le Québec vieillit;
- le nombre des personnes âgées doublera en 25 ans;
- un million de personnes joindront les rangs des 65 ans et plus;
- ce rapide changement démographique aura des effets sur la société québécoise et sur les finances publiques.

III- Perspectives
Mutation démographique

La fiche citation

La fiche citation est la reproduction fidèle d'un extrait significatif du texte consulté. Il n'est pas question de changer les mots ni de résumer une partie de phrase : on recopie fidèlement les passages en indiquant les pages exactes de l'ouvrage ou de l'article dont la citation est tirée. On reproduit même les fautes ou les erreurs, en ajoutant entre crochets et en italique la mention « [sic] », qui veut dire «tel quel ».

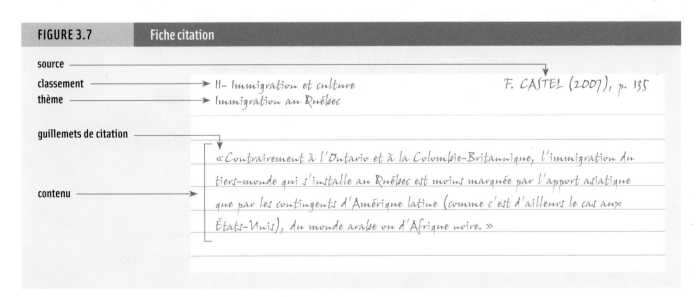

FIGURE 3.7   Fiche citation

source
classement
thème
guillemets de citation
contenu

F. CASTEL (2007), p. 135

II- Immigration et culture
Immigration au Québec

«Contrairement à l'Ontario et à la Colombie-Britannique, l'immigration du tiers-monde qui s'installe au Québec est moins marquée par l'apport asiatique que par les contingents d'Amérique latine (comme c'est d'ailleurs le cas aux États-Unis), du monde arabe ou d'Afrique noire. »

La fiche citation et résumé

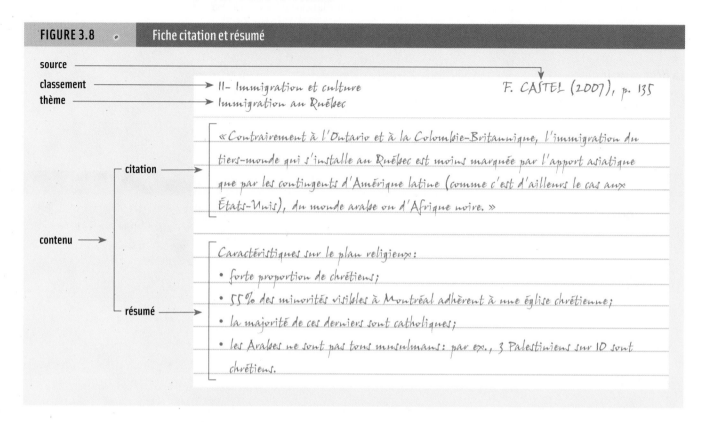

FIGURE 3.8 · Fiche citation et résumé

source

classement

thème

II- Immigration et culture
Immigration au Québec

F. CASTEL (2007), p. 135

citation

« Contrairement à l'Ontario et à la Colombie-Britannique, l'immigration du tiers-monde qui s'installe au Québec est moins marquée par l'apport asiatique que par les contingents d'Amérique latine (comme c'est d'ailleurs le cas aux États-Unis), du monde arabe ou d'Afrique noire. »

contenu

résumé

Caractéristiques sur le plan religieux:
• forte proportion de chrétiens;
• 55% des minorités visibles à Montréal adhèrent à une église chrétienne;
• la majorité de ces derniers sont catholiques;
• les Arabes ne sont pas tous musulmans: par ex., 3 Palestiniens sur 10 sont chrétiens.

La fiche commentaire

La fiche commentaire contient des notes personnelles sur un passage du livre, une critique de l'ouvrage, une idée, une question ou un commentaire. L'important, c'est de se retrouver dans ses notes et de ne jamais confondre son opinion avec celle de l'auteur. Le commentaire s'ajoute après un résumé ou une citation. Pour bien faire la distinction entre la pensée de l'auteur et une pensée personnelle, on utilise un crayon d'une couleur différente.

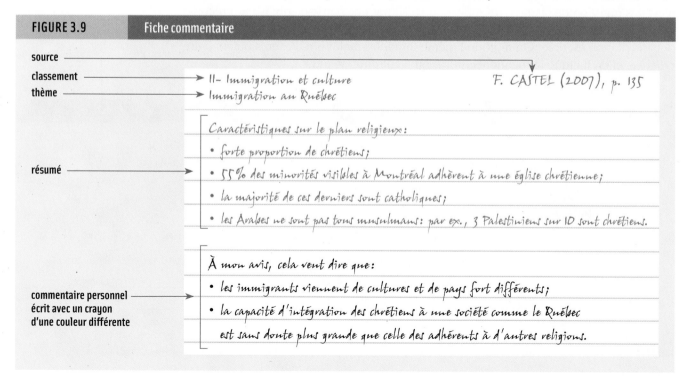

FIGURE 3.9 · Fiche commentaire

source

classement

thème

II- Immigration et culture
Immigration au Québec

F. CASTEL (2007), p. 135

résumé

Caractéristiques sur le plan religieux:
• forte proportion de chrétiens;
• 55% des minorités visibles à Montréal adhèrent à une église chrétienne;
• la majorité de ces derniers sont catholiques;
• les Arabes ne sont pas tous musulmans: par ex., 3 Palestiniens sur 10 sont chrétiens.

commentaire personnel écrit avec un crayon d'une couleur différente

À mon avis, cela veut dire que:
• les immigrants viennent de cultures et de pays fort différents;
• la capacité d'intégration des chrétiens à une société comme le Québec est sans doute plus grande que celle des adhérents à d'autres religions.

La fiche schéma ou réseau de concepts

La fiche présente un schéma ou un réseau de concepts illustrant les relations entre les principales idées de l'auteur. Ainsi, dans la figure 3.10, l'auteur établit des liens entre la chute de la natalité et les conséquences pour la société québécoise. Un réseau de concepts représente ces relations ou évoque la pensée de l'auteur. Si ce réseau n'existe pas dans le volume consulté, indiquez au bas de la fiche que vous avez construit ce réseau à partir du texte. Il suffit d'écrire « Construit par moi » et d'ajouter vos initiales entre parenthèses. Vous pouvez aussi construire un réseau de concepts personnel pour lequel vous n'indiquerez pas la source en haut à droite, puisqu'il s'agit de vos propres réflexions. Utilisez un crayon d'une couleur différente pour indiquer l'origine personnelle de ce réseau.

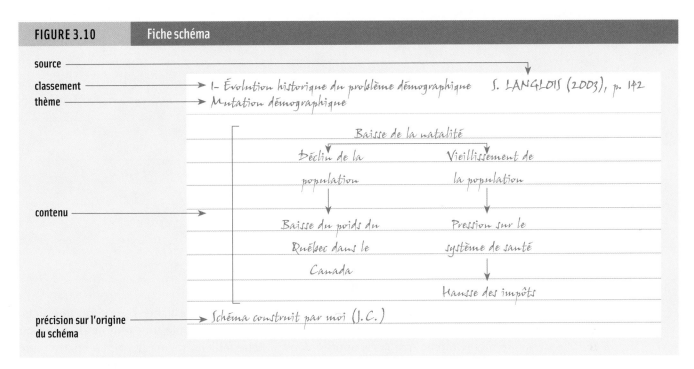

FIGURE 3.10 — Fiche schéma

Construire un réseau de concepts aide à structurer sa pensée.

La fiche tableau

La fiche présente un tableau statistique recopié ou la photocopie d'un document que l'on joint à la fiche pour gagner du temps. Il faut cependant conserver les quatre éléments de la présentation d'une fiche de lecture.

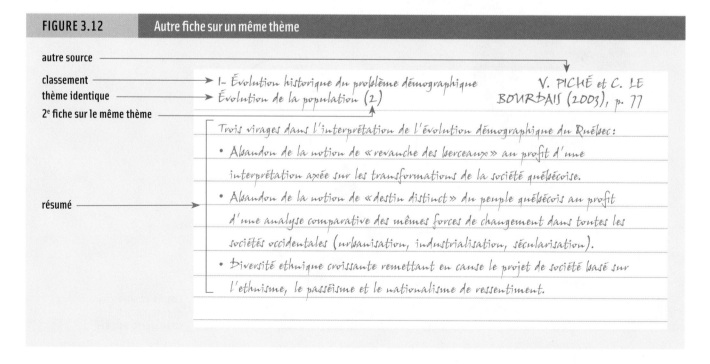

FIGURE 3.11   Fiche tableau

source
classement → 1- Évolution historique du problème démographique   S. LANGLOIS (2003), p. 142
thème → Évolution de la population

Population du Québec en nombre, en indice et en % du Canada, de 1961 à 2003

(années choisies)   (Nouvelles données révisées depuis 1971)

Année	Nombre	Indice	En % du Canada
1961	5 259 211	100,0	28,8
1966	5 780 845	109,9	28,9
1981	6 547 704	124,5	26,4
1991	7 064 735	134,3	25,2
2000	7 381 766	140,4	24,0
2003	7 467 626	142,0	23,6

contenu

Source consultée par l'auteur pour construire son tableau : il faut la recopier au complet.

Source : Institut de la statistique du Québec, www.stat.gouv.qc.ca.

Autre fiche sur le même thème

Au besoin, on ajoute une autre fiche, par exemple une fiche résumé ou une fiche commentaire, sur un même thème. La figure 3.12 présente un exemple de fiche sur le même thème que celui abordé dans la fiche tableau (figure 3.11). Le chiffre entre parenthèses, après le thème, indique la place de cette fiche dans la série.

FIGURE 3.12   Autre fiche sur un même thème

autre source
classement → 1- Évolution historique du problème démographique   V. PICHÉ et C. LE
thème identique → Évolution de la population (2)   BOURDAIS (2003), p. 77
2e fiche sur le même thème

Trois virages dans l'interprétation de l'évolution démographique du Québec :

• Abandon de la notion de « revanche des berceaux » au profit d'une interprétation axée sur les transformations de la société québécoise.

• Abandon de la notion de « destin distinct » du peuple québécois au profit d'une analyse comparative des mêmes forces de changement dans toutes les sociétés occidentales (urbanisation, industrialisation, sécularisation).

• Diversité ethnique croissante remettant en cause le projet de société basé sur l'ethnisme, le passéisme et le nationalisme de ressentiment.

résumé

Le classement des fiches

Les fiches exigent un classement de l'information. Même si cette opération nécessite un peu de temps, à la longue, vous y gagnerez, notamment lorsque vous rédigerez un rapport de recherche.

La figure 3.13 montre les avantages du classement. Toute la documentation consultée est classée selon le plan du rapport de recherche, qui porte sur « Les effets de la chute de la natalité sur la société québécoise ». Chaque fiche est classée selon la place qu'elle occupe dans le plan du rapport. Un chapitre regroupe plusieurs fiches sur différents thèmes. Ainsi, le travail de rédaction est facilité : grâce aux fiches, le contenu du rapport est structuré selon un plan rigoureux. Il ne reste plus qu'à rédiger l'introduction, la conclusion et les formules de transition (➤ *voir le chapitre 10, p. 192*).

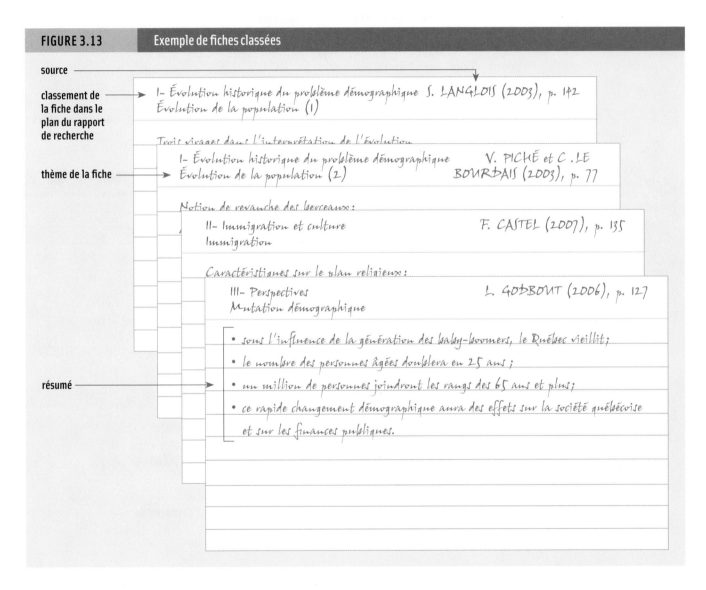

FIGURE 3.13 — Exemple de fiches classées

source

classement de la fiche dans le plan du rapport de recherche

> I- Évolution historique du problème démographique S. LANGLOIS (2003), p. 142
> Évolution de la population (1)
>
> Trois virages dans l'interprétation de l'évolution

thème de la fiche

> I- Évolution historique du problème démographique V. PICHÉ et C. LE
> Évolution de la population (2) BOURDAIS (2003), p. 77
>
> Notion de revanche des berceaux :
>
> II- Immigration et culture F. CASTEL (2007), p. 135
> Immigration
>
> Caractéristiques sur le plan religieux :
>
> III- Perspectives L. GODBOUT (2006), p. 127
> Mutation démographique

résumé

> • sous l'influence de la génération des baby-boomers, le Québec vieillit ;
> • le nombre des personnes âgées doublera en 25 ans ;
> • un million de personnes joindront les rangs des 65 ans et plus ;
> • ce rapide changement démographique aura des effets sur la société québécoise et sur les finances publiques.

LE FICHIER INFORMATIQUE

À l'ère de l'informatique, les fiches manuscrites paraissent dépassées. De nombreux logiciels, dont les plus intéressants sont FileMaker Pro et Interprète (*voir le chapitre 2, p. 27*), permettent de créer des fichiers pratiques dont le contenu peut être transféré au moment d'utiliser un logiciel de traitement de texte.

À l'aide de ces logiciels, vous créez une nouvelle base de données en organisant des champs dans lesquels vous entrez de l'information. Ainsi, pour créer des fiches sur la plupart des sujets, les champs suivants s'imposent :

- chapitre (de votre travail, dans lequel vous classerez la fiche) ;
- thème (de la fiche) ;
- source (où vous avez trouvé l'information) ;
- contenu.

Vous ajoutez les champs suivants :

- notes personnelles ;
- index des mots clés (bien que FileMaker Pro et Interprète indexent automatiquement tous les mots de tous les champs).

FIGURE 3.14 — Exemple de fiche sur fichier informatisé

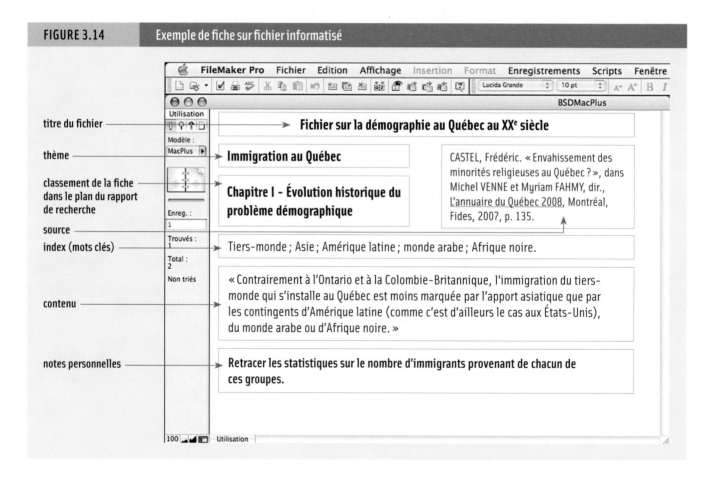

Voici les principaux avantages des fiches informatisées.

- Le texte est déjà formaté et prêt à être utilisé avec un logiciel de traitement de texte à l'aide des fonctions « copier » et « coller ».

- L'indexation des mots est automatique : on trouve instantanément toutes les fiches contenant le mot recherché.

- La fonction « tri » permet de rechercher et d'ordonner les fiches selon un critère de sélection, par exemple selon l'ordre des chapitres ou selon l'ordre alphabétique des noms d'auteurs.

- La fonction « recherche » permet de trouver instantanément un mot, une idée, le nom d'un personnage, etc., dans toutes les fiches où ils sont mentionnés.

- Le fichier informatisé permet de manipuler des centaines de fiches à la fois.

- Il permet d'importer des documents multimédias (images, vidéos, diaporamas) et des notes d'un autre document (avec Internet, par exemple) dans le fichier principal, grâce aux liens hypertextes, mais il faut toujours indiquer la source.

- Enfin, vous pouvez conserver votre fichier (faites toujours au moins une copie de sécurité) et le réutiliser en le combinant avec un autre fichier lors d'une recherche ultérieure. Vous créerez ainsi une banque permanente.

CRÉER UN FICHIER PERMANENT DE NOTES DE LECTURE

Ce fichier peut prendre la forme d'une reliure à anneaux où les feuilles de notes sont classées par catégories (disciplines, auteurs, champs d'intérêt, etc.).

Il peut aussi être constitué d'un fichier informatisé.

Le fichier permanent vise deux objectifs :

- maximiser votre temps de lecture en conservant des notes qui sont autant d'éléments d'information et de réflexion qui proviennent de spécialistes (les auteurs sont très souvent des spécialistes dans leur domaine) ;

- réutiliser le matériel d'un cours à l'autre et d'une année à l'autre, car vos lectures sont effectuées dans le cadre d'un programme et leur intégration contribue à votre réussite.

Vous pourrez, par exemple, réutiliser vos notes de philosophie pour faire un travail de recherche en politique, vos notes d'histoire pour mieux comprendre un exercice en littérature médiévale, vos notes de psychologie pour aborder un programme de soins infirmiers ou pour réaliser une étude de cas sur un conflit de travail, etc. Vous pourrez enfin les utiliser dans le cadre de l'épreuve synthèse de programme obligatoire à la fin de vos études collégiales (► *voir le chapitre 2, p. 27*).

Savoir lire efficacement

Savoir lire efficacement, c'est :

- appliquer une méthode de lecture proactive, qui intègre la lecture indicative, la lecture en diagonale et la lecture active ;

- lire un crayon à la main, car la prise de notes aide à penser, à définir des questions, à établir des liens, à se rappeler ses propres idées et, enfin, à ralentir le rythme, le temps d'assimiler la pensée de l'auteur ;

- ne pas s'affoler si l'on ne comprend pas la matière du premier coup : il faut alors écrémer le texte, repérer les connecteurs et être prêt à relire le texte plusieurs fois avant de bien le comprendre ;

- accepter de lire avec un dictionnaire, de buter sur des mots nouveaux et en profiter pour découvrir leur sens dans un contexte donné ;

- avoir un esprit ouvert, s'intéresser à d'autres idées, s'ouvrir à d'autres mondes, accepter de se laisser surprendre. On découvre ainsi ses aptitudes, ses champs d'intérêt, voire ses passions ;

- avoir un esprit critique et être prêt à contester des opinions et des informations, à considérer l'auteur comme quelqu'un qui a des idées et des préjugés, et qui emploie des méthodes parfois contestées qu'il faut évaluer soi-même ; de plus, il faut éviter d'absorber l'information comme une éponge, et s'efforcer de dialoguer en quelque sorte avec l'auteur et de débattre de ses idées.

La lecture active

	Oui	Non
Est-ce que j'envisage la lecture comme un exercice actif ?	❏	❏
Est-ce que je prépare ma lecture en faisant un survol de l'ouvrage ?	❏	❏
Est-ce que je surligne et annote mes textes ?	❏	❏
Est-ce que je prends des notes dans un cahier de notes ou un fichier ?	❏	❏
Est-ce que je crée des fichiers de lecture en classant mes fiches ?	❏	❏
Est-ce que j'utilise un logiciel pour créer un fichier permanent de notes de lecture ?	❏	❏

Évelyne de la Chenelière

Évelyne de la Chenelière

auteure dramatique

Brébeuf

Évelyne de la Chenelière est née à Montréal en 1975. En 1994, après avoir obtenu un DEC en Lettres et communication au collège Jean-de-Brébeuf, elle part en France. Après avoir étudié un an en Lettres à la Sorbonne, elle s'oriente vers le théâtre et complète des études à l'École Michel-Granvale, à Paris. Elle revient ensuite à Montréal où elle travaille comme comédienne, auteure et metteure en scène. Elle a écrit plusieurs pièces, notamment *Des fraises en janvier*, *Au bout du fil*, *Bashir Lazhar* et *Aphrodite en 04*, dont certaines ont été traduites en plusieurs langues. En 2006, elle a reçu le Prix littéraire du Gouverneur général pour *Désordre Public*, un recueil de pièces de théâtre.

Surmonter les difficultés

« Un des grands avantages d'étudier au Québec, à Montréal, est de s'y construire un réseau, de créer des affinités avec des gens qui étudient avec nous. Je n'ai pas eu la chance de m'en créer un, puisque j'étais ailleurs. Après les études, l'éloignement a donc été une difficulté parce que je me retrouvais seule, sans contact pour intégrer le milieu dans lequel je voulais travailler. »

« J'ai eu la chance d'avoir la confiance des gens autour de moi, ce qui me donnait aussi confiance en moi. On a toujours respecté mes choix. »

Le rôle d'un mentor

Sa rencontre avec l'homme de théâtre Jean-Pierre Ronfard, aujourd'hui décédé, a été un facteur clé de la réussite d'Évelyne de la Chenelière. « Ma mise au monde artistique s'est faite à son contact et à celui du Nouveau Théâtre Expérimental, où j'ai pu découvrir une grande connivence artistique, au point de vue de l'expérimentation et du renouvellement des formes. Jean-Pierre Ronfard a donc été une sorte de mentor qui m'a introduite dans son propre réseau. »

Le rôle de la lecture dans sa vie

« La lecture joue un rôle important dans ma vie. Je suis quelqu'un qui aime beaucoup lire, c'est d'ailleurs pour ça que j'ai d'abord étudié en Lettres. Je peux même dire que l'univers des romanciers français, américains et québécois nourrit beaucoup mon propre univers, et les lectures m'influencent davantage comme auteure que les spectacles que je vais voir, par exemple. » ■

Étudier et réussir ses examens

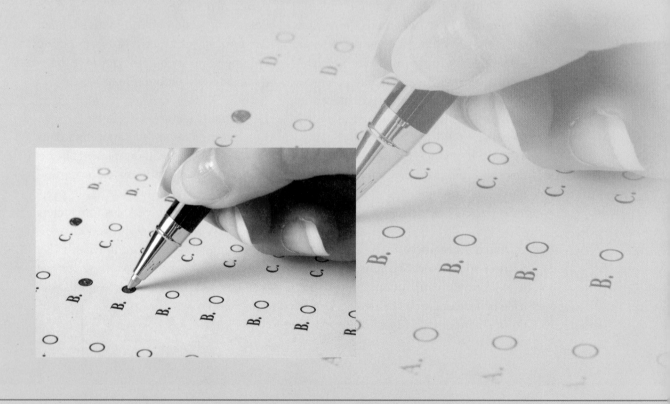

Julien et Stéphanie au cégep

Les élections pour pourvoir les postes de l'Association étudiante approchent et Julien se présente à la présidence. Il passe beaucoup de temps à préparer sa campagne. Pendant ses cours, il gribouille des idées de discours électoral et de slogans. Dans son cours « Dynamique de groupes sociaux », il a même élaboré un budget prévisionnel pour l'Association au lieu de prendre des notes. Julien prend soudain conscience que la semaine des premiers examens est arrivée et qu'il a consacré peu de temps à l'étude. Il commence à étudier le mardi soir pour les deux gros examens de jeudi en se disant qu'il n'aura qu'à apprendre les notions par cœur, quitte à y passer la nuit de mercredi. Mais en relisant les consignes des enseignants, il découvre que le premier examen consistera à répondre à des questions à développement et que la matière sur laquelle portera le second examen est beaucoup plus étendue qu'il ne le croyait. C'est l'affolement total : même en travaillant nuit et jour jusqu'à jeudi, il est certain d'échouer à ces examens…

La perception de Julien est classique : au lieu de considérer l'examen comme une occasion de réviser la matière, de finaliser un apprentissage ou de démontrer ses compétences, il réduit l'examen à un test de mémoire. Il n'a aucune stratégie à long terme et il reste passif devant les tâches à accomplir et les échéances à respecter. Pourtant, les examens revêtent une importance cruciale pour la poursuite de ses études et, plus tard, dans sa vie professionnelle.

OBJECTIFS

Après avoir lu attentivement le présent chapitre, vous serez en mesure :

- d'adopter et d'appliquer une stratégie et une méthode d'étude efficaces ;

- de comprendre la nature des différents types d'examens ;

- d'adopter les comportements appropriés avant, pendant et après les examens.

COMMENT SE PRÉPARER À UN EXAMEN

STRATÉGIE D'ENSEMBLE

La figure 4.1 permet de visualiser les liens qui unissent les éléments importants d'une stratégie d'étude. Chacun de ces éléments est ensuite développé.

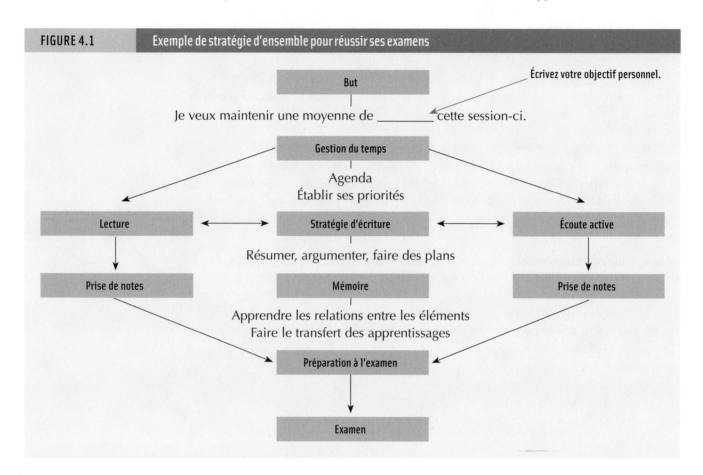

FIGURE 4.1 Exemple de stratégie d'ensemble pour réussir ses examens

- **But** Fixez clairement votre objectif et vous saurez ainsi pourquoi vous êtes prêt à faire les efforts nécessaires.

- **Gestion du temps** Établissez un plan d'attaque pour atteindre le but fixé (➤ *voir le chapitre 1*).

- **Stratégie d'écriture** Développez vos connaissances sur le sujet pour être capable de rédiger un essai ou d'élaborer une argumentation serrée (➤ *voir le chapitre 9*).

- **Lecture** Survolez, questionnez, relisez, récitez, révisez (➤ *voir la méthode SQ4R*).

- **Écoute active** Notez, questionnez, relisez, récitez, révisez (➤ *voir le chapitre 2*).

- **Prise de notes** Notez pour pouvoir reconstituer la structure de l'exposé ou du texte (➤ *voir le chapitre 3, p. 41*).

- **Mémoire** Souvenez-vous des éléments importants pour réussir l'examen et pour appliquer vos connaissances à de nouvelles situations en transposant vos apprentissages (➤ *voir p. 60*).

PRINCIPES DE L'ÉTUDE EFFICACE

▪ Consultez vos plans de cours pour déterminer les tâches à accomplir et accorder la priorité à celles qui sont les plus importantes et les plus urgentes.

▪ Subdivisez les tâches pour de ne pas être découragé par leur ampleur.

▪ Prévoyez une courte pause après chaque tâche.

▪ N'étudiez pas plus de deux heures d'affilée : au-delà de cette limite, le travail devient improductif.

▪ Variez les sujets d'étude : par exemple, changez de matière après une heure.

▪ Révisez vos notes de cours à la fin de la journée.

▪ Cochez les tâches à mesure que vous les accomplissez. Ainsi, vous constaterez que le travail avance et vous aurez le courage de continuer.

▪ Étudiez dans un endroit calme et bien aéré, à des moments appropriés.

▪ Enfin, préparez un échéancier en planifiant le temps requis pour l'étude en fonction :
  – du nombre et des dates d'examens ;
  – des types d'examens ;
  – de la valeur respective des examens relativement à l'évaluation globale ;
  – de la matière à étudier pour les examens ;
  – de la durée des examens.

LA MÉTHODE SQ4R ET SES APPLICATIONS

La méthode SQ4R est une méthode d'étude et de préparation à des examens. SQ4R signifie **S**urvoler, **Q**uestionner, **R**elire, **R**estructurer, **R**éciter et **R**éviser. Il existe d'autres méthodes d'étude, mais celle-ci peut être adaptée aux besoins de chacun. L'important, c'est de choisir une méthode de travail qui vous permettra d'atteindre le but de l'étude qui consiste à acquérir et à intégrer des connaissances. De plus, avant de vous lancer aveuglément dans la mémorisation, il est primordial de bien comprendre. On n'apprend bien que ce que l'on comprend ! Examinons maintenant les éléments de la méthode SQ4R.

Survoler

C'est prendre rapidement connaissance du sujet, se familiariser avec l'objet d'étude, se donner une vue d'ensemble de la matière à étudier. Pour cela, il faut revoir attentivement l'introduction, les titres et les intertitres, les divisions, les graphiques, les schémas, la conclusion, etc., d'un livre, d'un chapitre ou de ses notes de cours (➤ *voir le chapitre 3, p. 37 et 38*).

Questionner

Il faut se débarrasser de toute attitude passive à l'égard de l'étude et adopter une attitude dynamique et positive. Le questionnement constructif consiste par exemple à formuler des questions sur la matière à partir de ses notes de cours, des titres, des intertitres, etc. L'association des questions et des réponses constitue l'une des meilleures façons d'apprendre une matière.

Relire

Relire attentivement et activement (noter, souligner, etc.) la matière en essayant de répondre aux questions. Prêter attention aux faits, aux idées et au sens précis des mots. Lire tout : le texte, bien sûr, mais aussi les graphiques, les cartes, les tableaux, etc.

Restructurer

Il faut aussi assimiler la matière en la restructurant pour la rendre claire dans son esprit. Par exemple, il est très utile de construire des tableaux de classification, des réseaux de concepts et des lignes du temps qui serviront d'aide-mémoire pour les examens : ce sont là trois moyens de classer l'information. Le tableau et le réseau présentent les concepts importants liés à une matière ; ces concepts, représentés sous forme de mots clés, constituent les réponses aux questions posées pendant des lectures ou des révisions de notes. Le tableau et le réseau permettent de comparer les idées et de les différencier. La ligne du temps permet d'ordonner les événements selon une séquence chronologique.

> Un concept est la représentation mentale d'une réalité, d'un objet, d'une émotion, d'une action.

Imaginez, par exemple, que vous avez lu un texte sur les trois types de régimes socio-économiques dans les principaux pays industrialisés et que vous devez regrouper les éléments d'information dans un tableau à double entrée ou tableau de classification. Le tableau 4.1 ci-dessous est un exemple de l'information que vous pourriez recueillir. La colonne de gauche présente quelques caractéristiques communes aux divers régimes (propriété, partis, État, liberté). Ces caractéristiques sont précisées horizontalement selon les types de régimes.

TABLEAU 4.1	Exemple de tableau de classification		
	Types de régimes		
Caractéristiques	**Capitalisme**	**Social-démocratie**	**Communisme**
Sorte de propriété	privée	mixte	collective
Place des partis politiques	pluralisme	pluralisme	parti unique
Rôle de l'État	rôle d'appoint	dominant	moteur unique
Conception de la liberté individuelle	totale	tempérée par les lois sociales	fortement limitée par l'État

La figure 4.2 illustre un réseau de concepts organisé en fonction des liens entre ceux-ci. Enfin, la figure 4.4 (voir p. 60) représente une ligne du temps construite à partir des données recueillies dans le texte de la figure 4.3. Vous devez d'abord lire le texte de la figure 4.3 d'une manière active en surlignant les éléments chronologiques qui prédominent. Vous devez ensuite construire une ligne du temps en plaçant les éléments chronologiques au bon endroit. N'oubliez pas de donner un titre à votre ligne du temps et d'indiquer clairement la source d'où sont tirées les données. Cette ligne du temps permet de situer chaque événement dans le temps plus facilement.

FIGURE 4.2

Exemple de réseau de concepts

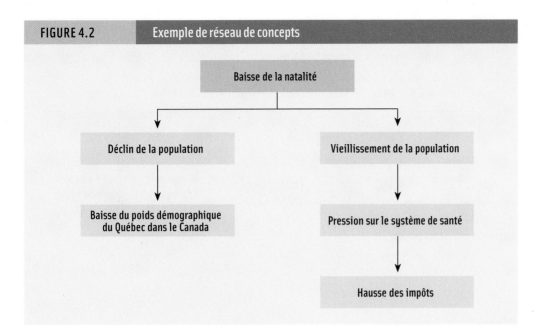

4

```
                    Baisse de la natalité

        Déclin de la population        Vieillissement de la population

   Baisse du poids démographique        Pression sur le système de santé
     du Québec dans le Canada

                                            Hausse des impôts
```

FIGURE 4.3 — Exemple de texte surligné efficacement

Le Moyen Âge   **73**

LE CONTEXTE LITTÉRAIRE
LA FORMATION DE LA LANGUE FRANÇAISE

**texte surligné
à la suite d'une
lecture active** →

Dans la Gaule du 5ᵉ siècle coexistent deux langues : le latin, langue savante, parlé par l'élite et utilisé par l'Église pour conserver par écrit les traditions religieuses, le savoir scientifique et la culture antique ; et la langue vulgaire, sorte de latin déformé par les influences celtiques, parlée par la majorité de la population. C'est de cette langue vulgaire que va naître, après les invasions germaniques, une langue composite, le roman, qui deviendra l'ancien français (du 11ᵉ au 14ᵉ siècle), puis le moyen français (15ᵉ – 16ᵉ siècles) et enfin le français moderne (à partir du 17ᵉ siècle).

Couramment parlée par la population sous le règne des Mérovingiens, la langue romane parvient, sous le règne des Carolingiens, à être reconnue par l'Église comme langue de prédication et son usage est rendu officiel, alors que le latin (devenu langue morte) est récupéré par les clercs et sert de langue d'étude.

Le roman est donc, au départ, une langue essentiellement parlée, et ses œuvres littéraires sont destinées à être propagées oralement de génération en génération grâce aux jongleurs.

Aussi les premiers textes écrits en roma[ns sont-]ils d'abord des documents juridiques. En e[ffet, les] Serments de Strasbourg (842) – le plus [ancien] document administratif écrit en langue romane qui nous est parvenu. Écrit en deux langues, romane et germanique, pour permettre aux soldats des deux armées de comprendre ce qui leur était lu, ce texte conclut l'entente du partage de l'Empire entre les descendants de Charlemagne.

Sous les Capétiens, le morcellement féodal favorise, à partir du 11ᵉ siècle, l'éclosion de dialectes variés. Ainsi voit-on la France de cette époque se découper en deux communautés linguistiques (la langue d'oïl au Nord et la langue d'oc au Sud) et chacune de celles-ci se morceler en de nombreux dialectes. Puis, à la faveur d'une centralisation administrative, le francien (ou ancien français), dialecte de l'Île-de-France où réside le roi, s'impose et l'emporte sur tous les autres dialectes. La naissance de la langue française est ainsi liée à la naissance de l'État français, incarné par une monarchie qui impose* graduellement sa puissance.

À SUIVRE

* Il ne faut surtout pas croire que l'unité linguistique est réalisée ni que la langue française ressemble à celle que nous parlons aujourd'hui. Il faut attendre le 17ᵉ siècle pour cela. Quant à l'unification linguistique, ce sera le fruit de la Révolution française (18ᵉ siècle).

Source : Carole PILOTE, *Langue et littérature au collégial 1, le Moyen Âge et la Renaissance*, Laval, Éditions Études Vivantes, 2000, p. 15.

FIGURE 4.4   Exemple de ligne du temps

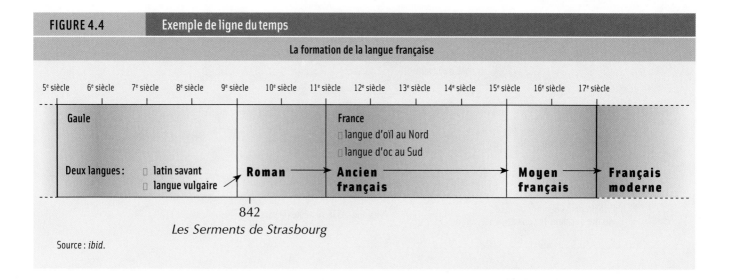

La formation de la langue française

842
Les Serments de Strasbourg

Source : *ibid.*

Réciter

Il faut ensuite maîtriser les connaissances acquises en les récitant ou, du moins, en reproduisant l'essentiel de l'information. Cette tâche sera facilitée si vous avez construit des réseaux et des tableaux. Il ne faut pas se contenter de réciter l'information ; il faut écrire les réponses ou encore dresser des plans et des schémas reproduisant l'essentiel des données nécessaires pour répondre à une question. La mémoire est sélective : elle retient plus facilement une série de grands thèmes (mots clés) que des phrases complètes. Si vous avez vraiment compris la matière étudiée, il suffira de vous rappeler les grands thèmes et la logique qui les relie.

Réviser

Refaire un survol du texte ou de ses notes de cours. Cette tâche sera plus facile si vous avez pris la peine de faire un résumé de la matière étudiée et de construire des schémas de concepts ou des tableaux regroupant les principaux éléments. La révision doit se faire à la fin de la période d'étude.

TACTIQUE   **Vingt techniques pour améliorer la capacité de sa mémoire**

Qu'est-ce que la mémoire ? « La mémoire est la propriété de conserver et de restituer des informations[1] ». C'est aussi une « activité biologique et psychique qui permet de retenir des expériences antérieurement vécues[2] ». Si l'on fait une analogie avec l'informatique, la mémoire est une faculté qui permet d'enregistrer, de conserver et de restituer de l'information.

Il y a la mémoire à court terme, qui permet de retenir environ sept éléments d'information à la fois (chiffres, lettres, idées, etc.), par exemple un numéro de téléphone.

Il y a également la mémoire à long terme, une sorte d'entrepôt où l'information est stockée. Deux questions se posent alors : comment transférer l'information de la mémoire à court terme à la mémoire à long terme ? Et comment avoir accès rapidement à l'information stockée dans la mémoire à long terme ? Voici 20 techniques qui vous aideront à améliorer votre capacité de mémorisation.

---

1.   Alain LIEURY, « Mémoire », *Encyclopædia Universalis*, Paris, Encyclopaedia Universalis, 1989, p. 945.
2.   « Mémoire », *Le Petit Larousse illustré*, Paris, Larousse, 1996, p. 646.

1. **Apprenez du général au particulier.** Ne commencez jamais par les détails. Survolez l'ensemble de la matière et concentrez-vous sur les éléments qui se rattachent au plan de cours de l'enseignant.

2. **Soyez actif.** Pour éviter de vous endormir devant un manuel, essayez d'étudier debout : promenez-vous dans la pièce où vous étudiez, gesticulez, répétez vos leçons à voix haute, faites une démonstration en utilisant tout votre corps. Si vous préférez rester assis à votre table de travail, assoyez-vous sur le bout de votre chaise, comme si vous étiez sur le point de vous lever.

3. **Détendez-vous.** Il sera plus facile d'assimiler l'information nouvelle si vous êtes détendu. Vous pourrez ainsi vous amuser avec la matière, créer des associations, construire des schémas ou mettre en pratique les techniques de mémorisation.

4. **Récitez et répétez.** Lorsque vous répétez un texte à voix haute, vous exprimez des idées et vous les entendez en même temps : vous savez alors si ce que vous dites a du sens et vous retenez mieux la matière. La répétition permet de mieux ancrer cette matière dans votre mémoire à long terme. Répétez les éléments d'information jusqu'à ce que vous les sachiez par cœur. Répétez-les au moins cinq fois.

5. **Regroupez l'information.** Puisque la mémoire à court terme ne retient en général que sept éléments, il faut essayer de regrouper l'information de façon à diminuer la charge de la mémoire à court terme. Si vous devez retenir une cinquantaine de lieux géographiques européens, regroupez-les par classes : pays, lacs, fleuves, chaînes de montagnes, villes. Par exemple, France (Seine, Alpes, Paris) ; Allemagne (Rhin, Bonn, Berlin), etc. Créez des catégories qui seront autant de clés d'accès à l'information stockée dans la mémoire à long terme.

6. **Organisez l'information.** Pour donner un sens aux éléments d'information que vous voulez retenir, classez-les dans un certain ordre. Faites des tableaux de classification, des lignes du temps ou des réseaux de concepts (➤ *voir p. 58 et 59*). Reliez toute l'information pertinente à un concept clé. Par exemple, reliez au concept de capitalisme le type d'entreprise, le crédit, la propriété, la Bourse, le profit, etc. Si vous retenez le mot « capitalisme », il y a de fortes chances que vous reteniez aussi les termes que vous aurez associés à ce concept.

7. **Visualisez l'information.** Reliez des idées à l'aide de flèches, par exemple (➤ *voir le réseau de concepts, p. 59*). Associez des images mentales à des concepts. Ainsi, si vous devez comparer la démocratie d'Athènes au 5e siècle avant notre ère avec l'État central d'Alexandre le Grand, au siècle suivant, associez la démocratie à une assemblée de centaines de personnes sur la place publique (agora) et le régime d'Alexandre à l'image d'un dieu trônant sur un nuage. N'ayez pas peur de créer des images farfelues, drôles, signifiantes pour vous.

8. **Interrogez-vous sur la matière.** Il est possible que vous ne compreniez rien au cours si vous ne vous interrogez pas sur la matière. Vous retiendrez plus d'éléments d'information si vous vous posez des questions. Par exemple, en regardant un intertitre qui annonce les causes d'un phénomène, vous pouvez vous demander : « Quelles sont les causes de ce phénomène ? » Vous donnez ainsi un sens à votre étude (➤ *voir la méthode SQ4R, p. 57*).

9. **Trouvez des exemples concrets.** Si l'enseignant aborde des concepts abstraits, associez des exemples concrets à ces concepts. Ainsi, le concept d'acteur social, en sociologie, est incarné par les syndicats ou les groupes communautaires ; en philosophie, le concept d'éthique peut être compris en associant des valeurs (honnêteté, courage) à des situations (une discussion, une décision difficile) ; en économie, le concept de monopole peut être illustré par une entreprise que l'on connaît bien (Hydro-Québec).

10. **Écrivez l'essentiel.** L'écriture permet d'ancrer la matière dans la mémoire à long terme d'une manière différente de la parole. L'écriture et la parole sont complémentaires. Au cours de vos études, vous aurez à subir beaucoup plus d'examens écrits que d'examens oraux. En écrivant l'essentiel d'une leçon, vous vous exercez à répondre aux questions susceptibles d'être posées à l'examen.

11. **Sélectionnez l'information à mémoriser.** Il ne faut pas mémoriser toute la matière d'un cours. C'est à vous de sélectionner la matière essentielle à mémoriser et d'organiser votre étude en conséquence. Pour sélectionner l'essentiel de la matière, relisez le plan de cours, révisez vos notes de cours ou adressez-vous à l'enseignant afin de déterminer les principaux éléments de la matière.

12. **Créez des acronymes.** Créez des mots nouveaux ou des sigles composés de la première lettre de chacun des mots à mémoriser. Il est plus facile de se rappeler l'acronyme « SIDA » que le terme « **s**yndrome d'**i**mmuno**d**éficience **a**cquise ». Les lettres BLJB-JPB permettent de retenir le nom des premiers ministres du Québec de 1970 à 1998 : **B**ourassa, **L**évesque, **J**ohnson (Pierre-Marc), **B**ourassa, **J**ohnson (Daniel fils), **P**arizeau et **B**ouchard.

13. **Découpez l'étude en tranches de 50 minutes.** Au-delà, il y a un risque de surcharge. Prenez une pause de 10 minutes avant de recommencer.

14. **Chantez l'information sur un air populaire.** Qui ne se souvient pas d'avoir appris ses tables d'addition en chantonnant « un plus un deux, deux plus deux quatre, quatre... » ? Le fait de chanter ou de fredonner des éléments d'information sur un air populaire aide à les retenir.

15. **Réduisez les interférences.** Fermez le téléviseur, la chaîne stéréo ou la radio lorsque vous étudiez. Installez-vous dans un endroit tranquille, à l'écart des activités de la maisonnée. Une soirée complète passée à étudier devant la télé est nettement moins efficace qu'une demi-heure passée à étudier consciencieusement. Si vous disposez de trois heures dans votre soirée, consacrez une heure trente à l'étude et une heure trente à la détente. Étudiez consciencieusement et jouissez de votre moment de détente !

16. **Passez de la mémoire à court terme à la mémoire à long terme.** Lorsque vous étudiez, il faut que l'information retenue par la mémoire à court terme soit transférée dans la mémoire à long terme pour s'y implanter. Pour favoriser ce transfert, faites une brève révision après chaque séance d'étude.

17. **Utilisez l'information avant de l'oublier.** Vous connaissez votre adresse actuelle, mais vous rappelez-vous celle d'il y a cinq ans ? La récupération de l'information stockée dans la mémoire est difficile si elle n'est pas effectuée régulièrement. Avant un cours, relisez vos notes du cours précédent. Pour mieux comprendre, vous pouvez expliquer la matière à quelqu'un d'autre et reformuler l'information. Vous pouvez aussi former un groupe d'étude avec deux ou trois amis. C'est en expliquant le fonctionnement du parlementarisme britannique ou la définition de la conscience chez Freud que vous saurez si avez bien compris ces notions.

18. **Testez réellement vos connaissances.** Une semaine après avoir étudié, répondez à des questions difficiles entre deux cours et répétez l'exercice deux jours avant l'examen. Demandez à l'un des membres de votre groupe d'étude de vous poser des questions. Si vous êtes incapable de répondre, étudiez de nouveau en vous concentrant sur les éléments les plus difficiles.

19. **Préparez-vous à l'avance**. L'étude se prépare à l'avance. Elle commence par des notes de cours et de lecture claires. Révisez vos notes rapidement après chaque cours (► *voir le chapitre 2*) et complétez-les le plus vite possible en empruntant les notes d'un ami ou en posant des questions à l'enseignant. Vous n'aurez plus qu'à réviser la veille de l'examen.

20. **Ne vous fiez pas seulement à votre mémoire.** Les trucs proposés ici ne conviennent pas nécessairement à tout le monde. Expérimentez-les à votre rythme et sélectionnez ceux qui s'appliquent à votre style d'apprentissage. Retenez toutefois qu'il est important de développer sa mémoire, mais qu'il est inutile d'essayer d'apprendre toute la matière par cœur.

COMMENT PASSER ET RÉUSSIR DES EXAMENS ?

Un examen est une épreuve que doit subir un candidat pour être admis dans une école, obtenir un titre, un grade ou une fonction, ou évaluer ses apprentissages en vue de la sanction des études. Il y a des examens oraux et des examens écrits, des examens à développement et des examens à choix multiple. Toutefois, peu importe le type d'examen, il faut lire les consignes attentivement pour maximiser les chances de réussite.

LIRE ET RESPECTER LES CONSIGNES

■ Faites d'abord un survol de l'examen en lisant attentivement les consignes, qui peuvent être très variées comme vous pouvez le voir dans les exemples suivants :

- « Choisissez l'une des deux questions suivantes. »

- « Cochez la bonne réponse. »

- « Faites une introduction et une conclusion. »

- « Parmi les réponses possibles, une seule est vraie. »

- « Résumez le texte qui suit avant de répondre… », etc.

■ Si vous n'êtes pas sûr de bien comprendre une consigne, demandez des explications à l'enseignant.

■ Lisez tout le questionnaire et répartissez le temps que vous allouerez à chaque question, selon la difficulté, le type de question et la pondération (insistez sur une question de 40 ou 50 points, par exemple).

■ Répondez d'abord aux questions les plus faciles. Le fait d'écrire et d'activer la mémoire à court terme permet d'éviter les blocages sur une question difficile et de repérer l'information requise dans la mémoire à long terme.

■ Repérez les éléments de réponse éventuellement fournis dans l'énoncé des autres questions.

Pas de cellulaire
pendant un examen !

TACTIQUE	Le téléphone cellulaire et les appareils électroniques

Fermez votre téléphone cellulaire pendant un examen. Si vous oubliez de le fermer et que vous recevez un appel, ne répondez pas, sinon l'enseignant pourrait croire que vous trichez. N'oubliez pas que les baladeurs et les *iPods* sont interdits. Laissez ces appareils électroniques dans votre sac ou à la maison.

L'EXAMEN À CHOIX MULTIPLE (À CORRECTION OBJECTIVE)

> L'examen à choix multiple ou à correction objective est un « instrument de mesure contenant des questions accompagnées de plusieurs choix de réponses[3] ».

Avant de répondre à une question, décelez les mots clés et analysez-les. Par exemple, des mots comme « tous, la plupart, souvent, aucun, toujours », etc., sont lourds de signification pour l'interprétation du sens de la question. Même si les affirmations comportant des « toujours » ou des « jamais » sont fréquemment fausses, il faut faire attention…

Exemples

« Les philosophes grecs sont tous matérialistes » est une affirmation fausse.

« La plupart des enfants de 0 à 6 ans connaissent les mêmes stades de développement » est une affirmation vraie.

■ Si une affirmation vous semble partiellement vraie, répondez faux.

Exemple

« Henri VIII adopta l'Acte de suprématie en 1534 contre Martin Luther » est une affirmation partiellement vraie, mais on doit répondre faux, car ce n'est pas contre Luther que cet acte fut adopté.

■ Pour les questions plus difficiles, risquez une réponse, sauf si vous êtes pénalisé pour une mauvaise réponse.

■ Les questions à choix multiple visent à vous faire reconnaître les bons éléments ou à sélectionner les bonnes réponses. C'est ici que votre lexique personnel peut vous être utile (➤ *voir le chapitre 2, p. 27*), car il vous familiarisera avec les termes techniques propres à chacune des disciplines de votre programme.

■ Devant une question à choix multiple, répondez mentalement avant de lire les choix suggérés et choisissez la réponse la plus juste. Si vous ne connaissez pas spontanément la réponse, analysez chaque choix de réponse et procédez par élimination.

Exemple

Le philosophe français Voltaire :

   a) s'oppose à la domination de l'Église sur l'État ;

   b) est l'inventeur du voltmètre ;

   c) a dit : « Un roi, une loi, une foi » ;

   d) a été guillotiné par Robespierre.

Si vous ne savez pas si Voltaire s'est réellement opposé à la domination de l'Église sur l'État (a), lisez les trois autres choix de réponse. Vous savez que le voltmètre est un beau piège…, (b) est donc à éliminer. Quant à la réponse (c), c'est Bossuet au 17e siècle qui a dit « Un roi, une foi, une loi », et non Voltaire ; la réponse (c) est aussi à éliminer. Enfin, puisque Voltaire est mort en 1786, il n'a pu être guillotiné par Robespierre, qui est arrivé au pouvoir en 1793 ; (d) est donc à éliminer. La bonne réponse est (a).

---

3. OFFICE QUÉBÉCOIS DE LA LANGUE FRANÇAISE, *Le grand dictionnaire terminologique*, [En ligne], www.granddictionnaire.com/btml/fra/r_motclef/index1024_1.asp (Page consultée le 16 décembre 2007)

- L'enseignant ajoute parfois le choix de réponse suivant : « Toutes ces réponses [sont vraies] » ou « Aucune de ces réponses [n'est vraie] ». Dans le premier cas, tous les éléments de toutes les phrases doivent être vrais ; dans le second cas, il faut s'assurer qu'aucun des choix proposés n'est vrai. On peut aussi vous demander d'indiquer l'énoncé inexact dans un ensemble d'énoncés ; il faut alors trouver l'énoncé qui comporte au moins un élément faux.

- Après avoir répondu à toutes les questions, relisez calmement vos réponses et faites des liens avec l'ensemble de l'examen. Vous devrez peut-être changer une réponse en fonction de l'information fournie dans une autre question.

À la fin de l'examen, relisez calmement vos réponses.

L'EXAMEN À DÉVELOPPEMENT

> L'examen à développement est un instrument de mesure contenant des questions qui nécessitent l'exposé détaillé d'un sujet. Répondre à des questions à développement sur un texte constitue une variante de l'examen à développement proprement dit.

L'analyse de la question

- Analysez systématiquement chaque question avant d'y répondre. Vous devez d'abord comprendre le sens des verbes tels que *comparez, énumérez, analysez, résumez, illustrez, expliquez*, etc. (➤ *voir le tableau 4.2, p. 68*).

Exemples

Expliquez en quoi l'interprétation des rêves est considérée comme la voie royale vers l'inconscient selon Freud.

Après avoir lu *Le principe responsabilité*, du philosophe Hans Jonas, analysez l'affirmation suivante : « Il est juste que la société contrôle les individus qui posent problème. »

Énumérez les caractéristiques du fascisme qui se dégagent de tel discours de Benito Mussolini.

- Lisez attentivement la question, isolez chacune de ses parties, assurez-vous de bien saisir le sens des consignes et, si vous n'êtes pas en situation d'examen, cherchez la définition des concepts (mots clés) dans un dictionnaire spécialisé (➤ *voir le chapitre 6, p. 97*). Ainsi, les mots « rêve » et « inconscient » (Freud), « société », « anomie », « bonheur » et « fonctionnalisme » (Jonas) ou « faisceaux », « corporation » et « homme nouveau » (Mussolini) doivent être clairement définis.

Quelques conseils de rédaction

- Notez les premières idées qui vous viennent à l'esprit à l'aide de la technique du remue-méninges (*brainstorming*) expliquée au chapitre 10 et structurez vos idées en élaborant une argumentation qui mettra en évidence les idées principales.

- Répondez à la question dès le premier paragraphe, énoncez le sens de la réponse à venir dans une phrase complète et signifiante. Ainsi, à la question « Quelles sont les caractéristiques thématiques du romantisme ? », commencez par répondre : « Les caractéristiques thématiques du romantisme sont le mal du siècle, l'expansion du moi, la liberté totale, le règne de l'individualisme, le culte de la nature et la recherche de l'évasion[4] ». Les autres paragraphes serviront à expliquer chacune des six caractéristiques que vous aurez retenues.

■ Associez un exemple à chaque idée énoncée. Les exemples manquent souvent dans les réponses. Pourtant, l'enseignant s'attend à ce que l'étudiant soit capable d'illustrer une idée principale par un exemple significatif. Ainsi, au sujet du « règne de l'individualisme », citez Chateaubriand : « J'écris principalement pour rendre compte de moi à moi-même, pour m'expliquer mon inexplicable cœur[5] ». Si vous énumérez les caractéristiques du fascisme italien, donnez des exemples pour chacune d'elles : le culte du chef s'exprime par tel moyen, l'anti-individualisme par la répression des libertés fondamentales, etc.

■ Dressez un plan sommaire de votre réponse avant de commencer à la rédiger afin de ne pas oublier de points importants. Les schémas et les tableaux de classification peuvent servir de plan de réponse.

■ N'écrivez pas tout ce que vous savez à propos d'une question. Limitez-vous à ce qui est demandé ; par exemple, ne décrivez pas six causes si l'on vous en demande trois, et n'expliquez pas les conséquences si la question ne porte que sur les causes.

■ Si vous manquez de temps pour répondre entièrement à une question, présentez au moins le plan de votre réponse ou écrivez des mots clés pertinents sur votre feuille ; vous pourriez ainsi accumuler des points précieux.

■ Relisez votre copie en vérifiant l'orthographe, la ponctuation et la syntaxe : la construction des phrases permet-elle au correcteur de comprendre les idées que vous avez voulu exprimer ? Dans un examen à développement, ne remplacez pas les phrases complètes par des flèches, des abréviations ou des listes. Soignez votre style, bannissez les mots vagues, telle la « chose » ou les expressions familières, par exemple « Il était cool », etc.

■ Ne terminez jamais un examen en vous excusant de n'avoir pas étudié. Les phrases du genre « Je n'ai pas étudié, excusez-moi », « Désolé, je n'ai pas eu le temps de répondre aux trois dernières questions » ou « L'examen était trop difficile » sont à proscrire. Le correcteur est assez intelligent pour s'en rendre compte et il pourrait croire que vous essayez d'inspirer sa pitié.

Voici la marche à suivre pour répondre à des questions à développement sur un texte, un chapitre de livre ou un roman :

Survolez le texte

Si le texte est long, lisez d'abord l'introduction, les grands titres et la conclusion. S'il est court, survolez-le en ne prenant aucune note ; contentez-vous d'en comprendre le sens général.

Lisez le texte activement

Lisez le texte un crayon à la main, en surlignant les mots clés, les expressions qui sont liées aux concepts mentionnés dans la question, et les titres et les sous-titres s'il y a lieu (► *voir le chapitre 3*).

---

4. Selon Carole PILOTE, *Français, Ensemble 1, Méthode d'analyse littéraire et littérature française*, Laval, Éditions Études Vivantes, 1997, p. 217-221.
5. Chateaubriand, *Mémoires*, cité par C. PILOTE, *op. cit.*, p. 220.

Reconstituez la structure de l'argumentation

À l'aide de vos notes de lecture, reproduisez la structure des idées principales de ce texte, en gardant toujours en tête le lien avec la question posée.

Rédigez une version préliminaire

Répondez à la question. Prenez soin de bien définir les concepts et n'hésitez pas à recourir à quelques citations bien choisies pour clarifier leur sens. Rédigez d'abord le développement et la conclusion de votre texte et expliquez ensuite votre démarche dans l'introduction.

Rédigez la version définitive

Relisez votre texte en vous posant les questions suivantes et modifiez les sections qui doivent être améliorées :

- Ai-je abordé toutes les facettes de la question ?

- Ai-je respecté toutes les consignes ?

- Ai-je fait des fautes ?

- Mes phrases sont-elles complètes (sujet, verbe, complément) ?

- Mes citations sont-elles pertinentes, complètes et exemptes de fautes ?

- Ai-je bien indiqué la source des citations ?

- Ai-je bien exposé ma démarche dans l'introduction ?

- Ma conclusion va-t-elle à l'essentiel ?

TACTIQUE — **Le pour et le contre**

Vous devez répondre à la question suivante : « Expliquez l'échec du Nouveau Parti démocratique (NPD) à prendre le pouvoir au Canada », mais vous êtes à court d'idées. Prenez une feuille et tracez une ligne au milieu pour la séparer en deux parties. D'un côté, énumérez les aspects positifs (pour) du NPD, et de l'autre, les aspects négatifs (contre). Vous pourriez obtenir un tableau comme celui-ci.

Vous en concluez que, bien que le NPD n'ait jamais pris le pouvoir, il a fortement contribué à la création de programmes sociaux au pays et que cette contribution lui a valu un succès certain. Il ne vous reste qu'à élaborer vos idées autour de cette thèse. La formulation d'une thèse ou d'un argument important vous permet d'organiser vos idées de manière logique plutôt de répondre par des litanies du genre « Il y a le manque d'appui au Québec ; il y a les pensions et aussi les droits civiques ; il y a les syndicats et… », ainsi de suite ! Donnez l'occasion à l'enseignant d'évaluer vos idées, pas seulement votre mémoire !

Pour	Contre
À l'origine des programmes sociaux (pensions de vieillesse, assurance-emploi, etc.)	Associé à l'échec du gouvernement provincial formé par le NPD en Ontario dans les années 1990
Défenseurs des droits civiques	Méconnu au Québec
Leaders populaires	Parti régional (de l'Ouest)
Soutien des syndicats	Trop associé à la gauche et à l'État providence (dette)
Soutien des agriculteurs de l'Ouest	
Appui aux revendications des femmes	
Deux femmes ont été chefs de ce parti	

TABLEAU 4.2	Les mots clés dans les examens à développement
Mots clés (origine grecque ou latine)	**Définition**
Analysez (du grec *analusis*, décomposition)	Décomposez un texte, évaluez-en les parties en établissant les liens pertinents entre chacune d'elles.
Appréciez (du latin *pretium*, prix)	Estimez, déterminez la valeur d'un argument en utilisant, par exemple, un cadre de référence (éthique, théorique, analytique ou autre).
Argumentez (du latin *argumentum*, argument)	Justifiez une opinion ou une idée à l'aide d'arguments, c'est-à-dire de preuves.
Caractérisez (du grec *kharaktêr*, signe gravé)	Définissez une réalité, un point de vue ou une situation par le ou les caractères qui les distinguent.
Commentez (du latin *commentarius*, commentaire)	Expliquez, appréciez les multiples aspects d'un sujet. Si le commentaire est critique, on y ajoute son opinion.
Comparez (du latin *comparare*, comparer)	Examinez deux éléments ou plus. Déterminez les similitudes et les différences entre eux, et dégagez une conclusion.
Critiquez (du grec *krinein*, juger)	Portez un jugement personnel, prenez position. Évaluez la valeur respective de divers arguments : le pour et le contre, les avantages et les limites, la part de vérité et la part d'erreur, la pertinence et le manque de pertinence.
Décrivez (du latin *describere*, décrire)	Donnez les caractéristiques, les qualités et les éléments (ou les parties) d'un phénomène.
Définissez (du latin *definire*, définir)	Donnez le sens d'une expression, d'un concept ; déterminez les limites précises du terme à définir.
Démontrez (du latin *demonstrare*, démontrer)	Prouvez. Soutenez une thèse, une opinion en donnant des faits, des arguments, des chiffres. La démonstration doit mener logiquement à la conclusion, qui réaffirme l'idée de départ.
Discutez (du latin *discutere*, secouer)	Débattez du pour et du contre d'un thème donné. Comparez, mettez en évidence les éléments essentiels, concluez fermement.
Énumérez (du latin *enumerare*, énumérer)	Donnez la liste des idées, des éléments, des facettes, des choses, des qualités, des causes, etc.
Expliquez (du latin *explicare*, déployer)	Montrez. Faites comprendre la nature d'un phénomène en donnant, par exemple, ses causes ou faites connaître la nécessité d'une solution en posant le problème correspondant ou en éclairant le contexte dans lequel il se pose.
Illustrez (du latin *illustrare*, illustrer)	Donnez des exemples concrets. Expliquez en faisant des comparaisons ou en citant des exemples.
Justifiez (du latin *justificare*, justifier)	Établissez le bien-fondé d'une argumentation, la nécessité d'une action, etc., en ayant recours à des arguments variés et probants.
Prouvez (du latin *probare*, approuver)	Démontrez. Soutenez une thèse, une opinion en donnant des faits, des arguments, des chiffres, etc.
Résumez (du latin *resumere*, recommencer)	Donnez un compte rendu succinct mais fidèle des idées principales d'un texte selon la structure donnée par l'auteur ; évitez les détails.

LE TEST DE LECTURE

Le test de lecture consiste à répondre à des questions portant sur un texte ou sur des passages d'un manuel. Voici les règles à respecter pour passer ce type de test.

- Assurez-vous de bien comprendre les consignes de l'enseignant : les questions porteront-elles sur des détails (dates, caractéristiques, formules, listes de noms, etc.) ou s'agira-t-il plutôt de dégager le sens global des passages ?

- Lisez activement le texte, un crayon à la main (▶ *voir le chapitre 3, p. 35*).

- Divisez le texte en parties en vous servant des titres et des intertitres.

- Posez-vous des questions sur la matière en vous servant aussi des titres et des intertitres.

- Révisez vos notes de lecture un peu avant l'examen.

- N'oubliez pas de lire les tableaux et toutes les figures.

- Vérifiez si le manuel comporte des questions de révision susceptibles de donner une idée des questions qui pourront être posées.

L'EXAMEN ORAL

Ce type d'examen se fait en général à l'occasion d'une rencontre individuelle avec l'enseignant. Préparez l'examen oral de la même manière qu'un examen écrit.

Prenez garde aux éléments suivants :

■ Soyez ponctuel. Arrivez de préférence quelques minutes avant le rendez-vous.

■ Tout d'abord, établissez un bon contact avec l'enseignant : regardez-le dans les yeux, saluez-le et écoutez attentivement ses consignes.

■ Évitez les comportements qui pourraient indisposer l'enseignant : gomme à mâcher, baladeur sur les oreilles, téléphone cellulaire ouvert, attitude nonchalante, etc.

■ Ayez une attitude confiante, sans être arrogant.

■ Assurez-vous de bien comprendre la question. N'hésitez pas à demander des précisions, par exemple « Jusqu'où voulez-vous que j'aille ? », « Combien d'éléments dois-je énumérer ? », etc.

■ Répondez d'abord à la question, puis donnez des exemples.

■ Soyez convaincant, démonstratif.

■ Pour savoir quel comportement adopter pour réussir un examen oral, voyez le chapitre 12, *Réussir un exposé oral*.

QUE FAIRE APRÈS L'EXAMEN ?

■ Gardez précieusement la copie de l'examen ; vous pourrez vous inspirer des questions posées pour le prochain examen. Si l'enseignant ramasse les copies des examens, notez rapidement les questions dont vous vous rappelez et consultez d'autres élèves à ce propos.

■ Lorsque l'enseignant vous remettra votre examen, lisez attentivement ses remarques, acceptez la critique et tirez les leçons qui s'imposent. Si l'enseignant indique « incomplet », « exemples », « absence d'introduction ou de conclusion », etc., c'est que votre réponse présentait des lacunes. Tenez-en compte la prochaine fois. S'il n'y a aucun commentaire, demandez à l'enseignant de vous expliquer vos points faibles.

■ Après avoir reçu vos résultats, qu'ils soient bons ou mauvais, écrivez sur une feuille ce que vous avez fait pour préparer cet examen et ce que vous auriez pu faire. Gardez cette feuille à portée de la main pour vous aider à préparer votre prochain examen.

■ Si vous n'êtes pas satisfait de vos résultats, demandez à l'enseignant comment faire pour obtenir de meilleurs résultats la prochaine fois. Votre méthode d'étude ne convient peut-être pas au type d'examen.

■ Par ailleurs, si vous n'obtenez pas les résultats escomptés, peut-être serait-il bon de vous joindre à un groupe d'étude. Il suffit de vous entendre avec un ou deux camarades de cours ou de programme pour étudier ensemble un certain nombre d'heures par semaine. Vous pourrez ainsi tester vos connaissances, expliquer certaines notions et recevoir des explications afin de mieux vous préparer pour le prochain examen.

■ Si vous obtenez d'excellents résultats, célébrez votre succès par une sortie ou une activité spéciale. L'effort mérite d'être récompensé !

■ Après un échec, ne vous découragez surtout pas ! Relisez vos réponses et analysez soigneusement les causes de l'échec. Révisez vos notes de cours, rencontrez l'enseignant, bref, tentez de comprendre pourquoi vous avez échoué.

Le stress est une « demande adressée à l'organisme pour qu'il s'adapte[6] ». Une certaine dose de stress est normale. Toutefois, un stress mal maîtrisé, trop intense ou prolongé peut entraîner l'anxiété et la dépression. Dans la vie d'un cégépien, l'examen est un événement particulièrement stressant. Apprenez à gérer votre stress et à transformer l'anxiété en énergie positive.

– Avant l'examen : la peur de l'inconnu est une source de stress. Pour réduire cette peur, demandez à l'enseignant quel type de questions seront posées, révisez ses examens antérieurs et préparez-vous longtemps à l'avance.

Évitez toute hostilité envers l'enseignant, la matière ou l'examen. Réprimez les pensées irrationnelles du genre « Je dois absolument réussir cet examen » ; dites-vous plutôt « Je dois faire de mon mieux ».

– Le jour de l'examen : arrivez à l'heure, frais et dispos, et évitez les discussions avec les autres élèves pour ne pas vous affoler si vous constatez que certains en savent plus que vous.

– Pendant l'examen : ayez confiance en vous. Dites-vous : « Ce qui vient de moi a de la valeur. »

Fermez les yeux et imaginez-vous dans une situation de bien-être. Respirez profondément et imprégnez-vous de ce bien-être pendant quelques instants avant de vous mettre au travail.

Appliquez une stratégie pour respecter les consignes. Lisez les questions et soulignez les mots clés. Répartissez le temps alloué pour répondre aux questions. Commencez par les plus faciles.

– Après l'examen : lâchez prise, relaxez. Il sera bientôt temps de vous concentrer et de préparer le prochain examen.

À RETENIR	L'étude stratégique	Oui	Non
Est-ce que j'adopte une stratégie d'ensemble pour préparer mes examens ?		❏	❏
Est-ce que je fais partie d'un groupe d'étude ?		❏	❏
Est-ce que je restructure à ma façon le contenu de la matière à étudier ?		❏	❏
Est-ce que j'applique les bonnes techniques pour améliorer ma mémoire ?		❏	❏
Est-ce que je prépare le prochain examen en tenant compte de mon dernier examen ?		❏	❏
Est-ce que je maîtrise mon stress ?		❏	❏

---

6. Spencer A. RATHUS, *Psychologie générale*, 3e éd., Laval, Éditions Études Vivantes, 1995, p. 245.

Sylvie Bernier

Sylvie Bernier

championne olympique

Collège
André-Grasset

LE PETIT SÉMINAIRE
DE QUÉBEC

Née à Sainte-Foy en banlieue de Québec le 31 janvier 1964, Sylvie Bernier a suivi un parcours scolaire atypique en raison de son entraînement au sein de l'équipe nationale Plongeon Canada. Après avoir passé un an au Petit Séminaire de Québec, elle s'installe à Montréal et poursuit ses études en Sciences de la santé au collège André-Grasset. Elle termine ses études collégiales en avril 1984, peu avant d'être la première plongeuse québécoise à remporter la médaille d'or au tremplin de trois mètres aux Jeux olympiques de Los Angeles. Plus tard, elle a obtenu un baccalauréat en Administration des affaires après avoir suivi des cours de la Télé-université. En 2008, Sylvie Bernier est chef de mission du Canada pour les Jeux olympiques de Beijing.

Concilier l'étude et le sport

« Non seulement je m'entraînais 35 heures par semaine, raconte Sylvie Bernier, mais j'étais très souvent partie en compétition, aux États-Unis ou ailleurs. J'ai dû m'absenter pendant environ le tiers de chaque session ! Pour toutes ces raisons, je n'ai jamais vraiment vécu de vie étudiante "normale", je suis un peu passée en coup de vent… »

« La direction et les professeurs ont été très disponibles et très compréhensifs. Les gens sont prêts à vous aider quand vous faites preuve de bonne volonté : je ne demandais pas de passe-droits, ils voyaient que je voulais réussir, alors ils acceptaient de me donner des cours privés, par exemple. Grâce à Sport Canada et à quelques fondations qui soutiennent les athlètes amateurs, j'ai pu payer ces leçons particulières. »

« Le meilleur truc que j'ai découvert, c'est d'écouter en classe, parce qu'en dehors des cours, je n'avais pas beaucoup de temps. Je ne pouvais pas me permettre d'avoir à rattraper de la matière, alors je maximisais mon temps à l'école comme à la piscine. Mon appartement était à une minute du cégep et de la piscine, tout était pensé pour gagner du temps ! En compétition, j'apportais aussi la matière à étudier. » ■

Travailler en équipe

Julien et Stéphanie au cégep

Au secondaire, Julien et Stéphanie travaillaient toujours ensemble. Ils formaient un duo sans pareil quand venait le temps de rédiger un travail ou de concrétiser un projet. Ils ont donc décidé de s'inscrire au même cours complémentaire, un cours de cinéma, afin de pouvoir tourner un film ensemble. Toutefois, au moment de la formation des équipes, l'enseignant leur demande de se joindre à deux autres étudiants. Julien et Stéphanie sont plutôt réfractaires à cette idée. Ils savent qu'ils s'entendent à merveille et ils redoutent les travaux d'équipe quand les rôles ne sont pas clairement définis. À leur avis, quand les équipes sont trop grosses, les conflits sont inévitables et ce sont toujours les mêmes qui finissent par faire tout le travail…

En fait, Julien et Stéphanie se méfient des autres étudiants. Ils estiment que les autres n'ont rien d'intéressant à dire et qu'ils en savent assez pour faire tout le travail à deux. Il faut dire qu'ils ont connu une mauvaise expérience en troisième secondaire : leur enseignant de français a dû séparer l'équipe qui montait une pièce de théâtre parce qu'elle traversait une grave crise de leadership.

Au collégial, les travaux d'équipe sont fréquents. Il faut dire que, dans la vie professionnelle, on travaille toujours en équipe, à moins d'être un travailleur autonome, et encore. Il vaut mieux prendre le taureau par les cornes et s'efforcer de travailler harmonieusement en équipe plutôt que de perdre son temps à repenser aux mauvaises expériences.

Comment réussir un travail en équipe ? Comment gérer les conflits ? À quelles conditions un travail d'équipe peut-il être satisfaisant pour tous ?

OBJECTIFS

Après avoir lu attentivement le présent chapitre, vous serez en mesure :

- de former une équipe de travail selon des critères pertinents ;

- de planifier le travail d'une équipe de recherche ;

- de gérer efficacement votre temps pendant les réunions et les autres activités de l'équipe de travail ;

- d'évaluer le travail des membres de l'équipe.

De nos jours, que ce soit sur le marché du travail ou en milieu scolaire, l'aptitude à travailler en équipe est cruciale.

> Le travail en équipe, c'est la réalisation d'une tâche complexe grâce à la mise en commun des ressources, des énergies et des compétences de plusieurs personnes.

Cependant, cette activité ne se réduit pas à la simple répartition d'un travail entre plusieurs individus. Lorsque certaines conditions sont respectées, le travail en groupe se traduit par une synergie, c'est-à-dire une « action coordonnée de plusieurs organes, [une] association de plusieurs facteurs qui concourent à une action, à un effet unique[1] », qui permet de dépasser le résultat que chacun des membres de l'équipe aurait pu atteindre individuellement pour produire quelque chose de plus complet, de meilleur et de plus pertinent.

Travailler en groupe peut devenir une importante source de stimulation. En effet, les membres de l'équipe peuvent s'encourager mutuellement et apporter des idées nouvelles qui font progresser tout le monde.

LA FORMATION DE L'ÉQUIPE

Lorsque l'enseignant vous demande de former une équipe afin d'effectuer un travail de recherche, vous voulez tout de suite savoir si vous pourrez choisir vos partenaires ou s'ils vous seront imposés.

Une équipe harmonieuse est un gage de succès.

Si vous pouvez choisir vos coéquipiers, vous serez sans doute tenté de ne recruter que vos amis, mais ce choix mérite un peu de réflexion. En effet, vos amis sont-ils les mieux qualifiés pour ce travail ? Serez-vous capable de travailler sérieusement, efficacement et rigoureusement avec des amis ? Ne devriez-vous pas plutôt rechercher des personnes qui vous compléteraient et qui vous permettraient de partager des compétences et des ressources nouvelles ? Réfléchissez bien : vous avez tout intérêt à recruter soigneusement les membres de votre équipe.

Si vos coéquipiers vous sont imposés, il est important d'être positif et ouvert aux autres. À cet égard, la première réunion sera déterminante, car elle vous permettra de mieux connaître vos coéquipiers et de partir du bon pied.

Par ailleurs, rappelez-vous que le succès du travail en équipe dépend de trois conditions :

- l'intérêt personnel des membres pour le sujet choisi ;
- l'engagement de chacun à réaliser dans les délais fixés les tâches qui lui sont confiées ;
- l'harmonie et la bonne entente au sein de l'équipe.

---

1. « Synergie », *Le Petit Robert 1*, Paris, Le Robert, 1985, p. 1907.

LA PLANIFICATION DU TRAVAIL

La planification du travail en équipe est la clé du succès. Elle nécessite une bonne gestion du temps, une répartition équitable des rôles et des tâches, une bonne communication entre les membres, une habileté à gérer les conflits et une planification rigoureuse des étapes du travail à accomplir.

LA GESTION DU TEMPS

Habituellement, une session dure 15 ou 16 semaines. Il faut donc établir un échéancier en fonction de la durée de la session et le respecter, car tout retard peut compromettre le succès de l'équipe. Chacun doit établir un horaire de travail qui tient compte des exigences de l'équipe : réserver la même période pour faire des lectures, pour organiser des réunions, etc. Il faut être disponible et ponctuel : arriver à temps aux réunions, accomplir ses tâches dans les délais prévus. Voilà les conditions essentielles au succès de l'équipe (▶ *voir le chapitre 1*).

Ayez l'échéancier de travail bien en tête.

LA RÉPARTITION DES RÔLES

Au chapitre de la répartition des rôles, deux erreurs sont fréquentes :

- tout le travail est accompli par un seul membre du groupe ;
- tout le monde fait sa part, mais il n'y a aucune coordination.

Pour éviter ces pièges, il est important de s'entendre dès la première réunion sur une répartition équitable des tâches et des rôles.

Par exemple, les membres d'une équipe de trois personnes ou plus devraient désigner un coordonnateur qui se chargerait de convoquer les réunions et de maintenir l'harmonie entre les membres de l'équipe. Véritable leader organisationnel (▶ *voir le tableau 5.2, p. 82*), le coordonnateur ne doit en aucun cas dicter à chacun sa conduite. Sa tâche consiste plutôt à structurer les rencontres.

Les réunions sont des moments clés pour assurer le bon déroulement d'un travail en groupe. Mais encore faut-il que ces rencontres soient bien menées… sinon, la perte de temps, les discussions inutiles et le manque d'écoute de certains peuvent susciter bien des problèmes. Voilà pourquoi il est souhaitable de nommer un animateur pour chaque rencontre. La même personne peut jouer le rôle d'animateur pour toutes les rencontres, mais les membres de l'équipe peuvent aussi assumer cette tâche à tour de rôle (▶ *voir p. 81*).

De plus, il est recommandé de conserver par écrit les détails du déroulement des activités de recherche. Il sera ainsi plus facile de faire le bilan du projet et d'évaluer le travail qui reste à accomplir. À chaque réunion, un secrétaire doit donc prendre des notes et rédiger un compte rendu. Bien sûr, les membres de l'équipe peuvent s'acquitter de cette tâche à tour de rôle, mais il est préférable de la confier à la même personne.

Enfin, selon le type de recherche effectuée, il peut s'avérer utile de désigner un réalisateur pour coordonner la production d'un document audiovisuel, un documentaliste pour photocopier, conserver et classer les documents de l'équipe, et un porte-parole afin d'établir et de maintenir le contact avec les personnes-ressources du collège ou les collaborateurs externes.

LA COMMUNICATION ENTRE LES MEMBRES DE L'ÉQUIPE

Un des facteurs clés du bon fonctionnement d'une équipe de travail, c'est la qualité de la communication entre les membres. Tous les membres de l'équipe doivent pouvoir entrer en communication en tout temps pour échanger de l'information, proposer des rencontres, confronter des points de vue et effectuer des recherches en commun.

Les moyens de communication traditionnels sont toujours valables : échangez vos numéros de téléphone à la maison, vos numéros de cellulaire, vos horaires de cours, etc.

Il existe aujourd'hui d'autres moyens de communication fort utiles. Échangez vos adresses de courriel. La plupart des collèges en mettent une à votre disposition, utilisez-la. Créez un groupe de contacts incluant tous les membres de l'équipe. N'hésitez pas à transmettre vos découvertes aux autres membres de l'équipe : adresses de sites Internet, courriels échangés avec un enseignant ou avec des organismes avec lesquels vous êtes entré en communication pour obtenir de l'information (gouvernements, agences, groupes de recherche, organismes, entreprises, clubs, etc.). Joignez à vos courriels des documents attachés : extraits de pages Web, documents que vous avez produits sur traitement de texte, etc. Attention au plagiat : indiquez toujours les sources exactes et complètes de vos documents. (Pour toutes les questions relatives aux outils de communication, ► *voir le chapitre 7*, Naviguer dans Internet.)

Si votre enseignant le permet, n'hésitez pas à communiquer avec lui par courriel pour vérifier des consignes, présenter des résultats de recherche, poser des questions. Votre enseignant a peut-être créé un site Intranet pour son cours. Assurez-vous de bien connaître les règles d'utilisation du site dès le début de la session.

Exprimez directement et clairement le problème qui se pose.

LA GESTION DES CONFLITS

Dans un groupe, bien des conflits peuvent survenir. Par exemple, que faire si un membre de l'équipe est souvent absent ou si un membre critique toujours sans jamais suggérer de solution ? Comment gérer ces conflits pour éviter que le travail de l'équipe en souffre ? Si l'on se fie au vieil adage « Mieux vaut prévenir que guérir », la première chose à faire est de s'entendre sur les règles de fonctionnement de l'équipe et de consigner le tout par écrit. L'une de ces règles doit porter sur la résolution des conflits (la majorité l'emporte, il faut en arriver à un consensus, etc.). Ces règles constituent en quelque sorte un contrat moral que tous les membres de l'équipe s'engagent à respecter.

De plus, il faut s'assurer que chacun exprime ses insatisfactions au fur et à mesure, sans attendre que le problème devienne insurmontable. Cependant, il est important d'exprimer son mécontentement en respectant les autres membres de l'équipe.

À ce sujet, Ronald B. Adler et Neil Towne ont établi différentes stratégies de résolution de conflits en insistant sur le recours à la négociation pour que chacun ait le sentiment que ses besoins ont été pris en compte dans le processus[2]. Selon eux, il y a six étapes à respecter pour une résolution heureuse des conflits :

■ bien déterminer le problème ou les besoins insatisfaits ;

■ fixer une rencontre à un moment qui convient à tous ;

---

2. Ronald B. ADLER et Neil TOWNE, adaptation sous la direction de Caroline SAINT-JACQUES, Étienne ROY et Martine THIBEAULT, *Communication et interactions*, 3e éd., Montréal, Beauchemin, 2005, p. 262-265.

- exprimer directement et clairement le problème qui se pose ;

- écouter le point de vue des autres ;

- rechercher activement un arrangement ou une solution ;

- mettre en application la solution retenue.

Pour qu'aucun malaise ne persiste au sein du groupe, on peut également consacrer une partie de la réunion à discuter des problèmes de fonctionnement. Il existe des techniques d'animation qui favorisent cette approche (➤ voir p. 83).

En dernier recours, l'enseignant peut agir à titre de médiateur pour résoudre un problème important, par exemple un membre de l'équipe qui n'accomplit jamais les tâches qui lui sont assignées, qui commet un plagiat ou qui demande d'inscrire son nom sur le rapport même s'il n'a pas contribué au travail.

LES ÉTAPES D'UNE RECHERCHE EN ÉQUIPE

Tout comme pour un travail individuel (➤ voir le chapitre 10, p. 177), les étapes d'une recherche en équipe vous amènent à délimiter le sujet, à planifier la stratégie de recherche, à collecter les données, à analyser les résultats, à rédiger le rapport ou à présenter un exposé oral.

Voici les principes fondamentaux d'une bonne planification :

- les objectifs communs doivent être formulés clairement et être partagés par tous ;

- le travail doit être réparti équitablement entre les membres de l'équipe ;

- tous les membres doivent participer aux tâches importantes : réunions, prises de décisions, recherche documentaire, conception et administration de la collecte de données, rédaction du rapport de recherche ;

- l'équipe prend collectivement les décisions qui orientent le travail. Ainsi, l'équipe approuve collectivement la liste des documents à lire, les fiches de lecture, le questionnaire et le rapport final ;

- la rédaction du rapport ne doit pas être un collage de textes mais le produit d'une discussion collective. C'est pourquoi chacun des membres doit écrire une partie de la première version du rapport et commenter les parties des autres.

Prenons un exemple. Geneviève, Isabelle, Marc-André et Émilio forment une équipe pour faire un travail sur « Les effets du divorce des parents sur le rendement scolaire des étudiants du collégial ». Ils se réunissent d'abord pour faire le point sur le sujet, sur la méthode de travail et sur la stratégie de recherche. Ils décident d'effectuer d'abord une recherche documentaire sur le thème du divorce au Québec. À la suite de cette recherche, l'équipe mènera une enquête auprès des étudiants de deuxième année du programme de Sciences humaines afin de vérifier si la situation familiale des étudiants (parents mariés, séparés ou divorcés) a une incidence sur leurs résultats scolaires.

Le tableau 5.1 à la page suivante résume les étapes de leur recherche, le contenu des réunions et la répartition des tâches (pour bien comprendre chacune des étapes de la recherche, ➤ voir le chapitre 10, p. 177).

Semaine	Étapes de la recherche	Contenu de la réunion	Tâches	Personnes visées
1	Choisir le sujet et former l'équipe de travail.	Brève rencontre à la fin du premier cours afin de former l'équipe.	■ Réflexion sur le sujet du travail de recherche pour la semaine suivante.	Tous
2		**1re réunion** ■ Présentation des membres. ■ Discussion pour choisir le sujet. ■ Échange de l'horaire et des coordonnées de chacun. ■ Planification de la 2e réunion.	Pour la prochaine réunion: ■ lecture d'un article de périodique ou d'encyclopédie sur le sujet; ■ rédaction des éléments de la problématique.	Tous
3	Planifier le travail.	**2e réunion** ■ Répartition des rôles (coordonnateur, secrétaire). ■ Remue-méninges (problématique et hypothèse de travail). ■ Planification du travail: étapes, personnes-ressources, entrevues, matériel requis, échéancier.	■ Coordination de l'équipe assurée par Isabelle. ■ Le rôle d'animateur ou de secrétaire sera assuré par chacun des membres à tour de rôle. ■ La recherche documentaire sera effectuée par tout le monde.	Isabelle Tous Tous
3 et 4	Choisir la documentation.		Dépouillement: ■ des répertoires de publications gouvernementales; ■ de *Repère* pour les articles de périodiques; ■ du catalogue de la bibliothèque pour les volumes; ■ des sites Internet; ■ de *Eurêka* pour les articles de journaux.	Tous
5		**3e réunion** ■ Sélection des documents pertinents. ■ Répartition des lectures entre les membres de l'équipe. ■ Entente sur le type de fichiers de lecture.	Chacun présente les titres des ouvrages pertinents et commente les choix des autres.	Tous
5 à 10	Effectuer la collecte de données.		Collecte de données: documentation et fichiers de lecture.	Tous
7		**4e réunion** ■ Analyse des résultats de la recherche documentaire. ■ Discussion sur la collecte de données: décision de réaliser un sondage. ■ Établissement de l'échantillon requis.	Chacun présente son fichier.	Tous
8		**5e réunion** ■ Adoption du questionnaire. ■ Rencontre avec l'enseignant.	Élaboration du sondage: ■ construction d'un questionnaire;	Isabelle et Émilio
9 et 10			■ impression du questionnaire; ■ administration du questionnaire; ■ dépouillement des résultats.	Isabelle Tous Isabelle et Émilio

TABLEAU 5.1	Exemple de planification d'un travail de recherche en équipe (basé sur une session de 15 semaines de cours) (*suite*)			
Semaine	**Étapes de la recherche**	**Contenu de la réunion**	**Tâches**	**Personnes visées**
11	Analyser les résultats.		Analyse collective des résultats.	Tous
12	Interpréter les résultats.	**6e réunion** ■ Interprétation des résultats du sondage. ■ Élaboration d'un plan de rédaction du rapport final.		Tous
13	Rédiger le rapport de recherche.	**7e réunion** ■ Discussion sur le texte définitif du rapport de recherche. ■ Rédaction définitive et présentation du manuscrit.	■ Première version du rapport. ■ Chacun rédige sa partie et la remet aux autres pour recevoir des commentaires. ■ Rédaction définitive.	Émilio Geneviève Marc-André Isabelle Tous
14	Présenter le rapport final.		■ Traitement de texte (mise en pages de toutes les parties du rapport). ■ S'il y a lieu, exposé oral devant la classe ; répartition des sections de l'exposé.	Marc-André Tous
15	Dresser le bilan du travail.	**8e réunion** ■ Retour sur les objectifs de départ et sur la répartition des tâches. ■ Évaluation du travail de chacun.		Tous

LES RÉUNIONS

Afin de réaliser un travail d'équipe de qualité, il faut que les membres se réunissent pour mettre leurs idées en commun. De plus, les réunions doivent être soigneusement préparées et animées correctement. Voici les principes à respecter pour qu'une réunion soit productive.

LA PRÉPARATION D'UNE RÉUNION

Le coordonnateur de l'équipe doit convoquer les réunions en prenant contact personnellement avec tous les membres de l'équipe. Si l'équipe est nombreuse, il peut établir une chaîne téléphonique. Il ne faut jamais convoquer de réunions inutilement. Parfois, il suffit que le coordonnateur communique personnellement avec les membres de l'équipe pour s'assurer que le travail avance. Le but d'une réunion est de mettre des idées en commun ou de résoudre collectivement un problème qui touche toute l'équipe. Le coordonnateur prépare un ordre du jour qu'il distribue à tous les membres de l'équipe quelque temps avant la réunion. La figure 5.1 (➤ *voir p. 80*) propose un exemple d'ordre du jour.

| FIGURE 5.1 | Exemple d'un ordre du jour |

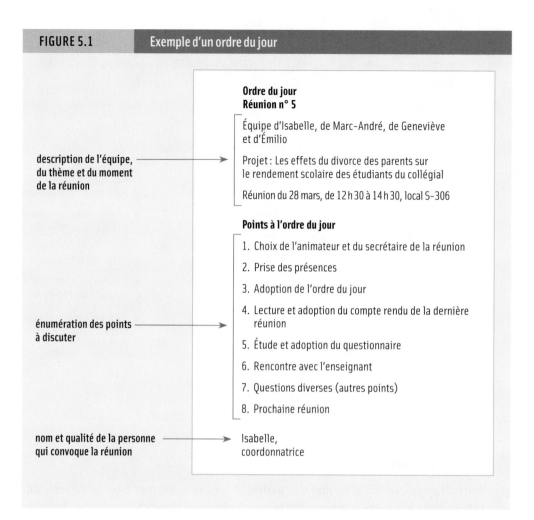

description de l'équipe, du thème et du moment de la réunion

Ordre du jour
Réunion n° 5

Équipe d'Isabelle, de Marc-André, de Geneviève et d'Émilio

Projet : Les effets du divorce des parents sur le rendement scolaire des étudiants du collégial

Réunion du 28 mars, de 12 h 30 à 14 h 30, local S-306

Points à l'ordre du jour

énumération des points à discuter

1. Choix de l'animateur et du secrétaire de la réunion
2. Prise des présences
3. Adoption de l'ordre du jour
4. Lecture et adoption du compte rendu de la dernière réunion
5. Étude et adoption du questionnaire
6. Rencontre avec l'enseignant
7. Questions diverses (autres points)
8. Prochaine réunion

nom et qualité de la personne qui convoque la réunion

Isabelle,
coordonnatrice

TACTIQUE **Suggestions pour le déroulement de la première réunion**

– Chacun se présente et fait part aux autres de ses compétences liées au sujet de recherche : travaux antérieurs, formation acquise, intérêt personnel pour le sujet, habileté à utiliser l'équipement informatique ou audiovisuel, connaissance d'Internet, etc.

– Chacun explique ce qui l'incite à faire le travail. Il est très important de connaître l'intérêt personnel de chaque membre du groupe, car cela permettra de répartir les tâches en respectant les goûts de chacun.

– Tous échangent leur adresse courriel, leurs numéros de téléphone et leur horaire, et déterminent un moment où les réunions pourraient avoir lieu. Le fait de tenir des réunions régulièrement, de préférence le même jour de la semaine et à la même heure, présente des avantages certains.

– On fixe la date et l'heure de la prochaine réunion (elle doit se tenir dans un avenir rapproché). Certaines équipes préfèrent se réunir à l'extérieur du collège ou de l'université (à l'appartement de l'un des membres de l'équipe, par exemple) afin de favoriser les échanges dans un cadre moins formel. Chacun doit cependant garder en tête le but de la rencontre pour éviter que celle-ci ne se transforme en petite fête.

LE DÉROULEMENT D'UNE RÉUNION

Voici quelques suggestions pour améliorer le déroulement d'une réunion. Sachez que la taille de l'équipe influe sur le type de réunion : par exemple, les discussions sont beaucoup plus formelles dans une équipe de 6 à 10 personnes que dans une petite équipe de 3 ou 4 personnes.

L'animatrice voit au bon déroulement de la réunion.

L'importance de la ponctualité

Il est important de commencer la réunion à l'heure fixée. Il incombe à tous les membres de l'équipe d'adopter les règles et de les faire respecter afin d'éviter que les retards ne deviennent habituels. La réunion doit commencer à l'heure prévue même si un membre est en retard et il faut rappeler au retardataire l'importance de la ponctualité.

Le mieux, c'est d'arriver quelques minutes à l'avance pour avoir le temps d'échanger quelques mots avec ses coéquipiers avant la réunion. La qualité de l'accueil des participants peut donner le ton et créer un climat de travail chaleureux et sympathique ; tous les membres de l'équipe sont responsables de cet accueil.

Le rôle du coordonnateur

Le coordonnateur, nommé par les autres membres de l'équipe, ouvre la réunion. Il vérifie la présence des membres et procède au choix d'un secrétaire et d'un animateur, à moins qu'il n'ait été désigné lui-même pour cette dernière fonction. Il lit l'ordre du jour proposé et le fait adopter, en le modifiant s'il y a lieu. Il est bon de préciser quel sera le temps alloué à chacun des points à l'ordre du jour. En l'absence d'une telle mesure, il arrive souvent que la discussion s'éternise sur le premier point et qu'il ne reste plus de temps pour les autres.

L'importance de la participation de chacun

Malgré la présence d'un coordonnateur, il est essentiel que chacun des membres de l'équipe soit actif et intervienne positivement dans les réunions. À chacune des étapes du travail, vous pouvez paralyser l'équipe ou, au contraire, la faire progresser. Prenez votre place au sein de l'équipe. N'ayez pas peur d'émettre vos opinions même si elles sont différentes de celles des autres. La divergence d'opinion est normale et peut être bénéfique.

La clôture de la réunion

Pour clore une réunion, l'animateur peut demander aux membres de l'équipe de faire le point sur le déroulement de la rencontre (respect des règles, des étapes prévues), sur la qualité de la communication et sur la participation des membres. De plus, il faut vérifier si chacun a bien compris les tâches qu'il doit accomplir pour la prochaine réunion. Il faut compter de 5 à 10 minutes tout au plus pour clore la réunion.

L'ANIMATION D'UNE RÉUNION

Le coordonnateur peut animer la réunion, mais le rôle d'animateur peut aussi être confié à n'importe quel autre membre de l'équipe.

L'animateur voit au bon déroulement de la réunion. Il fait respecter l'ordre du jour (il intervient si un membre déroge du sujet), il donne la parole et il fait le point sur le travail effectué et sur les tâches qui restent à accomplir. Un bon animateur se montre sensible à un climat favorable : il incite ceux qui ont peu parlé à s'exprimer, il sollicite l'avis des membres silencieux, etc. Il évite de concentrer les échanges sur son point de vue personnel ; il sait se taire et laisser les autres s'exprimer.

Pensez à vos dernières expériences de travail en équipe et consultez le tableau 5.2. Reconnaissez-vous des attitudes qui ont eu une incidence sur le climat qui régnait au sein de l'équipe de travail ?

TABLEAU 5.2	Quelques attitudes typiques qui favorisent la communication ou qui l'entravent
Attitude positive	**Attitude négative**
Le leader organisationnel Il est sensible à la procédure ; il structure la réunion.	**Le critiqueur** Il conteste tout ce qui se dit et se fait dans le groupe.
Le leader affectif Il est attentif aux émotions ; il soutient ceux qui éprouvent des difficultés.	**L'inhibiteur** Il ralentit le travail en se retranchant derrière des positions de principe ou en adoptant des attitudes rigides.
Le pacificateur Il est capable de calmer les esprits et de réduire les tensions.	**Le pessimiste** Il croit que l'équipe ne résoudra jamais ses problèmes.
Celui qui est efficace Il arrête le bavardage inutile et concentre l'attention de tous sur l'objectif à atteindre.	**L'indifférent** Il prétend ne pas être touché par les décisions du groupe ; il ne se sent pas solidaire.
Celui qui est ouvert Il n'a pas peur de poser les questions que les autres n'osent pas poser par peur de l'opinion d'autrui.	**Le silencieux** Il ne parle jamais, ne se mouille pas et se sent toujours à l'écart.
Le motivateur Il prouve à chacun que sa contribution est indispensable et pousse chacun à donner le meilleur de lui-même.	**Le prétentieux** Il surestime ses capacités et s'attribue le mérite de ce que les autres ont fait.
	Le manipulateur Il vise des objectifs secrets bien éloignés des objectifs communs. Il flatte les gens pour obtenir leur appui.

Source : inspiré de Richard PRÉGENT, « La formation des étudiants au travail en équipe », dans *La préparation d'un cours*, Montréal, Éditions de l'École polytechnique de Montréal, 1990, p. 210-211.

- Utiliser un tableau noir, de grandes feuilles collées sur le mur ou un tableau sur un trépied pour faire le point, noter les idées principales, etc.
- Faire des tours de table afin d'équilibrer le temps de parole et de permettre à chacun de s'exprimer.
- Tenir à jour une liste de ceux qui veulent intervenir afin de donner la parole selon l'ordre des demandes ; au besoin, dresser une deuxième liste afin d'inviter ceux qui ne se sont pas encore exprimés à prendre la parole avant ceux qui ont déjà parlé. Cette tâche incombe à l'animateur, qui ne doit pas oublier d'inscrire son propre nom sur la liste s'il veut prendre la parole.
- Allouer un temps précis à la discussion d'une question et prévenir le groupe lorsque le temps est presque écoulé afin de faire le point.

LE COMPTE RENDU D'UNE RÉUNION

La préparation de la réunion exige que le secrétaire ait rédigé le compte rendu de la réunion précédente. Dans une réunion plus formelle, il est souhaitable que le secrétaire présente le compte rendu au coordonnateur de l'équipe au moins une journée à l'avance afin que celui-ci puisse apporter les corrections nécessaires. Ainsi, l'adoption du compte rendu prendra moins de temps et l'équipe pourra se consacrer entièrement à l'essentiel de l'ordre du jour.

Le compte rendu d'une réunion est un document d'une ou deux pages qui contient le résumé des discussions et des décisions qui ont été prises.

Plus précisément, le compte rendu contient les éléments suivants :

- les présences ainsi que le lieu et l'heure de la réunion ;
- l'adoption de l'ordre du jour ;
- les décisions prises ;
- les sujets de discussion ;
- la répartition des tâches à accomplir ;
- la date, le lieu et l'heure de la prochaine réunion.

Habituellement, le compte rendu est rédigé de manière à suivre pas à pas le déroulement de la réunion selon l'ordre du jour tel qu'il a été adopté, sans pour autant chercher à reproduire tout ce que chacun a dit. Les comptes rendus des réunions permettent à l'équipe de suivre la progression de la recherche, de retrouver une information et de faire le bilan du travail effectué. La figure 5.2 (▶ voir p. 84) présente le compte rendu de la 5e réunion de l'équipe de travail.

FIGURE 5.2 | Exemple de compte rendu de réunion

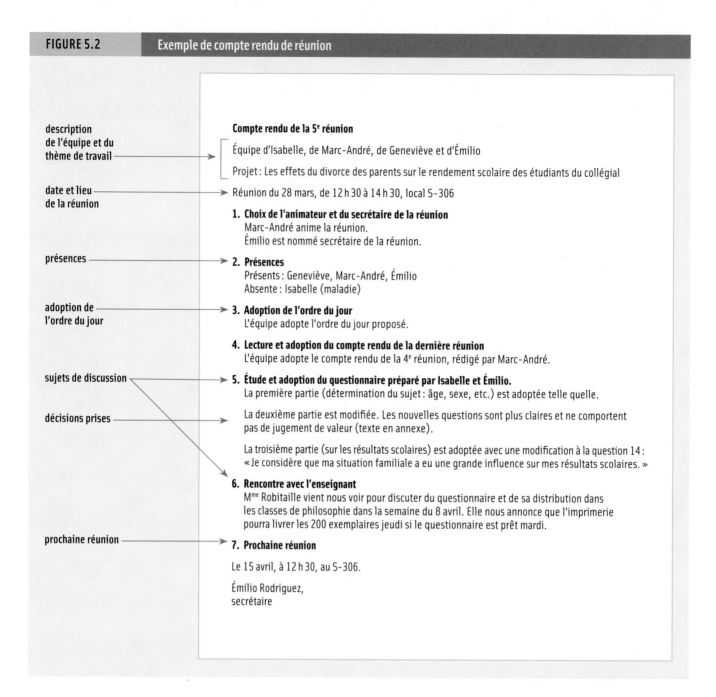

description de l'équipe et du thème de travail

date et lieu de la réunion

présences

adoption de l'ordre du jour

sujets de discussion

décisions prises

prochaine réunion

Compte rendu de la 5ᵉ réunion

Équipe d'Isabelle, de Marc-André, de Geneviève et d'Émilio

Projet : Les effets du divorce des parents sur le rendement scolaire des étudiants du collégial

Réunion du 28 mars, de 12 h 30 à 14 h 30, local S-306

1. **Choix de l'animateur et du secrétaire de la réunion**
Marc-André anime la réunion.
Émilio est nommé secrétaire de la réunion.

2. **Présences**
Présents : Geneviève, Marc-André, Émilio
Absente : Isabelle (maladie)

3. **Adoption de l'ordre du jour**
L'équipe adopte l'ordre du jour proposé.

4. **Lecture et adoption du compte rendu de la dernière réunion**
L'équipe adopte le compte rendu de la 4ᵉ réunion, rédigé par Marc-André.

5. **Étude et adoption du questionnaire préparé par Isabelle et Émilio.**
La première partie (détermination du sujet : âge, sexe, etc.) est adoptée telle quelle.

La deuxième partie est modifiée. Les nouvelles questions sont plus claires et ne comportent pas de jugement de valeur (texte en annexe).

La troisième partie (sur les résultats scolaires) est adoptée avec une modification à la question 14 : « Je considère que ma situation familiale a eu une grande influence sur mes résultats scolaires. »

6. **Rencontre avec l'enseignant**
Mᵐᵉ Robitaille vient nous voir pour discuter du questionnaire et de sa distribution dans les classes de philosophie dans la semaine du 8 avril. Elle nous annonce que l'imprimerie pourra livrer les 200 exemplaires jeudi si le questionnaire est prêt mardi.

7. **Prochaine réunion**

Le 15 avril, à 12 h 30, au S-306.

Émilio Rodriguez,
secrétaire

Il est à remarquer qu'un tel document ne se limite pas à mentionner : « ceci a été discuté » ou « cela a été adopté ». Il faut rapporter le sens des discussions et noter les divergences, le cheminement d'une question, les décisions adoptées, la répartition précise des tâches, etc. Ces précisions peuvent être utiles pour une autre réunion, pour faire un bilan, etc. En somme, les comptes rendus des réunions constituent le journal de bord de l'équipe.

LE PRODUIT FINAL ET LE BILAN

Le produit final de l'équipe peut prendre diverses formes : rapport de recherche, essai, dissertation, dossier, exposé oral, etc. (Pour la rédaction d'une dissertation,

➤ *voir le chapitre 9* ; pour une recherche documentaire, ➤ *voir le chapitre 10* ; pour la présentation matérielle, ➤ *voir le chapitre 11* ; pour l'exposé oral, ➤ *voir le chapitre 12.*)

LE TEXTE ÉCRIT

Essentiellement, le travail doit refléter la complexité d'une réflexion commune. Il ne doit pas ressembler à un collage de textes écrits les uns à la suite des autres sans aucun lien entre eux. L'idéal, c'est que les textes écrits individuellement soient soumis à l'ensemble de l'équipe et qu'on récrive un texte en tenant compte des observations des autres. On obtient ainsi un texte intégré, fruit d'un véritable travail collectif.

L'EXPOSÉ ORAL

Pour l'exposé oral, les membres de l'équipe doivent préparer leurs interventions et s'exercer en équipe avant de présenter leur exposé devant la classe. Chacun des membres de l'équipe devrait exposer une partie des résultats de la recherche. L'un des membres pourra présenter l'équipe et établir les liens entre les parties de l'exposé tandis qu'un autre s'occupera des appareils audiovisuels (rétroprojecteur, téléviseur, ordinateur, etc.). S'il y a lieu, un troisième distribuera les documents (schémas, tableaux, textes, etc.) sur lesquels s'appuie l'exposé pour compléter l'information. En somme, une bonne préparation et une coordination efficace sont le gage du succès d'un exposé oral.

Chacun des membres de l'équipe apporte sa contribution.

Si vous devez produire un diaporama électronique ou une présentation assistée par ordinateur, appelée aussi «présentatique», c'est-à-dire une application de l'informatique et du multimédia à la présentation visuelle de documents qui sont créés pour servir de support à une communication orale[3], ➤ *voir le chapitre 12,* Réussir un exposé oral.

LE BILAN ET L'ÉVALUATION

Le bilan est une étape importante du travail d'équipe. Chacun des membres doit d'abord évaluer sa propre productivité, sa participation aux discussions et à la réalisation des tâches, et son intégration dans l'équipe. Ensuite, l'équipe doit évaluer son cheminement collectif en mettant l'accent sur les éléments suivants : l'ampleur du projet initial, la qualité du produit final, la qualité des échanges entre les membres, la bonne utilisation du travail de chacun, la capacité de résoudre des problèmes, etc.

En ce qui a trait à l'évaluation, si le travail a été réparti également, tout le monde devrait avoir la même note. Si certains membres de l'équipe ont traîné la patte ou n'ont pas investi autant d'énergie que les autres, il ne faut pas hésiter à en parler : c'est une question de respect de soi et des autres. Il faut alors attribuer une note individuelle qui reflétera mieux la situation et qui rendra justice aux véritables efforts de chacun.

Au début du travail, informez-vous auprès de l'enseignant sur la façon dont la note sera attribuée. Y aura-t-il une coévaluation, une autoévaluation, etc. ? Ce renseignement vous aidera à établir les règles de résolution de conflits (la négociation) qui vous permettront d'en arriver à un consensus. Les comptes rendus des réunions et le bilan peuvent devenir fort utiles puisqu'ils font état des décisions prises. Ils peuvent même être remis à l'enseignant pour l'aider à comprendre un litige.

---

3. OFFICE QUÉBÉCOIS DE LA LANGUE FRANÇAISE, *Le grand dictionnaire terminologique,* [En ligne], http://w3.granddictionnaire.com/btml/fra/r_motclef/index1024_1.asp (Page consultée le 3 avril 2008)

Être capable de bien travailler en équipe

Toute personne qui travaille en équipe doit être disciplinée et prête à coopérer. Elle doit aussi respecter les autres, être solidaire et faire preuve de rigueur dans son travail.

– Avoir confiance en soi-même et faire confiance aux autres. Travaillez en collaboration et en complémentarité avec les autres membres de l'équipe. Ne vous isolez pas. Efforcez-vous d'apporter une contribution positive à l'équipe tout en espérant la même chose de vos coéquipiers.

– Être respectueux et ouvert à la critique. Le travail en équipe exige le respect des idées des autres. Il exige aussi une tolérance à l'égard des difficultés des autres. On ne peut pas demander à tout le monde de voir les choses de la même manière ou de comprendre au même rythme. Il faut donc être tolérant tout en faisant valoir ses idées.

– Être solidaire. Lorsqu'on travaille en équipe, il faut être solidaire, c'est-à-dire respecter les décisions prises collectivement ou une orientation qui a été adoptée. En cas de difficultés ou d'échec, il ne faut pas faire porter injustement le blâme aux autres.

– Être rigoureux. À toutes les qualités précédentes s'ajoute la rigueur dans le travail. Si un membre de l'équipe ne fait pas son travail, ne se présente pas aux réunions ou a un comportement qui nuit au travail de l'équipe, les conséquences sur le résultat final peuvent être désastreuses. Chacun doit s'acquitter de sa tâche sans avoir peur de relever les problèmes et de proposer des solutions.

À RETENIR **La synergie**

	Oui	Non
Ai-je bien évalué les capacités des membres de mon équipe de travail ?	❑	❑
A-t-on réparti les rôles au sein de l'équipe ?	❑	❑
A-t-on planifié le travail pour les 15 semaines de la session ?	❑	❑
Les réunions sont-elles convoquées régulièrement et animées correctement ?	❑	❑
A-t-on fait le compte rendu de toutes les réunions ?	❑	❑
A-t-on intégré la contribution de chacun au rapport de recherche ?	❑	❑
A-t-on bien réparti les rôles pour la présentation de l'exposé oral ?	❑	❑

Yannick Nézet-Séguin
Yannick Nézet-Séguin

chef d'orchestre et pianiste

Collège de Bois-de-Boulogne

Conservatoire de musique et d'art dramatique Québec

Né à Montréal en 1975, Yannick Nézet-Séguin entre au Conservatoire de musique du Québec à Montréal à l'âge de 13 ans. Parallèlement, il poursuit ses études secondaires, puis il termine le programme de Sciences humaines au collège de Bois-de-Boulogne. Il se consacre alors à la musique et complète l'équivalent d'un programme de maîtrise au Conservatoire où il remporte cinq premiers prix.

Il étudie également la direction chorale au Westminster Choir College à Princeton, au New Jersey, puis avec des chefs de renommée internationale, notamment le maestro Carlo Maria Giulini. Pendant ses études, il fonde son propre ensemble vocal et instrumental, La Chapelle de Montréal. En mars 2000, il devient le chef attitré de l'Orchestre Métropolitain du Grand Montréal et dirige à titre de chef invité plusieurs orchestres à travers le monde, tout en continuant de se produire comme pianiste. Il remporte de nombreux prix, dont le prix Virginia Parker du Conseil des Arts du Canada et plusieurs prix Opus du Conseil québécois de la musique. À compter de septembre 2008, il assurera la direction musicale de l'Orchestre philharmonique de Rotterdam.

Concilier la musique et les études…

… n'a pas toujours été chose facile pour Yannick Nézet-Séguin. « Quand j'y pense, dit-il, ces années ont été les pires au point de vue de la gestion du temps. J'ai vécu un sentiment d'éparpillement, j'étudiais, je dirigeais, j'avais mon propre ensemble… Je ne suis pas quelqu'un de naturellement très organisé, mais mes professeurs m'ont amené à le devenir. Là où j'aurais été porté à prendre mon temps ou à repousser des choses, ils m'ont poussé à m'organiser pour y arriver. Je peux dire que ça m'a très bien préparé à la vie professionnelle, à la gestion du temps et de la pression. »

Travailler en équipe

« Le chef d'orchestre a une fonction précise, mais il est un membre de l'équipe parmi les autres. Je pense que c'est pour ça que j'aime ce métier. Je ne pourrais pas m'imaginer travailler avec un orchestre où le travail d'équipe ne fonctionne pas. J'essaie toujours d'installer une atmosphère de collégialité, de respect, dans les groupes avec lesquels je travaille. Je crois que ça a toujours fait partie de moi, et de l'éducation que j'ai reçue de mes parents. »

Quel a été le facteur clé de votre réussite ?

« Y croire ! Quand on trouve ce dans quoi on s'épanouit vraiment, ce qu'on aime, on donne tout. Quand on aime ce qu'on fait, on se relève des échecs, on retrouve le courage. C'est quelque chose qui vient plus du cœur que de la tête et c'est très important de le dire, surtout en musique, parce que les débouchés sont limités. Je vois tellement de jeunes rêver d'être musiciens, mais laisser tomber parce que c'est un milieu difficile ! Il ne faut pas partir avec l'idée qu'il n'y a pas de débouchés, il faut tout donner pour affronter vents et marées. Ce sont ceux qui y croient qui persistent dans ce métier. » ■

Julien et Stéphanie au cégep

Les semaines passent et Stéphanie commence à s'ajuster à son horaire chargé. Elle partage maintenant ses heures de travail avec les autres moniteurs de natation pour avoir un peu plus de temps, et tout va pour le mieux. Toutefois, la date de remise du premier travail de recherche approche et Stéphanie est ennuyée : le professeur a conseillé aux étudiants d'aller à la bibliothèque, de consulter au moins cinq ouvrages portant sur le sujet qu'ils ont choisi et d'en donner les références bibliographiques. Comme Stéphanie a choisi le commerce équitable, elle se dit que son sujet est trop nouveau pour trouver de l'information dans ces vieux livres poussiéreux. De plus, chercher des livres à la bibliothèque, c'est beaucoup trop long. Elle n'arrive jamais à trouver ce qu'elle cherche du premier coup...

En fait, Stéphanie croit que depuis l'avènement d'Internet, la bibliothèque est devenue complètement inutile. Après tout, au secondaire, elle trouvait souvent ce qu'il lui fallait en quelques clics de souris et, à vrai dire, elle n'a même pas accompagné le groupe lorsque l'enseignant de philosophie a organisé une visite à la bibliothèque au début de la session. Elle ignore tout du catalogue de la bibliothèque du collège, des collections spéciales, des outils de recherche documentaire, des spécialistes qui peuvent l'aider et des ouvrages de référence récents qui constituent un point de départ à toute recherche digne de ce nom.

Comment se retrouver à la bibliothèque ? Comment trouver rapidement l'information nécessaire dans le cadre d'une recherche ?

OBJECTIFS

Après avoir lu attentivement le présent chapitre, vous serez en mesure :

■ de comprendre les systèmes de classification des documents dans une bibliothèque ;

■ d'utiliser les catalogues et les outils de recherche afin de repérer les documents ;

■ de connaître et d'utiliser la grande variété des ressources documentaires mises à votre disposition dans une bibliothèque : volumes, ouvrages de référence, documents officiels, périodiques, documents audiovisuels, cédéroms et sites Internet ;

■ d'élargir votre perspective de recherche en consultant les bibliothèques nationales du Canada et du Québec.

QUE TROUVE-T-ON DANS UNE BIBLIOTHÈQUE MODERNE ?

Plus qu'un simple dépôt de documents, la bibliothèque est un lieu de lecture, de recherche et de rencontre unique : non seulement y trouve-t-on la documentation nécessaire pour effectuer une recherche, mais aussi les trésors de la littérature et du savoir sauvegardés depuis des générations, mis en valeur par des personnes compétentes. On peut certes se sentir perdu parmi ces dizaines, voire ces centaines de milliers de volumes, de documents audiovisuels, de périodiques, de documents officiels, d'encyclopédies, de dictionnaires, de cédéroms, de brochures et de publications de toutes sortes. Pour s'y retrouver, il faut apprendre à connaître la bibliothèque municipale, celle du collège ou de l'université. Il ne faut pas hésiter à demander l'aide du bibliothécaire. Finalement, il faut appliquer une méthode de travail rigoureuse pour trouver et exploiter la documentation pertinente.

De nos jours, dans une bibliothèque, on trouve non seulement des livres mais aussi :

- des périodiques (journaux, revues, bulletins) ;
- des microfilms ;
- des ouvrages de référence sur support papier, sur cédérom et dans Internet ;
- des documents audiovisuels ;
- des publications officielles ou gouvernementales ;
- des documents cartographiques ;
- des collections particulières (livres rares ou anciens) ;
- de la documentation spécialisée.

De plus, dans un portail d'information sur le site Internet du cégep, la bibliothèque offre les services suivants :

- un site Internet pour faire des recherches en ligne ;
- des bibliothécaires à qui s'adresser pour poser des questions ;
- un catalogue informatisé ou en ligne ;
- des banques de données bibliographiques en ligne pour repérer des articles de périodiques ;
- le prêt de volumes ;
- une réserve traditionnelle au comptoir du prêt (pour une période de temps limitée, les enseignants peuvent y laisser des ouvrages à consulter sur place) ou une réserve en ligne (les ouvrages, le plus souvent des corrigés, sont disponibles en ligne avec un code d'accès) ;
- des visionneuses pour les microfilms, des photocopieurs ;
- des banques de données sur support informatique (cédérom) ;
- le prêt entre bibliothèques, etc.

Pour que votre recherche à la bibliothèque soit efficace, suivez les étapes d'une recherche documentaire.

QUELLES SONT LES ÉTAPES D'UNE RECHERCHE DOCUMENTAIRE ?

TABLEAU 6.1	Les étapes de la recherche documentaire
Étapes	**Consignes**
1. Déterminer le sujet.	■ Faites un remue-méninges en jetant sur papier les idées et les mots qui vous viennent à l'esprit sur le sujet. ■ Dégagez, s'il y a lieu, une problématique et une hypothèse de travail. ■ Déterminez les variables qui vous intéressent et les contraintes dont vous devez tenir compte : période à couvrir, lieu, langue(s) de la documentation, disciplines scientifiques, contexte de la recherche, nature de l'information (statistiques, perceptions, faits), sources primaires (entrevues, lettres) ou secondaires (analyses, études, essais), types de documents (thèses, rapports, articles, livres, sites Internet), etc. Par exemple, votre sujet porte sur « les effets du divorce sur le comportement des enfants au Québec, dans les années 2000 » et votre hypothèse est la suivante : « Les enfants d'un couple divorcé ont plus de troubles de comportement à l'école primaire que les enfants dont les parents ne sont pas divorcés. » ■ ➤ *Voir le chapitre 10, p. 177-184.*
2. Établir une stratégie de recherche à partir des concepts ou des mots clés.	■ Notez tous les aspects du problème : divorce, enfants, troubles de comportement, effets psychologiques, famille, école, etc. ■ Délimitez votre sujet et définissez-le simplement. Exemple : « L'effet du divorce sur le comportement des enfants à l'école primaire au Québec ». ■ Discernez les principaux concepts contenus dans la formulation du problème : divorce, comportement, enfants, école primaire. ■ Cherchez les mots associés aux principaux concepts. Les thésaurus (liste de mots clés ou de vedettes-matière), les banques de données ou le catalogue de votre bibliothèque, les index de mots clés dans les encyclopédies et certains moteurs de recherche sur Internet associent des termes d'un même domaine les uns aux autres, permettant ainsi d'élargir la recherche. Par exemple, les expressions « conciliation » et « aspects psychologiques » s'ajouteront à « divorce » ; « enfants – problèmes affectifs », « adolescents » et « famille » compléteront la recherche sur « enfants » ; « troubles chez l'enfant » et « agressivité » s'ajouteront à « comportement ». ■ Multipliez les angles de recherche ou faites des croisements. ■ En cherchant dans le catalogue à la bibliothèque, utilisez les opérateurs booléens ET, OU et SAUF. L'opérateur ET permet de chercher des références qui associent les concepts divorce, comportement ET enfants. L'opérateur ET précise la recherche et permet de diminuer le nombre de références en rejetant celles qui ne comportent pas tous les termes demandés. L'opérateur OU permet de chercher des références où l'un OU l'autre des concepts apparaît : troubles OU comportement OU agressivité. L'opérateur OU élargit la recherche puisqu'il augmente le nombre de références. Enfin, l'opérateur SAUF permet d'exclure un ensemble de références, par exemple enfants SAUF adolescents.
3. Utiliser les outils de recherche documentaire.	■ Consultez les outils de la recherche documentaire présentés dans le tableau 6.3, p.97. ■ Utilisez les outils de recherche sur Internet : le catalogue de la Bibliothèque nationale, les moteurs de recherche, les bases de données et le catalogue de votre bibliothèque. ■ Utilisez les index de périodiques tels *Repère* et *Eurêka* (➤ *voir le chapitre 8*). ■ Photocopiez les bibliographies à la fin des ouvrages spécialisés. Vous pourriez y faire d'intéressantes découvertes. ■ Lorsque vous trouvez une référence pertinente, notez sur une fiche sa cote et tous les éléments de la description bibliographique afin de pouvoir retracer la référence aisément et afin de constituer la bibliographie de votre rapport : notez le prénom et le NOM de l'auteur ou des auteurs, le titre de l'ouvrage, la ville où a été publié le livre, la maison d'édition, l'année de publication et les pages consultées.

TABLEAU 6.1	Les étapes de la recherche documentaire (*suite*)
Étapes	**Consignes**
4. Faire la collecte des données.	■ Repérez les ouvrages pertinents à la bibliothèque grâce à la cote de l'ouvrage. ■ Lorsque vous trouvez un ouvrage, demandez-vous si l'auteur est un spécialiste de la question et s'il a écrit d'autres livres qui pourraient se trouver sur le même rayon de la bibliothèque. ■ Lorsque vous trouvez un livre sur un rayon, cherchez autour ; vous pourriez découvrir d'autres livres qui portent sur le même sujet. ■ Lisez les ouvrages en appliquant la méthode de lecture appropriée (lecture traditionnelle, lecture indicative, lecture en diagonale, lecture active). ■ Prenez des notes et utilisez des fiches pour compiler et classer l'information ou regroupez les fiches dans un document produit à l'aide d'un traitement de texte. ■ Pensez à consulter les publications gouvernementales ; elles contiennent des renseignements objectifs sur une foule de sujets. ■ Dressez une liste d'encyclopédies, de dictionnaires, d'ouvrages de consultation, de travaux de synthèse dans le domaine qui vous intéresse, etc.
5. Analyser l'information recueillie.	■ Faites un retour sur votre problématique et sur votre hypothèse de travail. ■ Sélectionnez l'information pertinente. ■ Évaluez votre matériel en vérifiant la qualité de l'information, en tenant compte de la crédibilité des auteurs ou en considérant d'autres caractéristiques valables pour la rédaction d'un rapport de recherche. ■ ➤ *Voir le chapitre 10, p. 190-192.*

COMMENT CLASSE-T-ON LES DOCUMENTS DANS UNE BIBLIOTHÈQUE ?

La plupart des bibliothèques utilisent un des deux grands modes de classification des documents, la classification décimale de Dewey ou la classification de la Bibliothèque du Congrès à Washington, aux États-Unis. Nous présentons ici les grands principes de ces modes de classification et la marche à suivre pour s'y retrouver.

On attribue à chaque document (livre, revue, vidéo, disque, cédérom, etc.) une cote composée uniquement de chiffres ou de chiffres et de lettres. Cette cote permet de repérer les volumes sur les rayons de la bibliothèque ; il s'agit en quelque sorte de l'adresse du document (➤ *voir le tableau 6.2*). On attribue également un indice d'auteur à chaque auteur, selon la table Cutter-Sanborn.

Biblio-Web, page d'accueil de la bibliothèque du cégep de Granby–Haute-Yamaska.
Source : [www.cegepgranby.qc.ca/biblio].

TABLEAU 6.2	Les méthodes de classification des livres	
Caractéristiques	La classification décimale Dewey	La classification de la Bibliothèque du Congrès
Organisation du système en classes	La méthode Dewey classe les volumes par sujets. Créé au 19e siècle par l'Américain Melvil Dewey (1851-1931), ce mode de classification divise l'ensemble des connaissances en 10 grandes classes : 000 Généralités, nouvelles connaissances (informatique, par exemple) 100 Philosophie et psychologie 200 Religion 300 Sciences sociales 400 Langues 500 Sciences de la nature et mathématiques 600 Sciences appliquées (technologies) 700 Arts visuels, musique, cinéma, théâtre et sports 800 Littérature 900 Géographie et histoire	La plupart des bibliothèques des universités et des grandes bibliothèques québécoises utilisent le système de classification de la Bibliothèque du Congrès, qui se trouve à Washington. Cette classification regroupe toutes les disciplines de la connaissance sous 21 grandes classes, désignées par une lettre de l'alphabet. A Ouvrages généraux B Philosophie, psychologie, religion C Sciences auxiliaires de l'histoire (généalogie et autres) D Histoire (sauf celle de l'Amérique) E Histoire de l'Amérique et des États-Unis F Histoire locale du Canada et des autres pays d'Amérique G Géographie, anthropologie, folklore, mœurs et coutumes, récréation et loisirs H Sciences sociales en général J Politique, y compris les relations internationales K Droit L Éducation M Musique N Beaux-arts P Langue et littérature Q Sciences R Médecine, psychiatrie, thérapies S Agriculture T Technologie U Science militaire V Science navale Z Bibliographie, bibliothéconomie
Les sous-classes	Chacune de ces 10 classes se subdivise en 10 sous-classes ; la première regroupe les ouvrages généraux et les autres, les disciplines particulières. **Exemple :** La classe 900, Géographie et Histoire, comprend les sous-classes suivantes : 900 Généralités 910 Géographie générale. Voyages 920 Biographie universelle et généalogie 930 Histoire générale du monde ancien 940 Histoire générale de l'Europe 950 Histoire générale de l'Asie 960 Histoire générale de l'Afrique 970 Histoire générale de l'Amérique du Nord 980 Histoire générale de l'Amérique du Sud 990 Histoire générale des autres régions du monde	L'ajout d'une seconde lettre crée une sous-classe. **Exemple :** La classe H, sciences sociales en général, comprend notamment les sous-classes suivantes : HA Statistiques HB Économie politique HD Gestion H Sociologie HQ Sexualité, femmes et féminisme HV Travail social HX Socialisme, communisme, anarchisme

6

TABLEAU 6.2	Les méthodes de classification des livres (suite)	
Caractéristiques	**La classification décimale Dewey**	**La classification de la Bibliothèque du Congrès**
Les sections	Chacune de ces sous-classes se subdivise en 10 sections. La première comprend les ouvrages généraux de la section. **Exemples** 940 Ouvrages généraux sur l'histoire de l'Europe 941 Histoire des îles britanniques, sauf l'Angleterre 942 Histoire de l'Angleterre On crée d'autres subdivisions en mettant un point après les trois premiers chiffres, suivi de nouveaux chiffres. **Exemple** 942.05 Histoire de l'Angleterre au temps de la dynastie Tudor Notez que ces chiffres se trouvent au début de la cote du volume, permettant ainsi de le repérer facilement sur les rayons de la bibliothèque.	L'ajout d'un numéro entre 1 et 9999 subdivise les sujets. **Exemple** La lettre F regroupe les ouvrages portant sur l'histoire du Canada et des autres pays d'Amérique. Les volumes d'histoire du Canada se trouvent sous F 980 à 1140, et ceux sur l'histoire du Québec sous FC 2901 à 2950.

COMMENT TROUVE-T-ON LES DOCUMENTS ?

Toute bibliothèque possède un inventaire de ses ressources, un catalogue, que tout le monde peut consulter. Les catalogues contiennent une description bibliographique complète de chaque document (volume, périodique, vidéo, etc.), présentée sous la forme d'une notice qui fournit tous les renseignements pertinents sur le document. Les catalogues sont informatisés ; les systèmes MANITOU, REGARD ou COBA sont des systèmes de catalogage informatiques utilisés dans les collèges du Québec. Tous les catalogues permettent de repérer un document par le nom de l'auteur, par le titre et par le sujet.

Les documents sont classés selon une cote qui indique l'emplacement du document sur les rayons. Par exemple, le document de Colette COMBE, intitulé *Soigner l'anorexie*, a reçu la cote 616.85262 C729s. Cette cote comprend trois parties :

- l'indice classificateur (classification Dewey) : 616.85262 ;

- le chiffre d'auteur : C729 ;

- l'indice de l'œuvre : s.

Dans cet exemple, le chiffre 600 indique un volume en « Technologies » et, plus précisément, en « Sciences médicales » (610) et « Maladies » (616) ; le chiffre 852 est attribué à la sous-catégorie « Névroses », et 62, à la catégorie « Anorexie ». Le chiffre d'auteur est précédé de la première lettre du nom de l'auteure, « C », suivie d'un numéro attribué à cette auteure selon un code de classification officielle : ici, le numéro 729. Chaque auteur se voit attribuer un chiffre pour l'ensemble de son œuvre. L'indice de l'œuvre est constitué de la première lettre du premier mot du titre (ici, « s » pour *Soigner l'anorexie*).

La figure 6.1 illustre le résultat d'une recherche par auteur (Colette COMBE) dans le catalogue informatisé de la bibliothèque du cégep de Granby–Haute-Yamaska (système REGARD). En cliquant sur des vedettes-matière, vous aurez accès à d'autres ouvrages portant sur un sujet semblable à celui de l'ouvrage répertorié.

Ces éléments d'information doivent apparaître dans la référence bibliographique de l'ouvrage (votre bibliographie).

Le catalogue propose de nombreuses références associées à des vedettes-matière (mots clés) semblables à celles de l'ouvrage répertorié ici.

FIGURE 6.1 | Exemple de notice détaillée dans REGARD

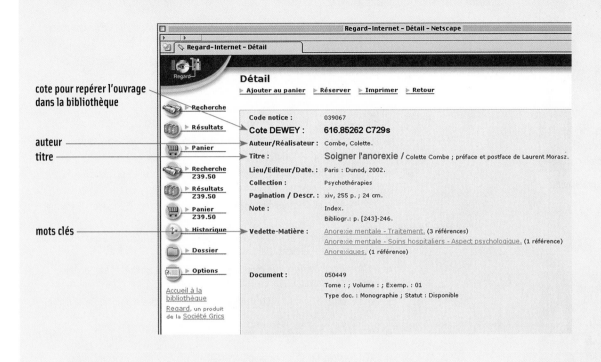

QUELS SONT LES PRINCIPAUX OUTILS DE RECHERCHE DOCUMENTAIRE ?

Les principaux outils de recherche documentaire comprennent les ouvrages de référence, les livres, les périodiques, les documents audiovisuels, les cédéroms, les sites Internet, les publications gouvernementales, les archives, les thèses, les mémoires et les images. Les ouvrages de référence doivent être consultés sur place ; on ne peut les sortir de la bibliothèque. Certains ouvrages, comme *L'Encyclopédie de l'état du monde,* sont accessibles sur le site Internet de la bibliothèque. Ils se composent de notices de longueur variable classées selon divers modes de classement : alphabétique (dictionnaires et encyclopédies), chronologique (répertoires bibliographiques, annuaires, almanachs), systématique (par sections), régional (atlas) ou tabulaire (séries statistiques). Le tableau 6.3 suggère des outils de recherche documentaire que l'on trouve dans toute bonne bibliothèque.

Dictionnaire des cooccurrences

TABLEAU 6.3	Les principaux outils de recherche documentaire
Catégories	**Outils suggérés**
Dictionnaires de langue	■ BEAUCHESNE, Jacques. *Dictionnaire des cooccurrences*, Montréal, Guérin, 2001, 402 p. ■ BÉLISLE, Louis-Alexandre. *Dictionnaire nord-américain de la langue française*, Montréal, Beauchemin, 2002, 1196 p. ■ *Le Grand Larousse encyclopédique*, 2 vol., Paris, Larousse, 2007, 1392 p. ■ *Le Grand Robert de la langue française*, [cédérom], Paris, Le Robert, 2005. ■ *Le Merriam-Webster Dictionary* sur papier ou en ligne [www.m-w.com]. ■ *Le Nouveau Petit Robert 2008*, [cédérom], Paris, Le Robert, 2007. ■ *Le Petit Larousse illustré 2008*, Paris, Larousse, 2007. ■ VILLERS, Marie-Éva de. *Multidictionnaire de la langue française*, 4ᵉ éd., Montréal, Québec Amérique, 2003, 1542 p.

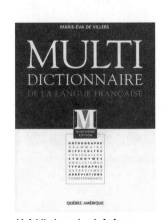

Multidictionnaire de la langue française

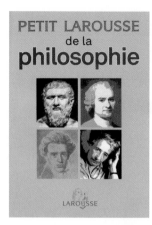

Petit Larousse de la philosophie

Le dictionnaire du cinéma québécois

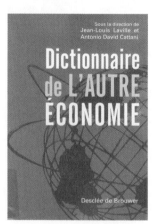

Dictionnaire de l'autre économie

TABLEAU 6.3	Les principaux outils de recherche documentaire (*suite*)
Catégories	**Outils suggérés**

Catégories	Outils suggérés
Dictionnaires spécialisés ou lexiques	■ BAUD, Pascal, Serge BOURGEAT et Catherine BRAS. *Dictionnaire de géographie*, Paris, Hatier, 2003, 543 p.
	■ BOUDON, Raymond, *et al. Dictionnaire de sociologie*, coll. « In Extenso», Paris, Larousse, 2003, 288 p.
	■ BLOCH, Henriette, *et al. Grand dictionnaire de la psychologie*, Paris, Larousse, 2002, 1062 p.
	■ BOILLOT, Hervé, dir. *Petit Larousse de la philosophie*, Paris, Larousse, 2007, 989 p.
	■ BONTE, Pierre, et Michel IZARD. *Dictionnaire de l'ethnologie et de l'anthropologie*, Paris, Presses universitaires de France, 2007, 842 p.
	■ CANTO-SPERBER, Monique, dir. *Dictionnaire d'éthique et de philosophie morale*, Paris, Presses universitaires de France, 2004, 2199 p.
	■ CORVIN, Michel. *Dictionnaire encyclopédique du théâtre*, 3ᵉ éd., Paris, Larousse, 2003, 1894 p.
	■ COULOMBE, Michel, et Marcel JEAN, dir. *Le dictionnaire du cinéma québécois*, 4ᵉ éd., Montréal, Boréal, 2006, 821 p.
	■ DION, Gérard. *Dictionnaire canadien des relations du travail*, 2ᵉ éd., Québec, Presses de l'Université Laval, 1986, 993 p.
	■ ÉLIADE, Mircea, et Ioan P. COULIANO. *Le dictionnaire des religions*, Paris, Pocket, 2003, 384 p.
	■ GRAWITZ, Madeleine. *Lexique des sciences sociales*, 8ᵉ éd., Paris, Dalloz, 2004, 425 p.
	■ LAVILLE, Jean-Louis, et Antonio David CATTANI, dir. *Dictionnaire de l'autre économie*, Paris, Desclée de Brouwer, 2005, 564 p.
	■ LEGENDRE, Renald. *Dictionnaire actuel de l'éducation*, 3ᵉ éd., Montréal, Guérin, 2005, 1554 p.
	■ MÉNARD, Louis, *et al. Dictionnaire de la comptabilité et de la gestion financière*, 2ᵉ éd., Montréal, Institut canadien des comptables agréés, 2004, 1581 p.
	■ MORFAUX, Louis-Marie, et Jean LEFRANC. *Nouveau vocabulaire de la philosophie et des sciences humaines*, Paris, A. Colin, 2005, 604 p.
	■ OFFICE QUÉBÉCOIS DE LA LANGUE FRANÇAISE (OLF). *Le grand dictionnaire terminologique* [www.olf.gouv.qc.ca/ressources/gdt.html].

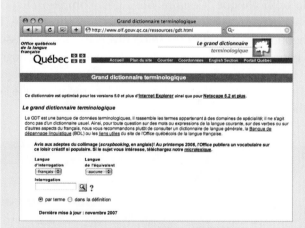

Page d'accueil du *Grand dictionnaire terminologique*

■ PASSEK, Jean-Loup. *Dictionnaire du cinéma*, coll. « Les Grands Dictionnaires culturels »Paris, Larousse, 2001, 1088 p.

■ QUÉBEC, COMMISSION DE TOPONYMIE. *Noms et lieux du Québec: dictionnaire illustré*, Québec, Les Publications du Québec, 2006, 1228 p. [www.toponymie.gouv.qc.ca].

■ ROUDINESCO, Élisabeth, et Michel PLON. *Dictionnaire de la psychanalyse*, 3ᵉ éd., Paris, Fayard, 2006, 1217 p.

TABLEAU 6.3	Les principaux outils de recherche documentaire (*suite*)
Catégories	**Outils suggérés**
Guides bibliographiques	■ BIBLIOTHÈQUE NATIONALE DU CANADA. *Canadiana : la bibliographie nationale.* Publication annuelle [www.collectionscanada.ca/index-f.html] et [www.collectionscanada.ca/amicus/index-f.html]. ■ BIBLIOTHÈQUE NATIONALE DU QUÉBEC. *Bibliographie du Québec* : publiée tous les mois sur papier, de 1968 à 2002 ; depuis janvier 2003, elle est accessible gratuitement sur le site Internet de Bibliothèque et Archives nationales du Québec (BAnQ) [www.banq.qc.ca]. ■ COMEAU, Robert, et Michel LÉVESQUE. *Partis politiques et élections provinciales au Québec : bibliographie rétrospective (1867-1991)*, Québec, Bibliothèque de l'Assemblée nationale, 1992, 391 p. ■ GAGNON, Alain-G. *Bibliographie commentée sur le Québec*, Montréal, Éditions Saint-Martin, 2000, 363 p. ■ MARCIL, Claude, et Joanne LAUZON. *Comment chercher. Les secrets de la recherche d'information à l'heure d'Internet*, Sainte-Foy (Québec), Éditions MultiMondes/ASTED, 2001, 224 p. ■ QUÉBEC, BIBLIOTHÈQUE ET ARCHIVES NATIONALES. *Instrument de recherche en littérature québécoise*, annuel [www.banq.qc.ca/portal/dt/a_propos_banq/nos_publications/instrument_recherche_litt_que/instrument_recherche_litt_que.jsp]. ■ ROUILLARD, Jacques, dir. *Guide d'histoire du Québec du régime français à nos jours*, Bibliographie commentée, 2ᵉ éd., Montréal, Méridien, 1993, 354 p.
Encyclopédies générales	■ DUFRESNE, Jacques, dir. *Encyclopédie de l'Agora* [http://agora.qc.ca].  Site de l'*Encyclopédie de l'Agora* ■ *Encyclopædia Universalis*, 5ᵉ éd., Paris, Éditions Encyclopédia Universalis France, 2002, 28 volumes. ■ *Encyclopédie universelle Larousse*, Paris, Larousse, 2004. Encyclopédie en 20 volumes, atlas universel, dictionnaire de français intégré et dictionnaire français-anglais (version électronique disponible). ■ *Universalia* : un volume par année présentant les enjeux de l'année écoulée. La plupart des bibliothèques collégiales souscrivent un abonnement en ligne [www.universalis-edu.com]. ■ *Universalia & la Science au présent* dresse annuellement un tableau complet de l'actualité scientifique et technique. ■ *Wikipédia*, encyclopédie libre rédigée bénévolement par des auteurs dont l'identité n'est pas révélée [http://fr.wikipedia.org/wiki/Accueil]. Associée à *Google*. Attention ! Il faut obtenir l'autorisation de l'enseignant avant d'utiliser cet ouvrage.

6

TABLEAU 6.3	Les principaux outils de recherche documentaire (*suite*)
Catégories	**Outils suggérés**
Encyclopédies spécialisées	▪ *L'Encyclopédia ERPI/Google* offre des encyclopédies spécialisées sous forme de manuel ou en ligne [http://encyclopedia.erpi.com]. ▪ MARSH, James H., dir. *L'Encyclopédie canadienne* [www.thecanadianencyclopedia.com]. Site de *L'Encyclopédie canadienne* ▪ MOURRE, Michel. *Le Petit Mourre : dictionnaire d'histoire universelle*, nouv. éd. augm., Paris, Bordas, 2006, 1424 p.
Répertoires biographiques	▪ *Dictionnaire biographique du Canada*, Québec, Presses de l'Université Laval, 14 volumes publiés depuis 1966 [www.biographi.ca]. ▪ GUÉRIN, Marc-Aimé, et Réginald HAMEL. *Dictionnaire Guérin des poètes d'ici, 1606 à nos jours*, 2e éd., Montréal, Guérin, 2005, 1359 p. ▪ *Le Robert encyclopédique des noms propres*, nouv. éd., Paris, Le Robert, 2007, 2464 p. ▪ QUÉBEC, BIBLIOTHÈQUE DE L'ASSEMBLÉE NATIONALE. *Dictionnaire des parlementaires du Québec, 1792-1992*, Sainte-Foy, Presses de l'Université Laval, 1993, 859 p. ▪ *The International Who's Who*, Londres, Europa Publications, annuel, depuis 1935. ▪ *Who's Who in Canada*, Toronto, International Press, depuis 1922. ▪ *Who's Who in Canadian Business*, 24e éd., University of Toronto Press, 2004, 1100 p.
Atlas	▪ *Atlas du Canada* [http://atlas.nrcan.gc.ca/site/francais/index.html]. ▪ *Atlas du Québec et de ses régions* [www.atlasduquebec.qc.ca]. ▪ *Atlas environnement du Monde diplomatique, Les grands défis écologiques,* Paris, Le Monde diplomatique, 2007, 100 p. [www.monde-diplomatique.fr/publications/atlas]. ▪ *Atlaséco 2008, Atlas économique et politique mondial*, Paris, Le Nouvel Observateur, 2005, 264 p. ▪ BARRACLOUGH, Geoffrey, dir. *Le grand atlas de l'histoire mondiale*, Paris, Encyclopædia Universalis/Albin Michel, 1991, 370 p. ▪ CHALIAND, Gérard. *Atlas du nouvel ordre mondial*, Paris, Robert Laffont, 2003, 150 p. ▪ DUBY, Georges, dir. *Grand atlas historique : L'histoire du monde en 520 cartes*, Paris, Larousse, 2008, 387 p. ▪ *Le grand atlas du Canada et du monde*, Bruxelles, ERPI-De Boeck, 2006, 200 p. ▪ LITALIEN, Raymonde, Jean-François PALOMINO et Denis VAUGEOIS. *La mesure d'un continent. Atlas historique de l'Amérique du Nord, 1492-1814*, Québec, Septentrion, 2007. ▪ SMITH, Dan. *Atlas du nouvel état du monde*, Paris, Autrement, 1999, 144 p.

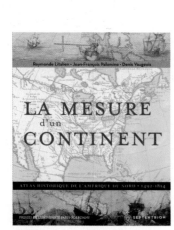

Atlaséco 2008

La mesure d'un continent. Atlas historique de l'Amérique du Nord, 1492-1814

TABLEAU 6.3	Les principaux outils de recherche documentaire (*suite*)
Catégories	**Outils suggérés**
Périodiques	■ *Érudit*, Portail canadien de revues, de dépôt d'articles et d'ouvrages électroniques [www.erudit.org]. ■ *Eurêka*, base de données qui donne accès aux journaux canadiens, en anglais et en français, et aux journaux francophones européens. ■ *Index des périodiques canadiens*, disponible sur le site de la bibliothèque de votre collège ou de votre université. ■ *Repère* : sur 420 000 références d'articles de périodiques en français, près de 22 000 reprennent le texte intégral, dont 12 000 dans Internet [http://repere.sdm.qc.ca]. Existe sous forme d'imprimé. ■ *Revues.org* dépouille des revues françaises de sciences humaines et sociales [www.revues.org]. ■ Pour repérer, consulter et utiliser les périodiques et les index, ➤ *voir le chapitre 8*.
Documents audiovisuels	■ *DAVID (Documents Audio Visuels Disponibles)* est une banque de données qui répertorie la documentation audiovisuelle de langue française. Elle contient environ 100 000 références que l'on peut consulter sur support papier (ou sur microfiches) dans *Choix : documentation audiovisuelle*, bimestriel édité depuis 1978 par les Services documentaires multimédias (SDM) de Montréal ou sur Internet (un mot de passe est nécessaire) [http://david.sdm.qc.ca/index.html]. ■ *Film/vidéo canadiana*, Office national du film, depuis 1969. Catalogue annuel qui contient des renseignements sur plus de 30 000 vidéos et films canadiens et sur 4 000 maisons de production et de distribution canadiennes. ■ *Guide DVD 2008*, Montréal, Fides, Boîte noire et Médiafilm, 2007, 1002 p. ■ La Cinémathèque québécoise (335, boul. De Maisonneuve Est, Montréal) dispose d'une impressionnante collection de films, de vidéos, d'affiches, de photographies, etc., que l'on peut consulter sur son site Internet [www.cinematheque.qc.ca/index.html]. ■ *Le Guide vidéo*, Québec, Gestion Ciné Vidéo Club, depuis 1983. ■ *Le Québec en images, Un album libre de droits* [www.ccdmd.qc.ca/quebec/rens-frame.html]. Banque d'images d'artistes québécois du 20e siècle.  **Site de *Le Québec en images, Un album libre de droits* du CCDMD** ■ OFFICE NATIONAL DU FILM. *Notre collection. Catalogue de films et vidéos*, Montréal, Office national du film (ONF) [www.onf.ca/collection/films]. ■ Régie du cinéma du Québec [www.rcq.qc.ca/index.asp]. ■ *Répertoire des documents audiovisuels gouvernementaux*, Québec, Éditeur officiel, 1986.

6

TABLEAU 6.3	Les principaux outils de recherche documentaire (*suite*)
Catégories	**Outils suggérés**
Cédéroms	■ *Le Monde diplomatique (1978-2006).* ■ *Logibase* : une banque de données qui répertorie 15 000 documents électroniques et logiciels de tous types en vente au Québec, sur cédérom ou sur disquette [http://logibase.sdm.qc.ca].
Publications gouvernementales	■ Gouvernement canadien On peut consulter les publications du gouvernement canadien sur le site officiel du gouvernement [http://canada.gc.ca/publications/publication_f.html]. ■ Gouvernement québécois On peut consulter les publications du gouvernement québécois sur le site officiel du gouvernement [www.publicationsduquebec.gouv.qc.ca/accueil.fr.html]. ■ Organisation des Nations-Unies [www.un.org/french].
Annuaires	■ CANADA, STATISTIQUE CANADA. *Annuaire du Canada*, Ottawa, Approvisionnements et Services Canada, depuis 1905 [www.statcan.ca]. ■ *L'année internationale : annuaire économique et géopolitique mondial*, Paris, Éditions du Seuil, depuis 1992. ■ *L'état du monde : annuaire économique et géopolitique mondial*, Montréal/Paris, Boréal/La découverte, annuel, depuis 1981. Maintenant disponible en ligne, sous le titre *L'Encyclopédie de l'état du monde* [www.etatdumonde.com]. Page d'accueil de l'*Encyclopédie de l'état du monde* ■ ORGANISATION DES NATIONS UNIES. *Annuaire démographique*, New York, ONU, depuis 1948. ■ ORGANISATION DES NATIONS UNIES. *Annuaire statistique*, New York, ONU, depuis 1948. ■ VENNE, Michel, et Myriam FAHMY, dir. *L'annuaire du Québec 2008*, Montréal, Fides, 2007, depuis 1996.

L'annuaire du Québec 2008

TABLEAU 6.3	Les principaux outils de recherche documentaire (*suite*)
Catégories	**Outils suggérés**
Ressources statistiques	■ CANADA, STATISTIQUE CANADA. *Recensement*, Ottawa, Statistique Canada, 2006 [www12.statcan.ca/francais/census06/reference/dictionary/index.cfm]. **Site de Statistique Canada sur le recensement** ■ *E-STAT* : didacticiel de Statistique Canada, vaste dépôt de données statistiques fiables et mises à jour sur le Canada et sa population [http://estat.statcan.ca]. ■ QUÉBEC, INSTITUT DE LA STATISTIQUE. *Le Québec, chiffres en main*, Québec, ISQ, 2007 (annuel), 46 p. [www.stat.gouv.qc.ca/publications/referenc/qcmfr.htm]. ■ *Source OCDE*. Base de données de l'Organisation de coopération et de développement économique [http://fiordiliji.sourceoecd.org]. ■ *United Nations Statistics* [http://unstats.un.org/unsd/default.htm].
Répertoires	■ Les annuaires téléphoniques. ■ Les répertoires sur Internet, comme Canada 411, Les pages jaunes du Canada, les codes postaux, etc. ■ QUÉBEC, AFFAIRES MUNICIPALES ET RÉGIONS. *Répertoire des municipalités* [www.mamr.gouv.qc.ca/accueil.asp].
Archives	■ Les archives publiques ou privées sont de véritables mines d'or, mais leur accès est parfois soumis à certaines règles. Pour les archives québécoises, consulter le site de la Grande bibliothèque [http://pistard.banq.qc.ca/unite_chercheurs/recherche_simple]. PISTARD est un outil de recherche d'archives en ligne.
Thèses et mémoires	■ *Portail Thèses Canada* [www.collectionscanada.ca/thesescanada/index-f.html].

QUE TROUVE-T-ON DANS LES BIBLIOTHÈQUES NATIONALES DU CANADA ET DU QUÉBEC ?

BIBLIOTHÈQUE ET ARCHIVES CANADA

Page d'accueil du site de
Bibliothèque et Archives Canada

Anciennement appelée Bibliothèque nationale du Canada, cette bibliothèque est située à Ottawa, au 395, rue Wellington. Ses ressources sont également accessibles sur son site Internet [www.nlc-bnc.ca].

Bibliothèque et Archives Canada recueille et préserve le patrimoine documentaire du pays, et le rend accessible à tous les Canadiens. Ce patrimoine comprend des publications, des documents d'archives, des enregistrements sonores, du matériel audiovisuel, des photographies, des œuvres d'art et des documents électroniques tels que des sites Web.

Voici ses ressources les plus consultées :

- Centre d'apprentissage de Bibliothèque et Archives Canada ;
- Centre canadien de généalogie ;
- Dictionnaire biographique du Canada en ligne ;
- Information sur le Canada par matière ;
- Portail Thèses Canada ;
- Ressources et services autochtones ;
- Ressources et services multiculturels.

BIBLIOTHÈQUE ET ARCHIVES NATIONALES DU QUÉBEC

Bibliothèque et Archives nationales du Québec (BAnQ) [www.bnquebec.ca] est née de la fusion de la Grande Bibliothèque du Québec, de la Bibliothèque nationale du Québec et des Archives nationales du Québec. Sa mission est de rassembler, de conserver et de diffuser le patrimoine documentaire publié, les documents d'archives et les documents filmés du Québec. Le dépôt légal, qui oblige tout éditeur à déposer un exemplaire d'un ouvrage dans les sept jours suivants sa parution, permet à BAnQ d'acquérir depuis 1968 les nouveaux documents publiés au Québec : livres, revues et journaux, documents cartographiques, livres d'artistes, partitions musicales, estampes, affiches, reproductions d'œuvres d'art, cartes postales, enregistrements sonores, logiciels, microfiches et microfilms.

BAnQ possède une collection quasi exhaustive du patrimoine documentaire québécois ainsi qu'un fonds important de publications étrangères sur le Québec. Du premier livre imprimé au Québec jusqu'au dernier cédérom de l'année, les collections de BAnQ comprennent plus de quatre millions de documents.

La Grande Bibliothèque à Montréal

La Bibliothèque nationale du Québec, fondée en 1967, a ouvert la Grande Bibliothèque au public le 30 avril 2005, en plein cœur du Quartier latin à Montréal, tout près de l'UQÀM. La Grande Bibliothèque offre aux Québécois, sur place, par Internet [www.bnquebec.ca] ou par prêt entre bibliothèques, un accès sans précédent à leur patrimoine ainsi qu'à la culture contemporaine d'ici et d'ailleurs. Dans ce nouvel espace, plus de 1,2 million de livres sont mis à leur disposition. On y trouve deux collections principales : la première, structurée en bibliothèques thématiques, est en grande partie destinée au prêt. La seconde, constituée de la collection patrimoniale québécoise (Collection nationale), doit être consultée sur place.

L'édifice, d'une superficie de 33 000 mètres carrés, offre également des services spécialisé, notamment aux jeunes, aux gens d'affaires, aux nouveaux arrivants, aux membres des communautés culturelles et aux personnes ayant un handicap visuel ou autre.

Vous pouvez faire une demande de prêt entre bibliothèques en vous adressant au comptoir de prêt de la bibliothèque de votre collège. Le livre demandé arrivera quelques jours plus tard.

Page d'accueil du site Internet de *Bibliothèque et Archives nationales du Québec* (BNQ)

OÙ TROUVE-T-ON LES BIBLIOTHÈQUES ?

Pour les travaux de recherche plus poussés, il faut consulter des sources documentaires qui ne se trouvent pas nécessairement à la bibliothèque de votre collège ou de votre université. Certains répertoires contiennent les adresses des bibliothèques. De plus, les catalogues informatisés permettent de faire des recherches documentaires dans plusieurs bibliothèques collégiales et universitaires, de même que dans certaines bibliothèques publiques et dans les bibliothèques nationales.

- Le site Internet *Pour réussir* donne accès aux grandes bibliothèques internationales, canadiennes, québécoises et collégiales [www.pourreussir.com].

- L'association Les Bibliothèques publiques du Québec, *Les Bibliothèques publiques du Québec* [www.bpq.org].

- CANADA, BIBLIOTHÈQUE ET ARCHIVES CANADA. *Passerelles des bibliothèques canadiennes* [www.collectionscanada.ca/passerelle/index-f.html].

- QUÉBEC, *Répertoire des bibliothèques et des centres de documentation du gouvernement du Québec* [www.bibliotheque.gouv.qc.ca/inter/Contenus/index_f.aspx?ArticleID=18].

Être un chercheur autonome

- Explorer la bibliothèque. Promenez-vous dans la bibliothèque de votre collège ou de votre université. Fouinez dans les différentes sections. Arrêtez-vous fréquemment dans la section des « nouveautés » (nouvelles acquisitions) : vous y ferez des découvertes passionnantes. Adressez-vous au personnel de la bibliothèque : ces professionnels ne demandent qu'à vous aider.

- Être méthodique. Écrivez toute l'information bibliographique relative à un document dès que vous le consultez. Créez votre propre coffre à outils, votre propre fichier de références bibliographiques. Lorsque vous lisez un texte, vérifiez la date de parution, la crédibilité des auteurs, la présence d'une bibliographie et d'un index, les références aux autres travaux scientifiques qui attestent le sérieux des ouvrages que vous consultez.

- Être polyvalent. Ne vous fiez pas à une seule source ou à un seul type de document. Consultez les bibliothécaires et variez vos recherches : utilisez une bibliographie, un répertoire, un atlas, un index de périodiques, qui vous conduiront aux ouvrages d'un auteur et à ceux de ses collègues.

- Être sélectif. Pensez toujours à votre hypothèse de travail. Demandez-vous si l'information vaut la peine d'être retenue. Rejetez ce qui est inutile. Vérifiez quand l'information a été publiée et, surtout, quand elle a été recueillie (particulièrement dans Internet).

- Être critique. Abordez chaque source d'information avec scepticisme (surtout dans Internet). N'acceptez jamais une opinion ou une statistique sans l'analyser et sans vérifier sa validité en consultant une autre source. Ce n'est pas parce qu'une idée est imprimée qu'elle est vraie ou pertinente pour votre recherche. Même les études scientifiques peuvent être biaisées ; soyez prudent avant de vous fier aux conclusions d'un auteur.

- Être curieux. Ne vous contentez pas de consulter la vieille encyclopédie qui traîne à la maison. Demandez à votre enseignant de vous suggérer d'autres documents de référence. Consultez le plan du cours : vous devriez y trouver une bibliographie. Ajoutez-la à votre bibliographie permanente personnelle.

À RETENIR **La recherche documentaire méthodique**

	Oui	Non
Est-ce que je connais ma bibliothèque et ses ressources ?	❑	❑
Est-ce que j'établis une stratégie de recherche documentaire à partir de mots clés ?	❑	❑
Est-ce que je suis capable de déchiffrer une notice bibliographique ? de comprendre une cote ? de chercher dans le catalogue informatisé de la bibliothèque ?	❑	❑
Est-ce que j'utilise une variété d'ouvrages de référence ?	❑	❑
Est-ce que j'arrive à repérer les articles dont j'ai besoin dans les index de périodiques ?	❑	❑
Est-ce que j'utilise facilement les banques de données et les cédéroms ?	❑	❑
Est-ce que je connais les autres bibliothèques de ma région ?	❑	❑
Est-ce que j'ai une approche critique quand je consulte les sources d'information ?	❑	❑
Est-ce que je connais les outils bibliographiques ?	❑	❑
Ai-je commencé à construire ma propre bibliographie ?	❑	❑

Michel Venne

**journaliste, écrivain et directeur
de l'Institut du Nouveau Monde**

COLLÈGE AHUNTSIC Né à Montréal en 1960, Michel Venne s'inscrit en Sciences pures et appliquées au collège Ahuntsic en 1977. Un an plus tard, il opte pour les Sciences humaines. Après avoir obtenu son diplôme d'études collégiales en 1979, il entreprend des études en Communications à l'UQÀM et obtient un baccalauréat. En outre, il complète la scolarité de maîtrise en Sciences politiques à l'Université Laval. Journaliste au quotidien *Le Devoir* de 1990 à 2006, il reçoit le prix Judith-Jasmin en 1993 et la Bourse Michener en 1997. Il écrit *Souverainistes, que faire ?*, en 2002, et dirige de nombreux ouvrages collectifs, dont *Justice, démocratie et prospérité – L'avenir du modèle québécois*, en 2003. Directeur général et cofondateur de l'Institut du Nouveau Monde, il dirige *L'annuaire du Québec* depuis 2003. Michel Venne a été vice-président de la commission Castonguay sur le financement du système de santé au Québec en 2007-2008.

Changement d'orientation

Son engagement au sein de l'association étudiante a modifié sa perception des études et a contribué à son changement d'orientation. « La participation aux activités étudiantes m'a incité à m'intéresser à ce qui se passait autour de moi au sein de la société et au-delà des amitiés, de la musique populaire, du sport et de la famille. J'ai donc découvert au cégep la vie en société, la nécessité de la politique (au sens large du terme) et le plaisir de l'engagement. »

Utiliser les ressources de la bibliothèque

« C'est au cégep que j'ai vraiment appris à utiliser la recherche bibliographique et médiatique, et ce, autant pour mes travaux scolaires que pour mes engagements au sein de l'association étudiante. J'ai compris l'importance de bien documenter son sujet avant d'essayer d'en expliquer la teneur à des lecteurs ou d'exprimer une opinion, un avis ou des idées. J'ai aussi compris la nécessité de s'abreuver toujours à plus d'une source afin d'éviter de tomber dans les pièges du dogmatisme et de l'idéologie », explique Michel Venne. « Les principes appris lors de mes études me servent encore de base aujourd'hui. Dans ma vie professionnelle, je cherche avant tout à faire un inventaire des auteurs qui se sont penchés sur un sujet, à les distinguer les uns les autres selon l'école de pensée à laquelle ils appartiennent, puis à trouver dans leurs écrits ce dont j'ai besoin pour étayer un argumentaire. »

Quels sont les facteurs de la réussite ?

« Il y a trois facteurs importants : le travail, le travail et le travail. Il faut, pour bien comprendre une situation et être en mesure de la commenter, prendre le temps de rassembler les informations, en débattre avec des personnes compétentes (autant que possible des personnes plus compétentes que soi-même sur un sujet donné) puis tirer des conclusions. Un autre facteur de réussite est le sentiment de responsabilité cultivé depuis le jeune âge envers la communauté ou la nation à laquelle j'appartiens. Rester connecté aux siens. Ne jamais mépriser le peuple duquel on est issu. Rester vrai et humble. Troisièmement, il ne faut jamais hésiter à chercher les compétences qui nous manquent, par des cours d'appoint, du perfectionnement, et beaucoup de lectures. »

Naviguer dans Internet

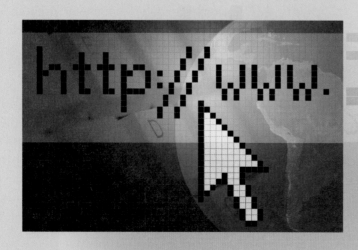

Julien et Stéphanie au cégep

Pour le professeur d'anglais de Julien, le papier et le téléphone sont choses du passé. Pour communiquer avec ses étudiants, il utilise le courriel, le système Omnivox, un forum de discussion, et son site Internet sur lequel se trouvent les lectures et les exercices à faire. Julien n'aime pas beaucoup cette façon de faire ; il a l'impression que l'information est trop éparpillée. Stéphanie, elle, aimerait bien que son prof soit plus « branché »… Dans son dernier travail, elle a fait référence à plusieurs sites qu'elle trouvait intéressants. Son enseignant lui a suggéré de vérifier ses sources parce que, selon lui, les informations provenant d'Internet ne sont pas valables.

Bien entendu, il existe toute une gamme de situations entre celle que vit Stéphanie et celle que connaît Julien. L'information que l'on trouve dans Internet n'est pas nécessairement valable et plusieurs enseignants n'ont pas encore recours aux technologies de l'information et des communications dans leurs cours. Pourtant, l'ère de l'informatique est là pour rester : les courriels, les blogues, les forums, les plateformes d'apprentissage, les catalogues informatisés, les sites Internet à consulter et ceux que l'on peut construire offrent de nombreux avantages. L'information circule toujours plus vite et la toile mondiale donne accès à une formidable quantité d'informations. Le défi consiste à repérer rapidement l'information à l'aide des outils disponibles tout en développant sa capacité à évaluer l'information, à la sélectionner et à la critiquer.

OBJECTIFS

Après avoir lu attentivement le présent chapitre, vous serez en mesure :

- de trouver et d'utiliser correctement les ressources d'Internet ;
- de reconnaître l'information pertinente parmi la masse des données accessibles ;
- de gérer correctement la masse d'informations recueillies ;
- de communiquer adéquatement à l'aide des ressources technologiques appropriées.

Le présent chapitre est plus qu'une introduction à Internet. Il présente les ressources d'Internet et fournit des conseils pour les découvrir, les utiliser et les critiquer. Ce chapitre présente aussi les éléments de base de la communication moderne.

QUELLES SONT LES RESSOURCES D'INTERNET ?

Le mot Internet vient de la contraction des mots anglais *interconnexion* et *network* (réseau). Ce terme désigne l'interconnexion entre de nombreux réseaux d'ordinateurs, les reliant les uns aux autres, peu importe le système utilisé. Internet est devenu le plus grand réseau de communication du monde, que certains appellent l'« autoroute de l'information ».

Le principal service d'Internet est le World Wide Web (WWW), appelé familièrement le « Web » ou la « Toile ». Grâce à ce service créé en 1989, vous accédez à des millions de sites et d'ordinateurs à partir de votre ordinateur personnel ou de celui de votre collège. Nous parlerons plus loin du courrier électronique et des forums de discussion.

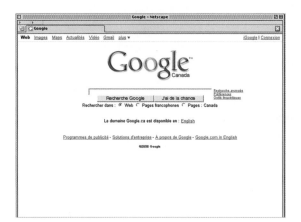

Page d'accueil de Google

Page d'accueil de La Toile du Québec

On navigue dans Internet à l'aide des hyperliens qui permettent d'accéder à une information simplement en cliquant sur une image, ou sur un mot ou une phrase soulignés dans un document ; ces éléments soulignés nous dirigent vers une autre page, un autre site. Grâce à des logiciels de navigation, ou fureteurs, on peut consulter ces pages de liens hypertextes. Le fureteur le plus connu est Internet Explorer de Microsoft.

En règle générale, la recherche dans Internet se fait par la consultation de sites qui sont un ensemble de pages Web liées les unes aux autres. Par exemple, le site de Bibliothèque et Archives nationales du Québec, celui de l'Université du Québec à Rimouski ou La Toile du Québec. Pour se rendre sur un site, il faut connaître son adresse. Cette adresse, appelée « adresse URL », pour *Uniform Resource Locator*, permet de se rendre à une adresse de site Internet. L'adresse d'une page activée est affichée dans la barre au haut de l'écran.

En apparence, les adresses Internet sont difficiles à déchiffrer. En réalité, elles se lisent facilement si l'on connaît leur structure. Chaque adresse se compose de trois sections, comprenant :

- le protocole, c'est-à-dire le type d'information ou de service que vous cherchez ;

- le domaine, ou l'ordinateur que vous tentez de joindre ;

- le chemin d'accès au site, qui comprend le répertoire et le fichier, voire le nom d'un individu au sein d'une organisation.

Voyons trois exemples d'adresses URL :

- Bibliothèque et Archives nationales du Québec, site Internet : [http ://www.banq.qc.ca.] ;

- Le journal *Le Monde,* site Internet : [http ://www.lemonde.fr] ;

- *Pour réussir,* site Internet : [http ://pourreussir.com/banque_hyperliens/hyperliens.html].

Dans les trois cas, le protocole est identifié par les lettres « http », qui signifient *Hyper Text Transfer Protocol*, marquant l'existence d'un lien hypertexte. En général, le symbole « www » (Web) suit le deux-points et les deux barres obliques. Dans ce chapitre, nous avons volontairement omis les lettres « http:// » lorsqu'elles sont suivies des célèbres trois « w » (www) ; dans le cas contraire, nous les avons conservées.

Dans les deux premiers exemples cités plus haut, le serveur est identique au nom de la ressource que vous tentez de joindre. Le chemin d'accès du premier passe par le Québec (qc) et le Canada (ca), tandis que le second passe par la France (fr).

Enfin, le troisième exemple présente une adresse plus détaillée, identifiant le serveur (pourreussir.com), le répertoire (banque_hyperliens) et le fichier (hyperliens.html).

Les lettres « html », qui signifient *Hyper Text Markup Language*, se trouvent souvent à la fin d'une adresse. Certaines adresses comportent un suffixe indiquant la nature de l'organisme visité sur Internet. Le tableau 7.1 présente quelques suffixes usuels.

TABLEAU 7.1	Principaux suffixes et leur signification		
Suffixe	**Nature de l'organisme ou nom du pays**	**Suffixe**	**Nature de l'organisme ou nom du pays**
.be	Belgique	.mil	militaire
.ca	Canada	.net	réseau (*networking*)
.com	commercial	.org	organisation non commerciale
.edu	éducation	.qc	Québec
.fr	France	.uk	Royaume-Uni
.gov ou .gouv	gouvernement	.us	États-Unis

La figure 7.1 propose une page d'accueil qui comporte l'adresse du site de la bibliothèque virtuelle de l'Office québécois de la langue française et une série de liens hypertextes (soulignés). Il suffit de cliquer sur celui qui vous intéresse pour y accéder. C'est ce que l'on appelle « naviguer » dans Internet. (Pour effectuer une recherche et gérer les informations dans Internet, ▶ *voir p. 114 à 117*).

FIGURE 7.1	Page d'accueil de l'Office québécois de la langue française

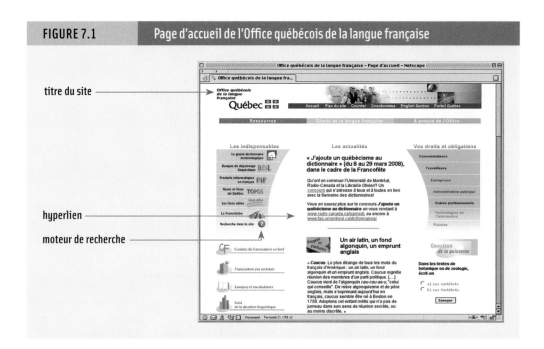

Définissons d'abord le vocabulaire des technologies de l'information (▶ *voir le tableau 7.2*).

TABLEAU 7.2	Le vocabulaire des technologies de l'information	
Terme	**Définition**	**Exemples**
Adresse URL (*Uniform Resource Locator*)	Chaîne de caractères normalisés servant à identifier et à localiser des ressources consultables dans Internet, et à y accéder à l'aide d'un navigateur.	Site de l'Office de la langue française (OLF) : [www.oqlf.gouv.qc.ca].
Base de données	Ensemble structuré d'éléments d'information, généralement agencés sous forme de tables, dans lesquelles les données sont organisées selon certains critères en vue de permettre leur exploitation.	Le catalogue de la bibliothèque de votre collège est une base de données.
Blogue	Site Web personnel tenu par un ou plusieurs blogueurs qui s'expriment librement et selon une certaine périodicité, sous la forme de billets ou d'articles, informatifs ou intimistes, datés, à la manière d'un journal de bord, signés et classés par ordre antéchronologique, parfois enrichis d'hyperliens, d'images ou de sons, et pouvant faire l'objet de commentaires laissés par les lecteurs.	Google donne accès à des milliers de blogues, en anglais, bien sûr, mais aussi en français : [http://blogsearch.google.com].
Clavardoir ou Salon de clavardage (*Chatroom*)	Lieu de rencontre virtuel, accessible à partir d'un site de clavardage, que l'internaute peut choisir, selon le sujet proposé ou l'intérêt du moment, afin de converser en temps réel et par clavier interposé, avec un nombre relativement restreint de participants. Synonyme de bavardoir.	La Toile du Québec offre une liste de sites de clavardage, dont plusieurs sont assez superficiels, véhiculant parfois un contenu pornographique, violent, etc. La prudence est donc de mise : [www.toile.com/quebec/Informatique_et_Internet/Internet/Forums_et_clavardage/IRC_et_Chat/] Cependant, plusieurs plateformes d'apprentissage en ligne utilisées par les enseignants permettent d'utiliser des salons de clavardage destinés à des fins d'enseignement et d'apprentissage.

TABLEAU 7.2

TABLEAU 7.2	Le vocabulaire des technologies de l'information (*suite*)	
Terme	**Définition**	**Exemples**
Courriel ou Courrier électronique (*E-mail*)	Service de correspondance qui permet l'échange de messages électroniques à travers un réseau informatique.	Adresse de courrier électronique de l'auteur de *Pour réussir* : [pourreussir@videotron.ca].
Diaporama électronique	Diaporama créé à l'aide d'un logiciel et présenté à partir d'un ordinateur.	La création de diaporamas avec PowerPoint (➤ *voir p. 239*).
FAQ ou Foire aux questions (*Frequently Asked Questions*)	Page Web constituée des questions les plus fréquemment posées par les internautes novices, ainsi que des réponses correspondantes.	La plupart des sites commerciaux offrent une liste de FAQ. Foire aux questions du site du gouvernement du Canada : [www.canada.gc.ca/comments/faq_f.html].
Forum de discussion ou Groupe d'intérêt (*Newsgroup*)	Service offert par un serveur d'information ou un babillard électronique dans un réseau comme Internet et qui permet à un groupe de personnes d'échanger leurs opinions, leurs idées sur un sujet particulier, en direct ou en différé, selon des formules variées (liste de diffusion, canal IRC, etc.).	Tous les moteurs de recherche comme Yahoo ! donnent accès à des milliers de groupes de discussion et à des sites pour vous aider à former votre propre groupe. Exemple : *Biblioforum*, forum francophone sur les bibliothèques et centres de documentation : [www.biblioforum.dr.ag].
Internet	Réseau informationnel mondial constitué d'un ensemble de réseaux nationaux, régionaux et privés, qui sont reliés par le protocole de communication TCP-IP.	
Hyperlien	Connexion activable à la demande sur le Web, reliant des données textuelles ayant une relation de complémentarité les unes avec les autres et ce, où qu'elles se trouvent dans Internet. Dans les pages Web, la présence d'un lien hypertexte est signalée visuellement par son ancre qui peut être une partie de phrase ou un mot, soulignée ou de couleur différente de celle du texte ; l'hypertexte peut également être présenté sous la forme d'une image, d'une icône ou d'un graphique.	Sur La Toile du Québec, en cliquant sur le texte souligné <u>Consultez des milliers d'offres d'emploi</u>, vous accédez au site *Jobboom* [www.jobboom.ca].
Logiciel de traitement de texte	Logiciel d'application qui édite, met en page et imprime un texte qui peut contenir des illustrations, des graphiques, du son, des vidéos, des liens hypertextes, etc.	Le logiciel Word (➤ *voir p. 27*) ; Le logiciel PDFCreator, libre et gratuit.
Métamoteur de recherche	Programme permettant de lancer une requête dans plusieurs moteurs de recherche simultanément.	Ce métamoteur présente les résultats de recherche en carte sémantique, proposant des liens entre les sites : [www.kartoo.com].
Moteur de recherche	Programme qui indexe le contenu de différentes ressources Internet, plus particulièrement de sites Web, et qui permet, à l'aide d'un navigateur Web, de rechercher de l'information selon différents paramètres, en se servant de mots clés, ou par des requêtes en texte libre, et d'avoir accès à l'information ainsi trouvée.	Le célèbre Google et La Toile du Québec sont des moteurs de recherche généralistes. En fait, Google est un métamoteur, si bien que la distinction entre moteur et métamoteur devient de plus en plus désuète.
Navigateur ou fureteur (*Web browser*)	Logiciel capable d'exploiter les ressources d'Internet à partir du Web et, notamment, les documents hypertextes.	– Netscape Navigator ; – Microsoft Internet Explorer ; – Mozilla, Firefox et Safari (Mac OS).
Nétiquette	Ensemble des conventions de bienséance régissant le comportement des internautes dans le réseau, notamment lors des échanges dans les forums ou par courrier électronique.	La nétiquette avec les courriels (➤ *voir p. 125*).
Portail	Site Web dont la page d'accueil propose, en plus d'un moteur de recherche interne, des hyperliens avec une foule d'informations et de services utiles. Il est conçu pour guider les internautes et faciliter leur accès au réseau.	– Yahoo ! Québec : [http://qc.yahoo.com] ; – La Toile du Québec : [www.toile.com] ; – Radio-Canada : [www.radio-canada.ca] ; – Cégep André-Laurendeau : [http://portail.claurendeau.qc.ca]. Certains portails sont sécurisés pour limiter les services offerts à certains utilisateurs seulement.

7

| TABLEAU 7.2 | Le vocabulaire des technologies de l'information (*suite*) |

Terme	Définition	Exemples
Pourriel (*Spam*)	Message électronique importun et souvent sans intérêt, constitué essentiellement de publicité, qui est envoyé massivement à un grand nombre d'internautes, sans leur consentement, et que l'on destine habituellement à la poubelle.	Les messages publicitaires non sollicités.
Présentatique	Application de l'informatique et du multimédia à la présentation visuelle de documents qui sont créés pour servir de support à une communication orale.	Le logiciel PowerPoint permet de construire des diaporamas (➤ *voir p. 239*).
Signet ou favori (*Bookmarks*)	Référence à un site, à un document ou à une partie de document qui est mise en mémoire par l'internaute et qui lui permet de retrouver facilement des données jugées intéressantes, lors d'une consultation ultérieure.	Certains navigateurs offrent la possibilité d'ajouter des signets. Exemple : Microsoft Internet Explorer dans le menu « favoris » et le sous-menu « ajouter aux favoris » (➤ *voir p. 120*).
Site Web (*WEB site*)	Site Internet où sont stockées des données accessibles par le Web.	Le site du gouvernement du Québec est à l'adresse suivante : [www.gouv.qc.ca].
Wiki	Site Web collaboratif où chaque internaute visiteur peut participer facilement à la rédaction de son contenu.	Encyclopédie *Wikipédia* [http://fr.wikipedia.org/wiki/Accueil]. Attention ! Comme les auteurs des articles ne sont pas identifiés dans cette encyclopédie, demandez à votre enseignant s'il accepte son utilisation.

Source : définitions tirées de OFFICE QUÉBÉCOIS DE LA LANGUE FRANÇAISE, *Banque de terminologie du Québec, Vocabulaire d'Internet*, [En ligne], www.olf.gouv.qc.ca/ressources/bibliotheque/dictionnaires/Internet/Index/index.html (Page consultée le 20 janvier 2008)

COMMENT TROUVER CE QUE L'ON CHERCHE DANS INTERNET

Pour bien se documenter, il faut déterminer la nature et l'étendue de l'information requise, y accéder avec efficacité, l'évaluer de façon critique et l'intégrer à ses connaissances personnelles et à son système de valeurs. Cette démarche comprend donc quatre étapes :

- déterminer la nature et l'étendue de l'information requise ;
- accéder à l'information avec efficacité ;
- évaluer les sources de manière critique ;
- intégrer les connaissances.

Cette démarche complexe s'apparente à toute démarche de recherche. Toutefois, il est facile de développer de faux réflexes et de mauvaises habitudes de travail quand on utilise Internet. La démarche suivante vous aidera à éviter cet écueil.

LA DÉMARCHE DE RECHERCHE

La recherche dans Internet s'apparente à une recherche en bibliothèque. C'est vous qui déterminez l'orientation de vos recherches en délimitant précisément votre sujet, en effectuant quelques lectures préliminaires, par exemple dans une encyclopédie, et en dressant une liste de mots clés ou de concepts à partir de laquelle vous fouillerez dans Internet comme vous auriez fouillé dans le catalogue d'une bibliothèque. (Pour les étapes de la recherche documentaire, ➤ *voir le chapitre 6, p. 93.*)

L'instrument de travail initial sur Internet, c'est le fureteur, par exemple Explorer, qui permet d'avoir accès à des moteurs de recherche (➤ *voir p. 113*), à des adresses URL et à des groupes de discussion, sans oublier le courrier électronique, bien entendu.

Le métamoteur ixquick effectue des recherches en français à l'aide des 12 meilleurs moteurs de recherche [www.ixquick.com/fr/].

Page d'accueil du site *Les secrets de la recherche sur Internet*

Voici quelques sites qui vous permettront certainement de trouver ce que vous cherchez dans Internet :

■ *Les secrets de la recherche sur Internet* est produit par « Les étudiants bien branchés de HEC Montréal », [www.rechercheinternet.ca]. Il suggère des trucs fort utiles pour effectuer une recherche.

■ *CERISE, Conseils aux Étudiants pour une Recherche d'Information Spécialisée Efficace*, est un excellent site français qui propose de nombreuses ressources pour effectuer une recherche dans Internet telles que « Cherchez sur Internet », [www.ext.upmc.fr/urfist/cerise/p7.htm], ou encore « Pistes sur Internet », [www.ext.upmc.fr/urfist/cerise/p71.htm], qui fournit des ressources documentaires répertoriées sous une vingtaine d'entrées (bibliographies, statistiques, thèses, vie étudiante, etc.).

■ Le site *Pour réussir* offre des ressources validées pour la recherche dans Internet et pour la recherche documentaire en Sciences humaines, en Arts et lettres, en Sciences de la nature, en Techniques humaines et en Techniques biologiques. Consultez-le et faites-en un signet : [www.pourreussir.com].

Les quatre plus grands moteurs de recherche sont Google, Yahoo!, Ask et MSN Search[1]. Le célèbre Google [www.google.ca] permet de retracer rapidement des milliers de documents sur un sujet de recherche, mais il y a aussi Google Scholar [http://scholar.google.com]. Ce moteur de recherche sélectionne les documents provenant de sources scientifiques, traduit les listes en français et permet de rechercher les documents les plus récents. Yahoo! [http://qc.yahoo.com] offre un site pour le Québec, une interface plus chargée que celle de Google, et donne d'excellents résultats. Le site de Microsoft, MSN Search, propose l'*Encyclopédie Encarta* [http://fr.encarta.msn.com], tandis que le moteur de recherche Ask [www.ask.com] propose un classement des sites par niveau d'autorité de chaque page selon leur pertinence et non pas selon leur popularité.

Peu importe le site que vous consultez, vous serez sans doute inondé d'informations. Ainsi, si vous effectuez une recherche sur le divorce dans Yahoo!, vous trouverez une liste de 87 700 000 documents contenant le mot « divorce ». Une recherche plus avancée vous apprendra que, pour « divorce ET Canada », il existe 2 310 000 documents. C'est déjà mieux, mais vous ne pouvez pas vous mettre à tout lire sur le Web. Sachez toutefois que les moteurs de recherche classent les sites en commençant par les plus pertinents. Raffinez votre recherche en utilisant les opérateurs booléens ET, OU et SANS, ou utilisez des vedettes-matière plus précises. Par exemple, « divorce ET Canada ET enfants » donne 593 000 résultats ; « divorce ET Canada ET enfants SANS

---

1. Nicolas SARRASIN et Dany DUMONT, *Le petit guide de l'Internet*, Montréal, Les Éditions de l'Homme, 2006, p. 13-25.

parents », 238 000 résultats, tandis que « divorce ET Québec ET enfants SANS parents ET 2007 », 76 000 résultats, ce qui est déjà plus acceptable.

L'encadré qui suit propose quelques trucs qui vous permettront de recourir aux bons outils de recherche et de raffiner votre stratégie.

TACTIQUE	Trouver ce que l'on cherche dans Internet

- Bien connaître son fureteur et quelques bons outils de recherche, comme Yahoo !, Google, Ask, MSN, La Toile du Québec, ixquick, etc. Pour avoir une liste de ces outils, allez sur le site *Pour réussir* [www.pourreussir.com]. Le site français Tous les outils sur une page présente une centaine de ces outils dans une liste mise à jour régulièrement : [http://urfist.univ-lyon1.fr/risi/outils.htm].

  Enfin, le Cégep@distance a créé une *Trousse de recherche d'information dans Internet* disponible à l'adresse suivante : [http://cegepadistance.ca/cours/trousse/introduction/index.html].

- Multiplier et varier les demandes en recourant à divers mot clés dans un moteur de recherche. Ainsi, dans un travail sur le divorce, effectuez plusieurs recherches en employant séparément les mots « famille », « enfants », « groupe d'entraide masculin », « femmes », etc. Dans un travail sur l'Irak, utilisez les mots « Saddam Hussein », « chiites », « Irak », « Bagdad », « Kurdes », « États-Unis », « George Bush », « ONU », « Moyen-Orient », etc.

- Raffiner la recherche à l'aide de la méthode booléenne (Boole est un mathématicien qui a vécu au 19e siècle). En utilisant les trois opérateurs logiques (ET/AND, OU/OR, SAUF/NOT), vous pouvez réduire le champ de recherche et obtenir des renseignements précis. Ainsi, une recherche effectuée avec les mots « démographie ET Québec ET 2007 » est plus précise qu'une recherche effectuée avec le mot « démographie » uniquement, mais elle limite la recherche à ce qui traite de la démographie au Québec en 2007. La plupart des outils de recherche possèdent une fonction « AIDE/HELP » ; utilisez-la pour gagner du temps. Consultez le tableau 7.3 pour connaître la signification des principaux opérateurs.

- Utiliser plusieurs moteurs de recherche. Ne vous contentez pas d'un seul moteur de recherche. Il existe des dizaines de répertoires, d'index et de métamoteurs de recherche qui permettent d'utiliser plusieurs moteurs de recherche simultanément, tel ixquick. Vous constaterez qu'une même demande (« démographie ET Canada », par exemple) donne des résultats fort différents d'un moteur de recherche à l'autre, car les outils de recherche n'interrogent pas les mêmes banques de données et, surtout, pas de la même manière.

- Inventorier systématiquement les sites gouvernementaux. Visitez les sites du Canada, du Québec, de la Ville de Montréal, des offices, des régies, des ministères, etc., de chacun des ordres de gouvernement, le site de l'Organisation des Nations Unies et même celui de votre municipalité. Tous ces sites contiennent des données fiables, des rapports d'enquêtes, des textes de lois, bref, du matériel utile pour mener une recherche documentaire.

- Ouvrir les sites universitaires. Ces sites ont un contenu rigoureux et donnent souvent accès à de nombreux autres sites dans le même champ disciplinaire. Ainsi, le site de l'UQÀM abrite celui de son département d'histoire, qui renvoie à des milliers d'autres sites relatifs à l'histoire dans le monde.

- Utiliser les compilations des meilleurs sites comme les « Best of », les « 5 % », etc. Ces compilations sont faites selon des critères qui permettent d'établir une liste des meilleurs sites liés à votre sujet de recherche.

TABLEAU 7.3	Les opérateurs les plus courants
Opérateurs	**Signification**
+	Ce signe placé devant un mot signifie que ce mot doit être présent dans le document recherché.
–	Ce signe placé devant un mot signifie que ce mot NE doit PAS être présent dans le document recherché. L'opérateur (–) équivaut à SAUF.
«»	Les mots entre guillemets sont perçus comme une phrase (on ne peut pas les séparer; ils apparaissent dans le même ordre). Ex. : La demande «famille monoparentale» affichera les documents contenant exactement ces mots. L'expression «une famille qui est monoparentale» sera rejetée.
*	Permet de remplacer un seul mot ou un nombre. Pour remplacer deux mots, utilisez ** ; pour en remplacer trois, utilisez ***. Ex. : «Le Canada compte * provinces».
ET/AND	Le document doit contenir les deux mots. Ex. : «santé ET tabac».
OU/OR	Le document doit contenir au moins un des deux mots. Ex. : «Russie OU Ukraine».
SAUF/NOT	Le document NE doit PAS contenir le mot suivant. Ex. : «santé SAUF mentale».

LE RAPPORT DE RECHERCHE

Dans un rapport de recherche, vous devez considérer trois points particulièrement importants.

■ Si vous désirez incorporer à votre rapport des images trouvées dans Internet, vous devez penser aux droits d'auteur. Vous ne pouvez pas, par exemple, emprunter des dizaines d'images et les publier dans une brochure que vous comptez vendre ou diffuser à grande échelle, sans obtenir au préalable la permission de celui qui détient les droits sur l'œuvre. Toutefois, il existe des banques d'images libres de droit, telles que *Le Québec en images* du Centre collégial de développement de matériel didactique. (Pour une liste de banques d'images libres de droit, ▶ *voir le chapitre 12, p. 240.*)

■ Vous avez trouvé des documents dans Internet et vous les avez copiés sur votre disque rigide; vous en avez imprimé plusieurs et vous en avez sauvegardé d'autres transmis par courrier électronique. **Vous ne pouvez pas inclure ce matériel tel quel dans votre rapport de recherche. Copier du matériel électronique sans indiquer la source est considéré comme du PLAGIAT et constitue une violation des règles d'éthique en vigueur notamment dans les collèges et les universités. Cet acte est passible de sanctions pouvant aller jusqu'au renvoi de l'établissement.**

■ Cependant, comme pour les documents écrits traditionnels, vous pouvez citer des œuvres produites sur le Web si vous en donnez la référence (▶ *voir p. 122*). C'est pourquoi il faut noter systématiquement les adresses URL et les titres des sites consultés sur des fiches bibliographiques (▶ *voir le chapitre 3, p. 44*).

■ Finalement, tous les sites Internet n'ont pas la même valeur; les sites universitaires voisinent parfois avec des sites farfelus ou des sites haineux. Vous devez donc évaluer le matériel et faire preuve d'esprit critique avant d'en faire quelque utilisation que ce soit (▶ *voir p. 118*).

Saviez-vous que les enseignants peuvent détecter le plagiat dans Internet en choisissant une phrase dans un rapport de recherche, en la collant entre guillemets dans un moteur de recherche comme Google et en lançant la recherche ? Le moteur retracera toutes les pages ou sites Internet où apparaît cette phrase.

Les enseignants peuvent aussi s'abonner à des sites qui comparent les travaux grâce à des moteurs très puissants fondés sur des bases de données extrêmement riches...

Enfin, les enseignants ont tous accès aux bases de données, aux cédéroms, aux sites Internet et aux encyclopédies virtuelles dans lesquels un étudiant peut copier un texte. Il est vrai que copier n'a jamais été aussi facile, mais il est aussi vrai qu'il est de plus en plus facile de détecter les fraudeurs ! N'oubliez jamais que les enseignants sont des experts dans leur discipline, qu'ils connaissent les principaux textes et leurs auteurs et qu'ils peuvent détecter les textes suspects, c'est-à-dire les textes écrits avec un style, un contenu et une syntaxe qui n'appartiennent pas au fraudeur...

Enfin, le plagiat est une fraude et un manque de respect envers soi-même. Vous avez des idées, vous êtes capables de produire d'excellents rapports de recherche en utilisant la documentation existante sans la copier bêtement. Les enseignants ne vous demandent pas d'être d'éminents savants, mais ils vous demandent de « rendre à César ce qui appartient à César », c'est-à-dire de citer correctement les auteurs consultés et d'indiquer vos sources. Consultez le tableau 7.4 (➤ *voir p. 122*) et le chapitre 11 pour savoir comment faire.

QUELS SONT LES CRITÈRES POUR ÉVALUER UN SITE ?

Il n'y a pas de moyen infaillible pour mesurer la qualité des documents que l'on trouve, mais certains trucs peuvent être utiles. Il faut toujours poser les questions usuelles : QUI, QUOI, OÙ, QUAND, COMMENT et POURQUOI ?

■ **QUI ?** Comme pour un livre, il faut d'abord regarder qui est l'auteur du site consulté. Est-ce une personne connue, un chercheur rattaché à une université ? Quelles sont ses compétences ? Privilégiez l'information provenant d'un organisme reconnu par la communauté scientifique. Recherchez les sites des organismes gouvernementaux, le Conseil de la recherche en sciences humaines par exemple, ou les sites universitaires. Soyez attentif aux tildes (le symbole « ~ » inséré dans une adresse URL) qui précèdent le nom d'un individu et qui indiquent un contenu personnel et non plus institutionnel.

■ **QUOI ?** Quel est le sujet du site ? À quel public est-il destiné ? Quel est le traitement de l'information qui y est privilégié ? Est-ce un site commercial ou individuel ? Présumez que ce qui vient d'une université (.edu) respecte davantage les critères de la recherche scientifique. Recherchez les sites des départements des universités québécoises : ils donnent souvent accès aux sites des chercheurs et à des liens scientifiques.

■ **OÙ ?** Où le texte a-t-il été créé ? Dans quel pays ?

■ **QUAND ?** Les informations deviennent rapidement périmées dans Internet. N'oubliez pas de regarder la date de la dernière mise à jour (souvent au bas d'une des premières pages du site). La date de publication du site est-elle clairement indiquée ? Le site est-il mis à jour fréquemment ?

■ **COMMENT?** Comment les documents sont-ils présentés? Quelle est la qualité de la langue? Le texte est-il bien structuré? Les informations sont-elles fiables? Les sources sont-elles clairement indiquées?

■ **POURQUOI?** Dans quel but l'auteur a-t-il créé un site Internet: le profit, la diffusion des connaissances, le militantisme en faveur d'une cause, l'autosatisfaction? Le site recèle-t-il des publicités? Si oui, se démarquent-elles du contenu?

Consultez les sites suivants:

■ Bibliothèque de l'Université de Montréal, *L'évaluation d'un site Web* [www.bib.umontreal.ca/SA/caps31.htm].

■ Cégep de Granby–Haute-Yamaska, Biblioguide n° 2, *Valider l'information dans Internet en 8 questions* [www.cegepgranby.qc.ca/biblio/ressources/biblioguide2.pdf].

■ Université Laval, *Critères d'analyse de la qualité d'une ressource sur Internet* [www.fl.ulaval.ca/icarish/guide/module_3/criteres/m3_crit_intro.html].

■ Cégep@distance [www.cegepadistance.ca/cours/trousse/guide/niveau1/Grille.pdf].

■ *Wikipédia* et les sites Wiki en général. L'encyclopédie *Wikipédia* [http://fr.wikipedia.org/wiki/Accueil] est bien connue des internautes; elle offre plus de 8 millions d'articles dans plus de 200 langues. Ces articles sont rédigés par des auteurs de toutes provenances, qui n'ont pas tous la même rigueur scientifique. Même si les informations publiées dans *Wikipédia* sont de plus en plus fiables, elles ne peuvent constituer la matière d'une recherche sur un sujet. Elles sont un point de départ et une source de vérification qu'il faut utiliser avec prudence. Assurez-vous que votre enseignant autorise cette source.

COMMENT GÉRER LA MASSE D'INFORMATIONS FOURNIES DANS INTERNET

Il est difficile de travailler avec l'information accumulée dans Internet quand on sait qu'une seule commande de recherche peut faire apparaître une liste de 2 000 000 de documents. Pour vous faciliter la tâche, créez des index de vos documents et gardez en mémoire la liste des meilleurs sites consultés à l'aide des signets.

CRÉER DES INDEX

Sélectionnez les documents les plus pertinents et téléchargez-les sur une clé USB ou sur votre disque rigide après vous être assuré de disposer de l'espace requis, bien entendu. Il est préférable de créer un seul document à l'aide d'un logiciel de traitement de texte, par exemple Word, et d'indexer votre mégadocument afin de pouvoir trouver l'information plus rapidement. Word permet de créer un index qui vous facilitera la tâche.

Supposons que vous ayez recopié et collé une dizaine de documents (textes de loi, articles, extraits de mémoire ou de thèse, etc.) et que vous les ayez regroupés dans un seul mégadocument intitulé «divorce». Pour effectuer une recherche sur les enfants du divorce et les droits de visite, créez un index avec les mots «enfant», «visite», «garde», «garde partagée» et ainsi de suite. Dès que vous créez la catégorie «enfant», la fonction recherche de Word vous permet de retrouver l'expression «enfant» partout où elle est mentionnée dans votre mégadocument.

À partir de là, vous pouvez interroger votre banque de données, regrouper les informations pertinentes, créer de nouveaux documents qui porteront sur un seul thème à la fois et ainsi de suite. Les possibilités sont infinies et il n'en tient qu'à vous de gérer une masse d'informations de manière créative sans jamais oublier les droits d'auteur! Pour compiler vos informations, vous pouvez créer des fiches par sujets, à l'aide de

Word et de FileMaker Pro par exemple, qui indiqueront précisément la provenance de vos informations (► *voir le chapitre 2, p. 27*). Vous pouvez aussi copier l'adresse URL du site dans lequel vous avez trouvé des informations pertinentes et la « coller » au bas du document Word que vous allez créer, en ajoutant le nom de l'auteur, le titre du site, la date de consultation et toutes les autres informations requises. Ainsi, lorsque vous rédigerez votre rapport de recherche, vous pourrez aisément indiquer la référence complète de vos sources.

CRÉER UNE BANQUE DE SIGNETS RÉUTILISABLES

Lorsque vous accédez à un site intéressant, votre fureteur vous donne la possibilité de conserver en mémoire le titre et l'adresse de ce site. C'est ce que l'on appelle créer un « signet » (en anglais, *bookmark*) ou un « favori ». Dès que vous êtes devant la page d'accueil du site qui vous intéresse, vous n'avez qu'à cliquer sur le menu « ajouter aux favoris » (Explorer) dans la barre d'outils de votre navigateur et l'adresse URL du site sera enregistrée dans une liste de signets. Pour retourner dans ce site, il vous suffira de consulter votre liste de signets et de cliquer sur le bon signet.

Votre liste de signets constitue un répertoire personnel d'accès à des sites pertinents. Construisez cette banque de manière ordonnée afin de vous y retrouver facilement.

La technique classique, dite « arborescente », est celle des poupées russes où les dossiers abritent des fichiers. Un exemple clarifiera cette notion. Au lieu d'enregistrer vos sites les uns à la suite des autres sans ordre logique, regroupez-les dans différentes catégories à l'aide de la fonction « création de dossier » de votre fureteur. Cette fonction permet de créer des dossiers qui renferment des signets de la même catégorie, par exemple :

- un dossier Général pour des sites tels que La Toile du Québec, le site de Statistique Canada, etc. ;
- un dossier Moteurs de recherche pour Yahoo !, Alta Vista, etc. ;
- un dossier Loisirs pour des jeux, des sites de voyage, etc. ;
- un dossier Géographie si vous étudiez dans ce domaine ;
- un dossier Irak si vous faites un travail de recherche sur ce sujet.

Chaque dossier ou catégorie peut regrouper autant de sites que vous le voulez. Vous pouvez « ouvrir » la catégorie désirée et la refermer, vous pouvez déplacer des sites d'un dossier à l'autre, etc. Après avoir terminé votre travail, vous pourrez répartir les sites recensés dans d'autres dossiers ou tout simplement les détruire. La figure 7.2 donne un exemple d'une banque de signets composée de dossiers.

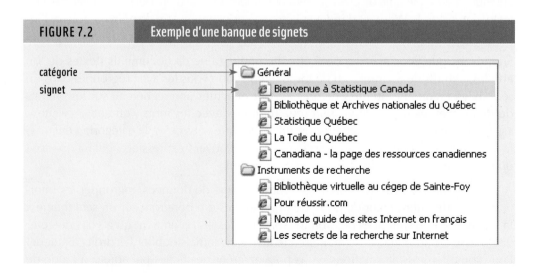

FIGURE 7.2   Exemple d'une banque de signets

catégorie →
signet →

📁 Général
   🔵 Bienvenue à Statistique Canada
   🔵 Bibliothèque et Archives nationales du Québec
   🔵 Statistique Québec
   🔵 La Toile du Québec
   🔵 Canadiana - la page des ressources canadiennes
📁 Instruments de recherche
   🔵 Bibliothèque virtuelle au cégep de Sainte-Foy
   🔵 Pour réussir.com
   🔵 Nomade guide des sites Internet en français
   🔵 Les secrets de la recherche sur Internet

UNE BANQUE DE SITES UTILES POUR LES ÉTUDES COLLÉGIALES

Vous trouverez une liste de sites utiles pour des travaux de recherche à l'adresse suivante : [www.pourreussir.com].

Cette banque de sites propose des ressources validées pour les programmes d'études préuniversitaires, en Arts et lettres, en Sciences humaines, en Sciences de la nature, pour certains programmes techniques, par exemple en Techniques humaines (Éducation à l'enfance, Éducation spécialisée, Technique de la documentation et de la recherche, Techniques auxiliaires de la justice, Travail social) et en Techniques biologiques (Soins infirmiers), de même qu'en formation générale (français, philosophie, anglais langue seconde, éducation physique). Les sites sont classés par disciplines. Cette banque offre également des références pour la recherche (bibliothèques, moteurs de recherche) et pour la vie étudiante (sites gouvernementaux, associations, collèges, universités, MELS, emploi et placement). Libre à vous de compléter cette liste et d'enregistrer vos sites préférés dans une banque de signets.

Page d'accueil du site
Pour réussir

7

COMMENT CITER UNE RÉFÉRENCE TROUVÉE DANS INTERNET

Rappelez-vous que vous devez fournir la référence complète et précise de tout document consulté dans Internet comme pour n'importe quel autre document consulté à la bibliothèque ou ailleurs dans le cadre d'un travail de recherche, d'une dissertation, d'un dossier de presse, etc.

Les éléments qui doivent figurer dans la notice bibliographique d'un document électronique (sites Internet, cédérom) sont : le NOM (en lettres majuscules) et le prénom de l'auteur (personnel, collectif ou institutionnel) s'il est indiqué, le titre du document (en italique ou entre guillemets, selon le cas), le type de support entre crochets (c'est-à-dire [En ligne] pour les documents provenant d'Internet, [Cédérom] pour les bases de données sur cédérom), le lieu d'édition, la maison d'édition, l'année de publication, l'adresse Web au complet et, entre parenthèses, la date de consultation du document.

À la différence des ouvrages traditionnels, il faut indiquer la date à laquelle vous avez consulté le document, car les sites Internet sont continuellement remis à jour. C'est l'équivalent du numéro de l'édition pour un volume.

Le tableau 7.4 ci-dessous présente les règles de citation d'un document électronique. (Pour savoir comment décrire tous les types de documents, y compris ceux que l'on trouve dans Internet, ▶ *voir le chapitre 11, p. 222.*)

TABLEAU 7.4	Règles de citation d'un document électronique
Type de document	**Règle**
Site Internet	NOM DE L'AUTEUR, Prénom. *Titre du site* (en italique), [Type de support], adresse Web (Page consultée le) Notez que l'on n'ajoute jamais de point final après l'adresse Web d'un site, ni de point après la parenthèse (Page consultée le)
	Exemples LAPORTE, Gilles. *Les patriotes de 1837@1838*, [En ligne], http://cgi.cvm.qc.ca/glaporte (Page consultée le 12 octobre 2007)
	UNIVERSITÉ LAVAL, BIBLIOTHÈQUE. *Site de la Bibliothèque de l'Université Laval*, [En ligne], www.bibl.ulaval.ca (Page consultée le 15 février 2008)
Article d'un site Internet	NOM DE L'AUTEUR, Prénom. « Titre de l'article » (entre guillemets), date de publication, dans Prénom NOM DE L'AUTEUR (si disponible), *Titre du site* (en italique), [Type de support], adresse Web (Page consultée le)
	Exemples SAINT-JACQUES, Lyne. « L'enseignement de l'histoire au Québec », 4 juin 2006, dans FÉDÉRATION DES SOCIÉTÉS D'HISTOIRE DU QUÉBEC, *Histoire Québec*, [En ligne], www.histoirequebec.qc.ca (Page consultée le 14 octobre 2007)
	STATISTIQUE CANADA. « Genre de famille de recensement », dans STATISTIQUE CANADA, *Dictionnaire du recensement de 2006*, [En ligne], www12.statcan.ca/francais/census06/reference/dictionary/fam010.cfm (Page consultée le 20 octobre 2007)
Monographie, livre ou document publié dans Internet	NOM DE L'AUTEUR, Prénom. *Titre du document* (en italique), [Type de support], année de publication (si disponible), adresse Web complète (Page consultée le)
	Exemple VILLE DE SAGUENAY. *Mémoire sur les accommodements raisonnables*, [En ligne], septembre 2007, http://classiques.uqac.ca/desintegration/tremblay_jean/memoire_accommodements/Memoire_accommodements_sept_2007.pdf (Page consultée le 20 novembre 2007)
Courriel	NOM DE L'AUTEUR, Prénom (adresse de courriel de l'expéditeur). *Titre du message* (en italique), jour mois année, [courriel au nom du récepteur], (adresse de courriel du récepteur).
	Exemple LACHANCE, Chantal (clachance@dlgrst.qc.ca). *Les références bibliographiques et les documents électroniques*, 20 janvier 2002, [courriel à Maude NEPVEU], (mnepveu36@yahoo.ca).
Groupe d'intérêt (conférence électronique)	NOM DE L'AUTEUR, Prénom. « Sujet du message » (entre guillemets), *Nom du groupe* (en italique) [Type de support], (jour mois année), adresse de courriel du récepteur.
	Exemple CARON, Marco. « Cas de conscience », *Biblio-forum* [En ligne], (21 février 2001), biblioforum@listes.ccsr.qc.ca
Article dans un périodique électronique en ligne	NOM DE L'AUTEUR, Prénom (si disponible). « Titre de l'article » (entre guillemets), *Titre du périodique* (en italique), date de publication de l'article, [Type de support], adresse Web (Page consultée le)
	Exemple CASTONGUAY, Alec. « Afghanistan : Harper refile le dossier à un comité », *Le Devoir*, 13 octobre 2007, [En ligne], www.ledevoir.com/2007/10/13/ 160426.html (Page consultée le 14 octobre 2007)
Article dans un cédérom	NOM DE L'AUTEUR, Prénom. « Titre de l'article » (entre guillemets), *Titre du cédérom* (en italique), [Type de support], lieu d'édition, maison d'édition, année.
	Exemple « Fontevraud-l'Abbaye », *Encyclopédie Microsoft Encarta*, [Cédérom], Redmond (États-Unis), Microsoft Corporation, 2005.
	Dans cet exemple, il n'y a pas d'auteur.
Article dans une encyclopédie en ligne	NOM DE L'AUTEUR, Prénom. « Titre de l'article » (entre guillemets), *Titre de l'encyclopédie* (en italique), [Type de support], lieu d'édition, maison d'édition, année, adresse Web (Page consultée le)
	Exemple DE CASO, Jacques. « RODIN, (A.) », *Universalis.fr*, [En ligne], Paris, Encyclopædia Universalis, 2007, www.universalis.fr/encyclopedie/Q160011/RODIN_Auguste_1840_1917.htm (Page consultée le 21 novembre 2007)
Illustration, photographie ou tableau tirés d'un site Internet	NOM DE L'AUTEUR, Prénom. « Titre original de l'image » (entre guillemets), année, [nom du fichier], *Nom du site* (en italique), [Type de support], adresse Web (Page consultée le)
	Exemple CUSSON, Gilles. « Détail d'une flèche de l'église Saint-Jérôme, de Métabetchouan », 2002, [17253.jpg], *Le Québec en images*, *Un album libre de droits*, [En ligne], www.ccdmd.qc.ca/quebec/ (Page consultée le 14 octobre 2007)

TABLEAU 7.4	Règles de citation d'un document électronique (*suite*)
Type de document	**Règle**
Thèse et mémoire	NOM DE L'AUTEUR, Prénom. *Titre de la thèse ou du mémoire* (en italique), Mention du grade universitaire, Nom de l'Université, date, [Type de support], adresse Web (Page consultée le) **Exemple** CHARRON, Catherine. *La question du travail domestique au début du XXᵉ siècle au Québec : un enjeu à la Fédération nationale Saint-Jean-Baptiste, 1900-1927*, Mémoire de maîtrise, Université Laval, 2007, [En ligne], www.theses.ulaval.ca/2007/24622/ 24622.pdf (Page consultée le 10 septembre 2007)

Source : ces règles sont adaptées de Rosaire CARON, « Comment citer un document électronique ? », UNIVERSITÉ LAVAL, BIBLIOTHÈQUE, *Site de la Bibliothèque de l'Université Laval*, [En ligne], www.bibl.ulaval.ca/doelec/citedoce.html (Page consultée le 20 octobre 2007)

COMMENT COMMUNIQUER ADÉQUATEMENT AVEC LES TIC

LES COURRIELS

Le **courrier électronique** est l'un des services les plus utiles d'Internet. Selon le cabinet d'études IDC, plus de 120 milliards de courriels seront envoyés à compter de 2010[2]. De nos jours, qui n'a pas envoyé ou reçu un courriel ? Cet outil de communication est entré dans nos vies pour y demeurer. Les enseignants communiquent de plus en plus au moyen du courrier électronique pour informer les étudiants et planifier les travaux, dans des systèmes comme Omnivox. Toutefois, la gestion des courriels pose de plus en plus de problèmes aux étudiants, aux enseignants et aux travailleurs qui doivent composer avec une avalanche de courriels, des pourriels, des publicités, des blagues, etc.

Omnivox, Bleu Manitou et DEC Clic sont des guichets multiservices qui vous permettent de consulter les informations personnelles contenues dans votre dossier scolaire et d'effectuer plusieurs opérations en liaison avec votre collège dans le confort de votre maison, sept jours par semaine, sur une grande plage horaire (➤ *voir la figure 7.3*).

FIGURE 7.3	Un exemple de guichet électronique multiservices

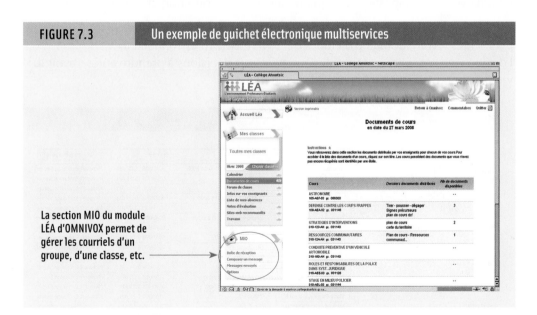

La section MIO du module LÉA d'OMNIVOX permet de gérer les courriels d'un groupe, d'une classe, etc.

Il n'entre pas dans les objectifs du présent manuel de décrire en détail le fonctionnement du courrier électronique. Vous pouvez consulter d'excellents guides à ce sujet (➤ *voir la bibliographie, p. 250*). Sachez cependant que, pour correspondre, vous devez posséder une adresse électronique et connaître celle de votre correspondant. Ces adresses prennent

---

2. Marie LAMBERT-CHAN, « Le courriel, ce mal utilisé… », *La Presse*, 20 octobre 2007, Cahier Carrières et emplois, p. 2.

la forme suivante : le nom de l'utilisateur, suivi du symbole arobas @, des informations sur le réseau et parfois sur le domaine (commercial ou éducationnel) de l'utilisateur (► *voir la figure 7.4, p. 124*).

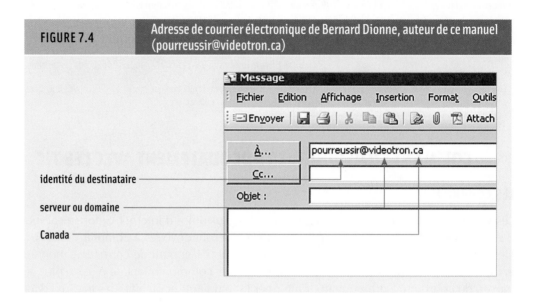

FIGURE 7.4	Adresse de courrier électronique de Bernard Dionne, auteur de ce manuel (pourreussir@videotron.ca)

Attention aux voleurs de temps ! (► *Voir le chapitre 1, p. 12.*) Ne vous laissez pas dicter le déroulement de votre journée par une avalanche de courriels : ouvrez vos messages à des moments précis dans la journée ; retirez votre adresse des listes d'envoi non sollicitées ; refusez les courriels de blagues, les transferts de PowerPoint ; créez votre signature électronique qui apparaîtra automatiquement au bas de vos messages en précisant les informations que vous souhaitez communiquer à vos correspondants, comme votre adresse (si c'est vraiment nécessaire), votre numéro de téléphone, etc.

Adoptez un système de classement de vos courriels, selon les sujets ou les catégories pertinentes à votre domaine d'études ou à votre vie professionnelle (► *voir la figure 7.5*). Lorsque vous recevez un courriel, vous avez trois décisions à prendre après l'avoir lu : y répondre, le classer ou le jeter à la poubelle.

FIGURE 7.5	La gestion des courriels

liste alphabétique des destinataires et de leur courriel

objet du courriel envoyé

date d'envoi

compte

	À	Objet	Envoyé ▽	Compte de messagerie
	Lamarre, Chantal	RE: Chapitre 6 - Atlaséco 2008	03/04/08 10:37 AM	Microsoft Exchange Serve
	'bernard dionne'; 'bernard.di...	TR: Chapitre 1	03/04/08 10:11 AM	Microsoft Exchange Serve
	'M. Levert & P. Juglair'	TR: Chapitre 1	03/04/08 10:11 AM	Microsoft Exchange Serve
	Lamarre, Chantal	Chapitre 6 - Atlaséco 2008	03/04/08 10:09 AM	Microsoft Exchange Serve
	Laforge, Marie-Chantal	Chapitre 6	03/04/08 10:07 AM	Microsoft Exchange Serve
	'Marie-Pierre Goudreault'	Chapitre 6 - Une autre image	03/04/08 10:05 AM	Microsoft Exchange Serve
	'Marie-Pierre Goudreault'	Chapitre 6 - icono	03/04/08 10:01 AM	Microsoft Exchange Serve
	'Marie-Pierre Goudreault'	RE: Chapitre 5	03/04/08 9:19 AM	Microsoft Exchange Serve
	'M. Levert & P. Juglair'	TR: Chapitre 5	03/04/08 8:56 AM	Microsoft Exchange Serve
	'bernard dionne'	RE: Chapitre 5	03/04/08 8:55 AM	Microsoft Exchange Serve
	'bernard dionne'; 'bernard.di...	Titre de la 2e partie	03/04/08 8:31 AM	Microsoft Exchange Serve
	'M. Levert & P. Juglair'	TR: Chapitre 4 - Questions	03/04/08 8:25 AM	Microsoft Exchange Serve
	'M. Levert & P. Juglair'	Chapitre 7 - Corrections	03/04/08 8:23 AM	Microsoft Exchange Serve
	'Marie-Pierre Goudreault'	Chapitre 5	03/04/08 8:11 AM	Microsoft Exchange Serve
	'bernard dionne'; 'bernard.di...	Chapitre 5	03/04/08 8:10 AM	Microsoft Exchange Serve
	'M. Levert & P. Juglair'	RE: fin corrections chapitre 11	03/04/08 7:21 AM	Microsoft Exchange Serve
	'M. Levert & P. Juglair'	RE: Chapitre 1	03/04/08 7:18 AM	Microsoft Exchange Serve
	'Marie-Pierre Goudreault'	Chapitre 5 - Photos	03/04/08 7:12 AM	Microsoft Exchange Serve
	'Marie-Pierre Goudreault'	Chapitre 5 - Photos	03/04/08 7:05 AM	Microsoft Exchange Serve

Vous pouvez utiliser le courriel pour correspondre avec vos amis et les membres de votre famille, bien entendu, mais aussi pour communiquer avec un enseignant, lui poser des questions sur la matière, lui faire parvenir un rapport de recherche en fichier attaché (▶ *voir la figure 7.6*). Le courriel vous permet aussi de communiquer directement avec votre collège pour choisir votre horaire de cours ou encore pour connaître vos résultats.

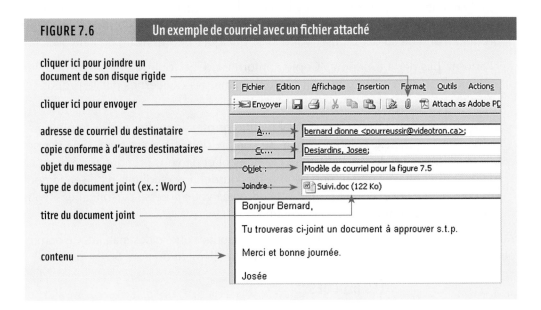

FIGURE 7.6 Un exemple de courriel avec un fichier attaché

cliquer ici pour joindre un document de son disque rigide

cliquer ici pour envoyer

adresse de courriel du destinataire

copie conforme à d'autres destinataires

objet du message

type de document joint (ex. : Word)

titre du document joint

contenu

Dans tous les cas, respectez les règles suivantes (la nétiquette) :

■ Les courriels sont des documents écrits. Respectez donc les règles de grammaire et corrigez vos textes, surtout lorsque vous vous adressez à un enseignant. Mettez-vous à la place du destinataire : structurez votre texte et relisez-le. Vous éviterez ainsi les « parties de ping-pong » avec votre interlocuteur, quand chacun doit expliquer sans fin le contenu du courriel précédent à son correspondant.

■ N'employez pas d'abréviations ni des expressions trop familières telles que « cool », « genre », « hot » ; n'employez pas non plus des dessins, des lettres ou des signes tels que le célèbre symbole du sourire appelé « binette », car votre interlocuteur n'en connaît peut-être pas la signification.

■ Le courriel crée une certaine familiarité. N'oubliez pas que vous vous adressez à un enseignant qui n'est pas votre ami. Adoptez un ton respectueux et poli avec votre interlocuteur en le vouvoyant, par exemple.

■ N'employez jamais les majuscules (« BONJOUR, COMMENT ÇA VA ? »), car cela est très agressant. Dans les courriels, les majuscules signifient que l'on est en colère et que l'on élève la voix. Respectez la nétiquette !

■ Vos messages doivent être brefs (la longueur maximale ne devrait pas excéder une page d'écran), car certaines personnes éprouvent de la difficulté à lire de longs textes sur un écran d'ordinateur. Éliminez les informations superflues. Lorsque vous répondez à un courriel, ne reproduisez que les parties essentielles.

■ Fournissez une description précise du sujet de votre courriel dans la boîte « Objet » en haut du courriel. Cette information est très importante parce que certaines personnes reçoivent des dizaines de courriels et sélectionnent ceux qui méritent d'être lus sur la base de l'énoncé du sujet. Ainsi, évitez d'écrire « Bonjour » comme sujet ; écrivez plutôt « Consignes du travai 2 » ou « Demande d'informations ».

■ Prenez le temps de réviser votre courriel avant de l'envoyer. Le procédé est tellement rapide maintenant que vous risquez d'écrire des messages sous le coup de la colère ou d'une émotion trop vive. Vous pouvez utiliser la fonction d'envoi différé (ou brouillon) afin de laisser reposer votre texte quelques heures avant de l'envoyer.

■ N'abusez pas de la fonction « Copie conforme ». Une foule de messages inutiles sont ainsi envoyés à des gens qui ne sont même pas concernés par le propos du courriel.

■ Enfin, utilisez une adresse de courriel d'allure professionnelle, par exemple nom. prénom@cegep.qc.ca. Le nom associé au compte doit être votre nom. Cela permet à votre destinataire de vous identifier rapidement et de vous prendre au sérieux. La majorité des collèges offrent une adresse de courriel aux étudiants. Utilisez-la pour vos communications d'ordre scolaire et conservez votre adresse personnelle, si vous y tenez, pour communiquer avec vos amis.

Attention ! Un courriel peut être lu par d'autres personnes que le destinataire. Ce dernier peut le réexpédier à d'autres personnes, intentionnellement ou non. Soyez prudent !

LES BLOGUES

De plus en plus d'étudiants créent leur propre page ou site Web, ou participent à des blogues.

Selon l'OLF, un blogue est un site Web personnel tenu par un ou plusieurs blogueurs qui s'expriment librement et selon une certaine périodicité, sous la forme de billets ou d'articles, informatifs ou intimistes, datés, à la manière d'un journal de bord, signés et classés par ordre anté-chronologique, parfois enrichis d'hyperliens, d'images ou de sons, et pouvant faire l'objet de commentaires laissés par les lecteurs.

Les blogues que les étudiants créent pour échanger entre eux sur un sujet donné constituent des outils fort intéressants. Que ce soit pour échanger de l'information, donner son point de vue ou communiquer des résultats de recherche, les blogues peuvent jouer un rôle important dans la démarche d'une classe ou d'un groupe d'étudiants. Ils permettent également de communiquer en direct avec des groupes d'étudiants d'un autre collège, voire d'un autre pays.

De plus en plus, les enseignants permettent la création de ces outils de communication. N'hésitez pas à en faire partie, mais considérez-les pour ce qu'ils sont, c'est-à-dire des outils de communication et non des sources dont le contenu est absolument fiable. La plupart des consignes suggérées à propos des courriels (►*voir p. 125*) s'appliquent aussi aux blogues. Pour créer un blogue, allez sur Blogger (l'outil de blogue de Google) [www.blogger.com] : il donne des directives en français.

LES FORUMS

Les forums permettent à un groupe de personnes d'échanger leurs opinions, leurs idées sur un sujet particulier, en direct ou en différé, selon des formules variées (liste de diffusion, canal IRC, etc.).

Si vous devez effectuer un travail de recherche au cours d'une session de 15 semaines, il peut être drôlement profitable de joindre un groupe de discussion sur le sujet qui vous intéresse (►*voir p. 123*). Il ne faudrait toutefois pas vous attendre à ce que les autres membres du groupe de discussion fassent votre recherche à votre place. Il ne faudrait pas non plus vous laisser entraîner dans des discussions qui n'en finissent plus. Avant de vous joindre à un groupe et de demander des informations, prenez connaissance des règles du groupe et du type de discussions en lisant la section Foire aux questions (FAQ), par exemple.

Les forums ouvrent des perspectives nouvelles au travail en équipe.

Les forums de discussion (*Newsgroups*) sont des forums auxquels les internautes peuvent participer en lisant les messages qui s'y trouvent et en y répondant. Il existe des forums dans divers domaines : nouvelles, ordinateurs, sports et loisirs, sciences, questions d'ordre social, polémiques, entreprises, demandes et offres d'emploi, petites annonces, etc. Vous pouvez vous joindre à l'un de ces groupes ou fonder votre propre groupe. Pour créer votre propre forum, tapez « créer un forum » dans Google et vous découvrirez plusieurs outils.

Le Web, c'est la plus grande bibliothèque du monde. Le problème, c'est que tous les livres sont éparpillés. Cet immense réseau fournit des éléments de solution, des pistes de réflexion et des millions d'éléments d'information. Il faut l'aborder avec prudence et audace à la fois. Il faut savoir prendre des risques tout en faisant preuve d'esprit critique à l'égard des découvertes que l'on fait.

– Soyez compétent. Familiarisez-vous avec vos outils préférés : au début, acceptez de « perdre du temps » à les explorer en vous disant qu'une meilleure connaissance de leur fonctionnement vous rapportera beaucoup ultérieurement. Maîtrisez, par exemple, les ressources de votre fureteur et celles d'un moteur de recherche tel que Google ou ixquick.

– Soyez audacieux. Approfondissez les liens ; acceptez d'explorer les liens hypertextes qui vous sont proposés. Qui sait ? Vous pourriez peut-être y faire des découvertes intéressantes.

– Demeurez critique. Tout ce qui est sur le Web n'a pas la même valeur. Vérifiez toujours le contenu et la crédibilité des auteurs. Posez-vous toujours des questions et faites preuve d'esprit critique pour juger l'information présentée.

– Soyez ordonné. Ajoutez les ressources d'Internet à votre fichier personnel de notes de lecture (reliure à anneaux ou fichier informatisé, ➤ *voir le chapitre 3, p. 51*) et créez votre propre banque de données en consignant soigneusement les adresses URL, en reproduisant (soit en les copiant sur votre disque rigide ou en les imprimant) les documents de base, les données statistiques, les textes majeurs, etc. Ces informations pourront être réutilisées dans un autre travail de recherche ou pour préparer une épreuve synthèse à la fin du programme.

À RETENIR L'approche critique d'Internet	Oui	Non
Est-ce que je connais le vocabulaire et les différents services d'Internet ?	❑	❑
Est-ce que j'intègre la recherche dans Internet à une stratégie globale de recherche ?	❑	❑
Est-ce que j'approfondis ma connaissance du fonctionnement d'un fureteur ?	❑	❑
Ai-je une stratégie pour évaluer les différents sites ?	❑	❑
Est-ce que je demeure critique à l'égard des informations que je trouve ?	❑	❑
Est-ce que je connais les règles d'une référence complète et précise d'un site Internet ?	❑	❑
Est-ce que je crée ma propre banque de ressources dans Internet ?	❑	❑
Est-ce que j'utilise le courriel à bon escient ?	❑	❑

Claude Marcoux

vice-président principal, CGI Québec

Né en 1960 à Québec, Claude Marcoux obtient en 1979 un DEC en Sciences de la santé au cégep de Limoilou. En 1982, il obtient un baccalauréat en Informatique de gestion à l'Université Laval. Deux ans plus tard, il entre chez CGI, à Québec, où il passe la majeure partie de sa vie professionnelle, voyant ainsi l'entreprise passer de 90 à 26 000 membres. Il occupe plusieurs postes dans différents secteurs et développe une expertise en gestion de projets et en architecture stratégique avant d'obtenir le poste de vice-président principal, intégration de systèmes et services-conseils. Très actif dans sa communauté, il s'est impliqué dans plusieurs conseils d'administration, soit ceux de la division des Arthritiques du Québec, de Forces Avenir et de CIA (Conseillers en informatisation d'affaires), et participe à plusieurs fondations dont la campagne majeure de financement du cégep de Limoilou. En 2004, il reçoit un Méritas de l'Université Laval pour ses réalisations dans le secteur des technologies de l'information et, avec son équipe, il reçoit le prix d'excellence Argent du concours CIPA (Canadian Information Productivity Awards) dans la catégorie Service à la clientèle.

Les études collégiales et universitaires

« Je dirais que cette période a été l'occasion pour moi de développer ma curiosité, mon intérêt pour les autres. J'ai toujours essayé de maintenir un réseau avec les autres étudiants, je m'intéressais à ce qu'ils étaient, à ce qu'ils faisaient. Le cégep et l'université sont les lieux où l'on apprend à s'adapter aux différentes personnalités, à créer des contacts et à rencontrer des gens qui viennent de milieux différents. C'est très important quand on arrive dans le milieu du travail. »

L'apparition d'Internet...

« Ça a beaucoup changé depuis le début de ma carrière, et c'est le principal défi : il faut toujours s'adapter, aller au-devant des changements, se réinventer. Les cycles sont plus courts, l'espace-temps est réduit. On n'a plus besoin de se déplacer ou de parler à quelqu'un pour avoir accès à une information : la gestion de la connaissance est complètement transformée. En fait, c'est ce qui fait que ce milieu est plus captivant que jamais ! »

Toutefois, Claude Marcoux prend la peine de préciser que « même si on travaille avec les technologies, que ce soit la consultation, les jeux vidéo ou l'Internet, la matière première reste l'humain. » Il lance l'invitation : « On a besoin de jeunes, de nouveaux talents dans ce domaine qui ouvre de plus en plus de portes, parce que les jeunes sont proches de ces technologies. »

Que faut-il pour réussir ?

« L'engagement et la rigueur. Ce sont des qualités indispensables que j'ai développées pendant mes études : les professeurs poussent les étudiants à être responsables, à respecter leurs engagements, leurs délais. Le plaisir au travail est aussi très important ! » ■

Se documenter à l'aide des journaux et des revues

Julien et Stéphanie au cégep

Les parents de Julien sont abonnés à deux journaux que Julien ne lit jamais. Il trouve que leur format est peu pratique et que l'information est difficile à trouver dans les différents cahiers. De plus, à la maison, les journaux sont toujours éparpillés dans le bac de recyclage avant même qu'il ait eu le temps d'y jeter un œil. Toutefois, pour son cours « Société et problèmes sociaux », il doit constituer un dossier de presse au sujet des travailleurs de rue, et il ne sait pas trop comment s'y prendre… Doit-il lire tous les journaux d'un bout à l'autre ? Les journaux que lisent ses parents sont-ils de bonnes sources, ou en existe-t-il d'autres, plus spécialisés ? Il a aussi entendu dire qu'à la bibliothèque, on pouvait trouver des revues sur son sujet. Or, dans l'esprit de Julien, « revue » est plutôt synonyme de « lecture de salle d'attente »…

En fait, les bibliothèques collégiales mettent à la disposition des étudiants des centaines de périodiques sur les sujets les plus variés. Ces revues, journaux et bulletins fournissent une information récente sur des sujets d'actualité. Il faut cependant connaître les publications les plus sérieuses dans le domaine qui nous intéresse et savoir comment sélectionner et utiliser l'information qu'on y trouve. Il faut également distinguer les revues scientifiques des magazines que les enseignants n'acceptent pas comme sources d'information. Julien se souvient encore de sa surprise quand son enseignant de philosophie lui a dit que la revue *La pure vérité* ne pouvait être utilisée comme source d'information pour un travail sur l'éthique parce qu'elle était publiée par une secte religieuse !

Comment trouver les périodiques à la bibliothèque ? Comment repérer rapidement l'information dans un périodique sérieux et récent ? Comment construire un dossier de presse ?

OBJECTIFS

Après avoir lu attentivement le présent chapitre, vous serez en mesure :

- de repérer l'information provenant de la presse écrite ;
- d'utiliser et de classer cette information ;
- d'analyser, en exerçant votre pensée critique, l'information et les opinions publiées dans les périodiques ;
- de constituer un dossier de presse.

Les journaux et les revues permettent d'accéder à une foule d'informations récentes que l'on ne trouve généralement pas dans les livres. Savoir utiliser ces sources d'information est un atout important. Chaque jour, le premier ministre du Québec doit dépouiller un dossier de presse sur l'actualité avant même d'entreprendre sa journée de travail ! Assemblage ordonné d'articles de journaux et de revues (► *voir p. 142*), le dossier de presse est un outil qui permet de comprendre l'actualité locale, régionale, nationale et internationale, et de mettre à jour ses connaissances dans les domaines les plus variés. Ce chapitre vous permettra de découvrir les périodiques et les index tout en vous familiarisant avec la préparation d'un dossier de presse.

LES TYPES DE PÉRIODIQUES

> On entend par périodiques les « publications qui paraissent en série continue sous un même titre, à intervalles réguliers ou non, mais plus d'une fois par an, chaque exemplaire étant daté et généralement numéroté[1] ».

Les périodiques peuvent être classés selon la nature des informations qu'ils présentent, leur format et leur périodicité. La périodicité d'une publication peut varier énormément, allant du quotidien (*Le Soleil, Le Devoir*) au trimestriel (*Revue trimestrielle des droits de l'homme, Cahiers du théâtre Jeu*), en passant par l'hebdomadaire (*Voir, Le Nouvel Observateur*), le bimensuel (*Anthropology Today*), le mensuel (*Sciences humaines, Le Monde diplomatique*), etc. Nous définirons trois types de publications : le bulletin, le journal et la revue.

LE BULLETIN

Le bulletin, en anglais *Newsletter,* s'adresse aux membres d'une association ou aux usagers d'un organisme. Il sert parfois de véhicule à une information éphémère (qui est valable pour peu de temps), bien que certains bulletins publient à l'occasion des articles de fond. Il fournit une information parfois spécialisée sur des sujets variés et ciblés. Les entreprises et la plupart des grands organismes syndicaux, patronaux, corporatifs ou parapublics publient ce genre de bulletin d'information.

Exemples

- *AIDS Treatment News ;*

- *Bulletin de l'Association des professeures et des professeurs d'histoire des collèges du Québec ;*

- *Bulletin régional sur le marché du travail* (Emploi-Québec).

Bulletin de l'Association des professeures et des professeurs d'histoire des collèges du Québec

LE JOURNAL

Le journal est d'abord un document dans lequel on recense les événements de la journée. Ainsi, on « tient son journal » pour garder une trace des événements importants de notre vie. Le journal est aussi une publication quotidienne, hebdomadaire ou mensuelle, regroupant des articles sur l'actualité. Souvent, on utilise les expressions « quotidien », « hebdo » et « mensuel » pour désigner ces publications.

Exemples

- *La Tribune* (quotidien publié à Sherbrooke) ;

---

1. Paule ROLLAND-THOMAS *et al., Vocabulaire de la bibliothéconomie et de la bibliographie,* Montréal, Association canadienne des bibliothécaires de langue française, 1969, p. 113.

- *Time Magazine* (hebdomadaire publié à New York);

- *Le Monde diplomatique* (mensuel publié à Paris).

Dès la fin du 19ᵉ siècle, la presse quotidienne alimente un public de lecteurs avides d'informations sur l'actualité. Le journal *La Presse*, par exemple, existe depuis 1884. Lorsqu'on lit régulièrement un quotidien, on constate que l'information est organisée en sections où les rubriques regroupent toujours les mêmes catégories d'articles : faits divers, politique nationale, actualité internationale, économie et finance, sports, arts et spectacles, loisirs, actualité régionale et locale. Certains journaux ajoutent des rubriques spécialisées : vacances et voyages, sciences et technologie, courrier du cœur, astrologie, troisième âge, Internet et médias électroniques, etc. Le tableau 8.1 présente les principaux éléments d'un quotidien.

TABLEAU 8.1	Les principaux éléments d'un quotidien
Section	**Description**
Politique nationale ou intérieure	Les articles dits de politique intérieure traitent de la politique nationale (Chambre des communes à Ottawa), provinciale (Assemblée nationale à Québec), régionale (Gaspésie, par exemple) ou locale (ville de Sherbrooke, quartier Rosemont à Montréal, etc.). La plupart de ces articles sont écrits par des journalistes qui travaillent pour le journal qui les publie. Les autres articles proviennent d'une agence de presse qui vend les nouvelles à plusieurs journaux à la fois (► *voir p. 142*). L'Agence de presse canadienne (PC) joue ce rôle pour le Canada.
Actualité internationale	La plupart des grands journaux achètent les articles de politique internationale aux cinq grandes agences de presse qui se partagent le marché (AP, AFP, UPI, Reuters et ITAR-TASS) et à quelques petites agences de presse spécialisées. Quelques journalistes parcourent encore le monde à la recherche de l'information. Cependant, la plupart des journalistes trient, vérifient, résument et traitent l'information qui provient des agences et qui est transmise par Internet ou par satellite. Il faut distinguer les correspondants, qui recueillent l'information sur place et la transmettent au bureau de leur agence ou de leur journal, et les rédacteurs de l'information, qui récrivent les nouvelles.
Économie	La rubrique économique regroupe les articles traitant d'économie internationale, nationale, régionale et locale. On y trouve les conflits de travail, l'information financière (cotes de la Bourse, taux de change des monnaies) et les analyses de la conjoncture économique.
Faits divers	La rubrique des faits divers regroupe des comptes rendus d'événements du quotidien, tels que l'écrasement d'un avion, les accidents de la route, les crimes et les délits, mais aussi les événements qui se produisent dans l'environnement immédiat des gens, par exemple dans leur ville ou leur quartier.
Chroniques particulières	Les rubriques indiquent les sujets ou les thèmes généraux, mais sous ces rubriques, on trouve des chroniques réservées nommément à un journaliste. Celui-ci analyse l'actualité et donne son opinion sans engager la responsabilité du journal ou de l'éditeur. C'est le cas des chroniques généralistes de Pierre Foglia et de Lysiane Gagnon dans *La Presse* de Montréal, ou de Mario Goupil dans *La Tribune* de Sherbrooke, et des chroniques spécialisées comme celle d'Yves Therrien sur les nouvelles technologies de l'information dans *Le Soleil* de Québec.
Éditorial	L'éditorial est un article émanant de la direction du journal qui prend position sur une question d'actualité et définit ainsi l'orientation générale du journal. C'est en quelque sorte sa « marque de commerce ». Par exemple, l'éditeur du journal *Le Droit* d'Ottawa, ceux de *La Tribune* de Sherbrooke ou du *Voir* de Montréal et de Québec commentent les événements et prennent position. Ils engagent ainsi la direction et donnent le ton du journal. On peut ainsi constater que les éditorialistes de *La Presse*, du *Droit* et de *La Tribune* sont plutôt fédéralistes tandis que ceux du *Devoir* favorisent généralement l'approche souverainiste. Il n'y a pas de page éditoriale dans le *Journal de Montréal* ni dans le *Journal de Québec* (► *voir un exemple d'éditorial, p. 141*).
Arts et culture	Les grands journaux proposent toujours une section Arts et culture qui peut être subdivisée en différentes rubriques : cinéma, théâtre, expositions et galeries, livres et musique. Familiarisez-vous avec le contenu de ces sections, notamment avec les recensions (comptes rendus) de livres et les analyses littéraires.
Autres	Des sections telles que les petites annonces, carrières et professions, les avis gouvernementaux, la nécrologie, les horaires de la radio et de la télévision, ceux des théâtres et des cinémas, la météorologie, l'horoscope, les mots croisés et jeux divers, les bandes dessinées et le courrier des lecteurs font partie des « services » d'un journal. La section des sports peut contenir des articles intéressants pour une recherche en éducation physique, par exemple. Par ailleurs, il ne faut pas négliger les articles de fond, les dossiers et les cahiers spéciaux. Ils constituent d'excellentes sources d'information pour les spécialistes de la recherche et les étudiants, car ils vont au-delà du simple récit d'une nouvelle et présentent un point de vue articulé sur l'actualité. On y trouve des articles plus analytiques, plus fouillés que les articles habituels. Ils sont souvent écrits par des spécialistes et ont parfois une dimension théorique ou historique ; ils éclairent le lecteur et l'aident à se faire une opinion sur les événements.

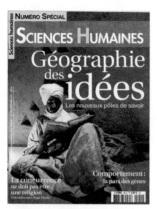

Excellente revue de vulgarisation
en sciences humaines

LA REVUE

La revue est une publication périodique. Elle peut être hebdomadaire, mensuelle, bimestrielle ou trimestrielle. Elle propose des analyses, des études originales ou des articles d'information générale. Certaines revues sont destinées à l'avancement d'une discipline scientifique, d'autres cherchent à couvrir l'actualité ou à fournir de l'information dans des domaines spécialisés, tels que les sports, les loisirs, les techniques, etc. On distingue différentes catégories de revues, dont le magazine et la revue spécialisée.

Le magazine

Le magazine est un périodique illustré qui traite des sujets les plus divers et qui s'adresse à un vaste public. *L'Express, L'actualité, Le Nouvel Observateur* en sont des exemples. Certains magazines ciblent des marchés précis : les magazines féminins (*Châtelaine, Madame*), les magazines économiques (*Finances, Les Affaires*), les magazines littéraires (*Lire, Nouvelles littéraires*), les magazines d'action politique (*L'Action nationale*), les magazines spécialisés en produits informatiques (*MacWorld Magazine*), etc.

La revue scientifique

Les revues scientifiques (telles que la *Revue d'Histoire de l'Amérique française, Sociologie et Sociétés* ou *Relations industrielles*) publient les résultats de recherches universitaires. Ces revues ont une particularité : les articles qui y sont publiés sont soumis à un comité de rédaction scientifique qui en évalue le contenu en fonction des critères reconnus par la communauté des chercheurs dans telle ou telle discipline scientifique. Généralement, le traitement de l'information est beaucoup plus approfondi dans une revue scientifique que dans un journal ou un magazine.

Une revue avec comité de rédaction

Mentionnons enfin que les articles de revues scientifiques, tout comme certains articles de journaux et de magazines, présentent souvent l'information la plus récente. C'est pourquoi il est essentiel de glisser quelques articles de revue dans un dossier de presse (voir p. 142) et de consulter des revues scientifiques pour effectuer un travail de recherche. Choisissez une revue dans un domaine qui vous intéresse et consultez les sections qui traitent des recherches récentes ou qui font le compte rendu des livres qui viennent de paraître : vous serez ainsi au fait de l'actualité scientifique.

■ REPÉRER LES PÉRIODIQUES

Il existe des milliers de périodiques, parfois dans des domaines tellement spécialisés que l'on n'en soupçonne même pas l'existence. Une recherche sur les Amérindiens, par exemple, peut-elle être valable sans consulter le bulletin *Recherches amérindiennes au Québec,* publié trois fois l'an depuis 1971 ? Une recherche sur le crime organisé nécessite sûrement la consultation de la revue *Criminologie* de l'Université de Montréal, mais aussi celle de la *Revue du barreau canadien* ou de *Ressources et vous,* le bulletin de la Société de criminologie du Québec. Comment repérer rapidement ces titres de périodiques ? Nous vous proposons trois modes d'accès à ces ressources : la bibliothèque du collège, Internet ou les outils de recherche spécialisés.

LA BIBLIOTHÈQUE DU COLLÈGE

Un magazine généraliste

Le portail ou le site Internet de la bibliothèque de votre collège propose une liste alphabétique des titres de périodiques sur papier ou en ligne auxquels elle souscrit un abonnement. Vous pouvez également consulter directement le catalogue pour un titre précis mais, parfois, les titres des périodiques ne rendent pas la nature ou l'étendue des sujets traités. Vous pouvez alors effectuer une recherche par sujet, en limitant votre recherche au support périodique. Vous pouvez aussi vous adresser au personnel spécialisé de la bibliothèque qui vous suggérera des périodiques propres à votre domaine de recherche (➤ *voir le chapitre 6, p. 92*).

INTERNET

Il existe plusieurs outils de recherche dans Internet. Ainsi, pour trouver des revues scientifiques internationales, il faut consulter le *Directory of Open Access Journals* (DOAJ), [www.doaj.org]. Ce service offre le texte intégral des articles de près de 3000 périodiques et la recherche peut être effectuée sous 17 rubriques telles que la philosophie, les arts, l'environnement, etc.

Le portail des revues canadiennes, *Érudit,* rassemble les publications d'une quarantaine d'éditeurs canadiens et français. Il permet d'accéder à la production scientifique des périodiques que l'on trouve généralement dans les bibliothèques universitaires et collégiales. Le site *Érudit* [www.erudit.org] permet de faire la recherche en ligne. Le texte intégral des articles est disponible, sauf pour les deux dernières années, à moins que votre bibliothèque souscrive à un abonnement à un titre en particulier.

Un bon truc pour trouver un périodique dans un domaine qui nous intéresse est de passer par les sites Internet des départements universitaires ou des bibliothèques universitaires. Consultez le site *Pour réussir* [www.pourreussir.com] pour repérer rapidement des sites pertinents.

LES OUTILS DE RECHERCHE SPÉCIALISÉS

Le *Guide annuel des médias 2008* est un annuaire publié à Montréal par les Éditions Infopresse. Il rassemble les données essentielles sur l'état et la consommation des médias québécois. On y trouve la structure des groupes comme Quebecor ou Transcontinental, les activités des géants de la publicité, les entreprises qui envahissent Internet, le nom et le tirage des journaux régionaux, les quotidiens de chaque ville du Québec, les hebdos, etc.

Bibliothèque et Archives nationales du Québec conserve un inventaire complet de tous les périodiques québécois : *Liste des revues et journaux courants québécois.* On peut consulter le catalogue Iris de la bibliothèque à l'adresse suivante : [http://catalogue.banq.qc.ca].

Un magazine rigoureux en littérature française et internationale

Page d'accueil du site *Pour réussir*

▮ TROUVER LES ARTICLES DE PÉRIODIQUES

L'outil qui permet de trouver les articles de périodiques se nomme l'index. On entend par index une liste alphabétique, analytique ou thématique de titres d'articles, de noms d'auteurs et de sujets recensés dans un ensemble de périodiques. Les index sont maintenant disponibles en ligne, la plupart du temps directement sur la page d'accueil du site Internet de votre bibliothèque.

Pour faire une recherche d'information dans la multitude des périodiques, il faut recourir aux index. La figure 8.1 ci-après présente un modèle de recherche dans ce type d'outils.

Une chaîne d'information

La recherche dans les index peut se faire à l'aide d'un vocabulaire libre, c'est-à-dire des **mots de tous les jours** ou d'un vocabulaire contrôlé, c'est-à-dire des **mots clés** ou des **vedettes-matières**.

■ Exemple : « Environnement, États-Unis ».

↓

On consulte les **index en ligne** courants comme *Repère* (➤ *voir p. 138*) pour les périodiques et *Eurêka* (➤ *voir p. 137*) pour les journaux et certains périodiques d'actualité québécois ou français. Ces index fournissent des **références bibliographiques** et des **résumés d'articles** parfois dans le texte intégral (c'est le cas de *Repère*) ou toujours dans le texte intégral (c'est le cas d'*Eurêka*).

■ Exemple : Environnement : George W. Bush, le prédateur n° 1 de la planète / Éric Glover, *Courrier international,* 11 janvier 2004, p. 1.

↓

Après avoir trouvé un article pertinent, s'il n'apparaît pas dans le texte intégral à l'écran, il faut alors trouver le périodique en version papier. S'il s'agit d'un numéro de l'année en cours, on le trouvera directement sur le présentoir des périodiques de l'année en cours ; s'il date de plus d'un an, on le trouvera sur les rayons par ordre alphabétique de titres ou selon la cote qui lui a été attribuée. Il faut alors chercher le périodique *Courrier International* à l'aide de sa cote (054.1C859).

↓

On y trouve l'article d'Éric GLOVER, « Environnement : George W. Bush, le prédateur n° 1 de la planète », à la page un du *Courrier international* du 11 janvier 2004.

Les index en ligne ou sur papier sont aux articles de périodiques ce que les catalogues en ligne des bibliothèques sont aux livres. Ainsi, à partir d'un mot clé ou de mots de vocabulaire libre, il est possible de dresser la liste de tous les articles publiés au cours d'une période donnée dans un grand nombre de périodiques.

Lorsque vous fouillez dans un index, si l'article n'apparaît pas dans le texte intégral, notez le titre de l'article qui vous intéresse, le nom de l'auteur, le volume, le numéro et la date de publication du périodique ainsi que le numéro des pages. Vérifiez ensuite dans la liste des abonnements de périodiques ou dans le catalogue de la bibliothèque si le titre fait partie de la collection. Si oui, repérez le périodique par sa cote ou plus simplement par l'ordre alphabétique.

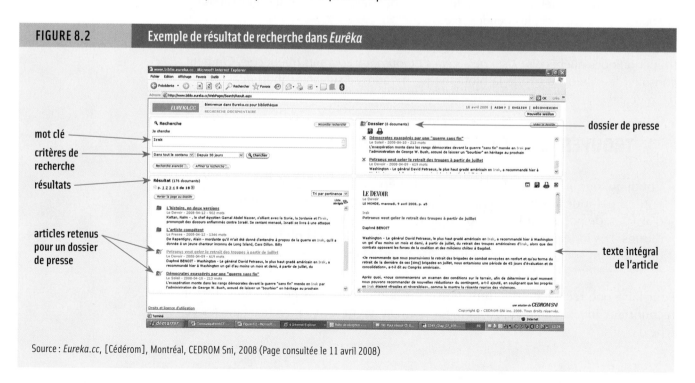

mot clé

critères de recherche

résultats

articles retenus pour un dossier de presse

dossier de presse

texte intégral de l'article

Source : *Eureka.cc*, [Cédérom], Montréal, CEDROM Sni, 2008 (Page consultée le 11 avril 2008)

FIGURE 8.3   Reproduction d'une page de l'index *Le Monde*

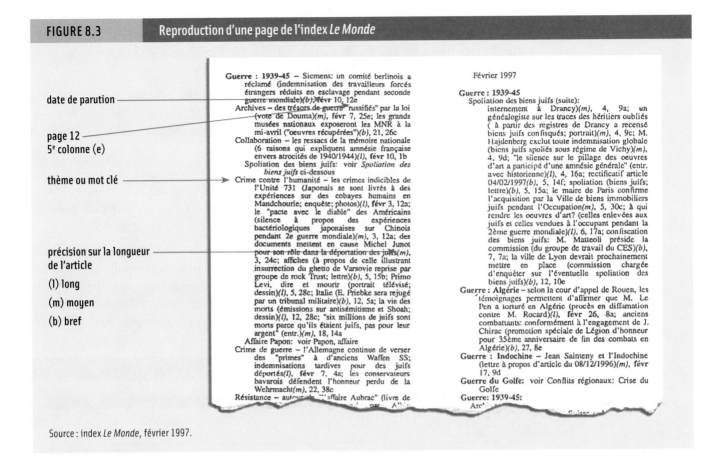

date de parution

page 12
5e colonne (e)

thème ou mot clé

précision sur la longueur
de l'article

(l) long

(m) moyen

(b) bref

Source : index *Le Monde*, février 1997.

LES INDEX DE JOURNAUX

Eurêka répertorie les périodiques francophones et donne accès aux articles dans le texte intégral. La plupart des bibliothèques de collèges offrent *Eurêka,* facilitant ainsi l'accès au texte intégral des articles de revues comme *L'actualité* et de journaux comme *La Presse, Le Devoir, Le Soleil* ou *Le Droit*. De plus, un certain nombre de journaux et de magazines français, tels que le *Courrier International, L'Express, Le Monde diplomatique* et *Le Point* sont accessibles. Vous avez accès à des millions d'articles archivés depuis 1985.

Exemple

Dans le cadre de votre cours d'histoire ou de science politique, vous devez faire une recherche sur l'Irak. Cherchez dans *Eurêka* en utilisant le mot « Irak » et vous aurez accès au texte intégral de centaines de documents tirés du *Devoir,* du *Droit,* de *La Presse,* etc. Dans l'exemple de la figure 8.2, on trouve la liste des articles à gauche et le texte intégral de l'article sélectionné à droite. Vous pouvez ainsi faire défiler les articles et choisir ceux qui sont les plus pertinents pour votre recherche. Vous pouvez ensuite les imprimer, sauvegarder les fichiers en format html, en format texte ou en format Word, ou encore copier et coller ces articles dans un document Word et constituer ainsi votre banque de documents de référence liés à la recherche que vous effectuez (*voir le dossier de presse, p. 142*).

L'**index *Le Monde*** répertorie tous les articles du célèbre quotidien français *Le Monde*. Cet index est idéal pour faire une recherche sur un sujet de portée internationale ou sur l'actualité politique française. L'exemple de la figure 8.3 est tiré de l'index du mois de février 1997. On peut constater la diversité et l'abondance des articles sur la guerre de 1939-1945 parus dans *Le Monde* au cours du seul mois de février 1997.

The New York Times Index est l'index du célèbre quotidien et des refontes bimensuelles, trimestrielles et annuelles.

LES INDEX DE REVUES

Eurêka répertorie les articles de revues comme *L'actualité* et des articles de journaux (➤ *voir les figures 8.2, p. 136 et 8.6, p. 145*).

Canadian Reference Center **de EBSCO** donne accès à des milliers de périodiques, principalement de langue anglaise. Ces périodiques sont disponibles dans le texte intégral à l'écran ou sur papier. Certaines bibliothèques collégiales offrent ce service sur leur portail ou leur site Internet.

Index de périodiques canadiens/Canadian Periodical Index est un index bilingue qui dépouille mensuellement plus de 450 périodiques de langues anglaise et française au Canada (*Liberté, L'actualité, Canadian Business,* etc.) et aux États-Unis depuis 1948. Il donne accès à plus de 1,4 million d'articles.

Repère est une source de référence hors pair dans le monde francophone. Cette banque de données, constituée conjointement par les Services documentaires multimédia (SDM) et Bibliothèque et Archives nationales du Québec, met à votre disposition depuis 1980 près de 450 000 références d'articles tirés de 580 périodiques de langue française, dont 22 000 dans le texte intégral et 12 000 dans Internet [http://repere.sdm.qc.ca].

FIGURE 8.4	Exemple de notice sur l'Irak dans *Repère*

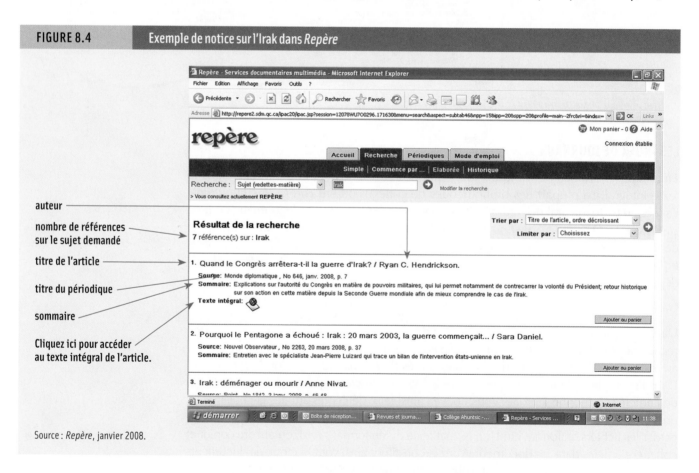

Source : *Repère*, janvier 2008.

Toutes les bibliothèques collégiales offrent un accès à *Repère* sur leur portail ou leur site Internet.

Exemple

Si vous faites une recherche sur l'Irak, vous trouverez les références présentées à la figure 8.4 dans le numéro de janvier 2008 de *Repère*. Après avoir noté les références complètes des articles parus dans des revues telles que *Courrier international,* il ne vous reste plus qu'à consulter la liste des périodiques de votre bibliothèque pour vérifier si elle est abonnée à ces revues pour l'année 2007.

LES RÉPERTOIRES ANALYTIQUES (*ABSTRACTS*)

Un index ne donne que les références bibliographiques de l'article : l'auteur, le titre de l'article, le titre du périodique, les pages, etc. Un répertoire analytique fournit non seulement les références bibliographiques, mais aussi un résumé de l'article, ce qui est précieux lorsqu'on effectue une recherche. Ces répertoires sont très spécialisés. Remarquez que, même si le titre du répertoire est en anglais, on peut y trouver des articles en français ou dans d'autres langues.

Voici quelques exemples de répertoires analytiques :

- *Arts Abstracts,* base de données qui répertorie les articles de plus de 300 périodiques sur les arts.
- *Criminal Justice Abstracts* propose des références tirées d'une centaine de revues internationales spécialisées dans la prévention du crime.
- *Current Contents* dépouille plus de 8000 revues scientifiques internationales.
- *Eric Current Index to Journals in Education* dépouille plus de 700 périodiques dans le domaine de l'éducation.
- *Index de périodiques canadiens* est aussi un répertoire analytique qui présente les comptes rendus des articles dans les revues dépouillées.
- *International Political Science Abstracts* répertorie les articles d'une centaine de revues en politique internationale.
- *Liens Socio.org* fournit des références et des résumés d'articles en sociologie, à l'adresse suivante : [www.liens-socio.org].

SAVOIR UTILISER LES PÉRIODIQUES

Les journaux et les revues doivent être utilisés avec circonspection en raison de la subjectivité des journalistes, des analystes, des éditorialistes et des commentateurs, même si la plupart d'entre eux s'efforcent de rapporter les faits objectivement. Il faut être critique lorsqu'on lit des articles de revues ou de journaux.

La pensée critique est la faculté de réfléchir sur une matière donnée en se posant des questions et en entretenant un doute permanent sur les faits, les opinions et les arguments présentés dans un article de revue ou de journal.

Il faut être critique à l'égard du titre de l'article, de la nature de l'enquête menée par le journaliste, de ses opinions, de l'orientation idéologique des périodiques, de la pensée éditoriale et des articles écrits par des collaborateurs.

Il faut d'abord se demander si le titre de l'article reflète le contenu. Il arrive fréquemment que le titre soit imposé par le chef de pupitre, c'est-à-dire le responsable de la publication du journal. En effet, le journaliste a rarement le dernier mot sur le titre de son article et il arrive que ce titre exagère la portée d'un article ou qu'il dénature son contenu. Les sondages d'opinion, les résultats électoraux et les temps forts d'une crise politique ou économique sont propices à ce genre de distorsion.

Rappelez-vous également qu'un journaliste doit recueillir des témoignages avant de rédiger son texte. En lisant un article, prenez l'habitude de noter le nom et la fonction des personnes interrogées. Le journaliste a-t-il interrogé des personnes de toutes les parties en cause? Dans l'article tiré du journal *La Presse* du 31 janvier 2004 présenté à la figure 8.5, qui porte sur la privatisation du transport en commun, le journaliste a interrogé de nombreux intervenants, des chefs syndicaux et des directeurs d'organismes, en plus de citer le ministre du Transport et le rapport Bernard sur le financement de la Société de transport de Montréal.

FIGURE 8.5 — Lecture critique d'un article de journal

Source: *La Presse*, Montréal, 31 janvier 2004.

TACTIQUE — **Exercer sa pensée critique**

Pour vous convaincre de l'importance d'être critique à l'égard de vos sources d'information, voici des éléments à considérer lorsque vous constituez un dossier de presse.

- Rendez-vous à la bibliothèque ou chez le marchand de journaux et choisissez trois revues d'actualité, par exemple *L'actualité* (Canada), *Time Magazine* (États-Unis) et *Le Nouvel Observateur* (France).

- Trouvez les articles qui traitent du même sujet, par exemple la guerre en Irak, le sida en Afrique, les femmes dans les partis politiques, etc.

- Lisez-les en notant sur une feuille le titre, les sous-titres et les conclusions des auteurs de ces articles.

- Comparez-les. Il peut arriver que les articles disent sensiblement la même chose, mais il se peut fort bien qu'au contraire, ils énoncent des points de vue complètement différents.

- Ajoutez une quatrième colonne sur votre feuille et indiquez-y les points sur lesquels vous êtes en accord ou en désaccord. C'est ainsi que vous exercerez votre pensée critique.

Par ailleurs, apprenez à distinguer un fait établi d'une opinion sur ce fait. Un fait est un événement, une action, dont l'authenticité peut être prouvée ou attestée par des témoins. Une opinion est un jugement de valeur.

Ainsi, « Le président irakien Saddam Hussein a été exécuté le 31 décembre 2006 » et « Le chef libéral Jean Chrétien a quitté la vie politique en décembre 2003 » sont des faits. En revanche, « Le président Hussein était un mauvais président » et « Le gouvernement Chrétien a fait beaucoup de bien au Canada » sont des opinions, car les énoncés comportent un jugement de valeur (« mauvais », « bien »).

Il faut se méfier des opinions déguisées en énoncés de faits… Il arrive que des journalistes camouflent leurs opinions sous une accumulation de faits ou qu'ils en cachent certains. Il faut faire preuve de prudence et vérifier l'information deux fois plutôt qu'une.

Il ne faut pas oublier que les journaux ont une « personnalité », voire une idéologie ou une ligne de pensée. Les périodiques semblent présenter les faits de façon objective : le ton des rédacteurs, l'aspect soigné, les photographies et les beaux graphiques, tout concourt à donner l'impression au lecteur qu'il s'agit de la « pure vérité ». En réalité, il en va parfois tout autrement. Les revues et les périodiques sont produits par des personnes qui travaillent ensemble à donner une certaine « image » à leur « produit ». Les gens peuvent difficilement faire abstraction de leur parti pris, de leurs opinions, de leur idéologie, même s'ils prétendent ne pas en avoir. Enfin, l'éditorial, on l'a vu, est un article qui donne le ton au journal, celui où la direction du journal prend position sur l'actualité. L'éditorialiste émet donc des opinions.

Lisez l'éditorial du journal d'aujourd'hui en prenant note des opinions et des faits qui y sont exprimés. Demandez-vous quelle est la *position* de l'éditorialiste ? Sur quels arguments son opinion s'appuie-t-elle ? Quelle serait la position contraire à la sienne ? Quelles sont les forces et les faiblesses de chacune de ces positions ? Quelle est votre opinion sur le sujet ? Laquelle des positions est la plus souhaitable ? Pourquoi ?

Vous pouvez également choisir une lettre ouverte, publiée généralement dans la page éditoriale, et reprendre le même questionnement. Vous pouvez rédiger une lettre ouverte sur le sujet de votre choix ou sur le sujet abordé par l'éditorialiste et l'envoyer au journal. Vous ne devez pas appuyer votre analyse des faits sur des opinions toutes faites ni évoquer des lieux communs, vous devez plutôt chercher à convaincre en présentant des arguments, des exemples, des faits, des statistiques et des comparaisons. Vous aiguiserez ainsi votre sens critique et vous serez plus apte à forger vos propres opinions.

Afin de développer une méthode d'analyse des périodiques, consultez l'ouvrage de Lise Chartier, *Mesurer l'insaisissable : méthode d'analyse du discours de presse* (➤ *voir la bibliographie, p. 250*).

Page éditoriale du journal
Le Devoir, **31 janvier 2008**

CONSTITUER UN DOSSIER DE PRESSE

Le dossier de presse est un assemblage ordonné de coupures (erronément appelées « découpures ») de journaux et d'articles de revues sur un sujet donné couvrant une période de temps définie. Il peut être précédé d'une présentation qui analyse la documentation. Les coupures sont présentées dans un ordre chronologique ou thématique.

UN TYPE D'INFORMATION PRÉCIS : LA NOUVELLE

Le dossier de presse requiert la collecte d'un type d'information bien précis : la nouvelle ou l'analyse des nouvelles. La nature de l'information doit être bien comprise. La nouvelle est une chaîne qui part d'un fait ou d'un événement comprenant des acteurs, un ou plusieurs témoins (souvent les informateurs ou les émetteurs de la nouvelle), un récepteur (le journaliste), un message et des réactions consécutives à la réception de ce message.

Il existe plusieurs intermédiaires entre l'événement et la une (première page) d'un quotidien : le correspondant qui sélectionne les faits, l'agence de presse, le journaliste au bureau et le chef de pupitre du quotidien. Or, tous ces journalistes, informateurs et spécialistes de l'information ne réussissent à couvrir qu'une infime partie des événements quotidiens, soit moins de 1 %. Le bulletin d'informations de la SRC, par exemple, dure de 15 à 20 minutes et devrait, en principe, résumer ce qui s'est passé dans la journée de 7 milliards d'habitants dans plus de 190 pays... ce qui est évidemment impossible. Il y a donc nécessairement un choix qui est fait en fonction du public visé et des orientations idéologiques des professionnels de l'information.

En somme, « l'information » est un concept qui prend un sens différent selon le pays, l'idéologie et le type de média : une même nouvelle relative à l'occupation militaire de l'Irak par les Américains n'est certainement pas rapportée de la même façon par les correspondants de la chaîne arabe *Al Jazira,* par exemple, et par les journalistes américains de CNN. Comme nous l'avons vu, il faut toujours consulter les journaux avec un grand sens critique.

LES AGENCES DE PRESSE

La création des agences de presse remonte au 19ᵉ siècle, lors de la fondation de l'Agence Havas par Charles-Louis Havas en 1835[2]. Cette société allait devenir la prestigieuse Agence France-Presse en 1944.

L'Agence France-Presse (AFP), l'Associated Press (AP), la United Press International (UPI) et l'Agence Reuters sont les quatre principales agences internationales. Elles fournissent 90 % de l'information internationale présentée dans nos bulletins d'informations ou reproduite dans nos journaux.

Les agences recueillent les nouvelles aux quatre coins du monde grâce à des milliers de correspondants qui font parvenir des articles revendus aux journaux, aux stations de télévision, etc. Les grandes agences de presse monopolisent la diffusion de l'information dans le monde en raison de leurs énormes moyens financiers. Les sites Internet de ces agences constituent également de véritables mines de renseignements sur l'actualité scientifique, politique, économique, culturelle ou autres. Le tableau 8.2 présente les principales agences de presse nationales et internationales dans le monde actuellement.

---

2.   Patrick WHITE, *Le village CNN. La crise des agences de presse,* Montréal, Presses de l'Université de Montréal, 1997, p. 55.

TABLEAU 8.2		Quelques agences de presse nationales et internationales
Agence (sigle)	**Pays**	**Caractéristiques et adresse Internet (http ://)**
Agence Chine nouvelle (Xinhua)	Chine	Agence officielle, contrôlée par le Parti communiste chinois. [www.xinhua.org] En français : [www.french.xinhuanet.com].
Agence EFE	Espagne	Cette agence fournit des nouvelles en espagnol à plus de 40 pays. C'est l'agence numéro un dans les pays d'Amérique latine. [www.efe.es]
Agence France-Presse (AFP)	France	Fondée en 1835, l'entreprise est nationalisée depuis 1940. Elle compte des milliers de collaborateurs dans 165 pays et offre des nouvelles en six langues. [www.afp.com/francais/home]
Agenzia Nationale Stampa Associata (ANSA)	Italie	Elle emploie des correspondants dans plus de 89 pays. [www.ansa.it]
Agence de presse canadienne (PC)	Canada	La PC est une coopérative de 99 journaux sociétaires canadiens. Elle alimente aussi plus de 500 stations de radio et de télévision. [www.cp.org/default.aspx]
Associated Press (AP)	États-Unis	Cette agence, qui existe depuis 1848, emploie 3500 journalistes dans plus de 138 pays. En français : [www.ap.org/francais/news/index.htm].
Deutsche Press Agentur (DPA, Agence de presse allemande)	Allemagne	Fondée en 1949, cette agence offre des services dans 100 pays. Site Internet offert en allemand, en anglais, en espagnol et en arabe. [www.dpa.de]
ITAR-TASS (Information Telegraph Agency of Russia – Telegrafnoe Agentsvo Sovietskaya Soïouza)	Russie	L'agence TASS, fondée en 1904 et renommée ITAR-TASS en 1992, compte des bureaux dans 62 pays. Elle est la principale source d'information sur la Communauté des États indépendants (CEI) et la Russie. [www.itar-tass.com/eng]
Reuters (Reuters)	Grande-Bretagne	Cette agence, fondée en 1851, compte 2400 journalistes dans 130 pays. [www.reuters.com] En français : [www.reuters.fr].
United Press International (UPI)	États-Unis	Fondée en 1907, cette agence de presse basée à Washington possède des bureaux à Hong Kong, à Londres, à Santiago, à Séoul et à Tokyo. [www.upi.com]

Source : adapté de sites Internet des différentes agences et de Patrick WHITE, *op. cit.*

LES CARACTÉRISTIQUES D'UN BON DOSSIER DE PRESSE

www.pourreussir.com

Pour accéder directement aux sites Internet suggérés dans ce tableau.

Un bon dossier de presse présente les caractéristiques suivantes : un sujet bien délimité, des sources variées et crédibles, différents points de vue, un classement chronologique rigoureux, une bonne couverture de la période et une présentation impeccable.

Un sujet bien délimité

Constituez votre dossier autour d'un thème circonscrit dans le temps et dans l'espace. Indiquez clairement la période et l'espace (le territoire) couverts par le dossier. Quel est le sujet précis du travail ? Quelle est la période couverte ? S'agit-il d'un dossier d'actualité ou d'un dossier historique ? Par exemple, devez-vous couvrir tout le Québec ou seulement votre région ?

Des sources variées

Nous avons vu que les journaux ne présentent pas le même type d'informations que les revues. Vous devez donc consulter des journaux, des revues et des magazines afin de vous assurer d'avoir un large éventail d'informations.

Cependant, vos sources doivent toutes être crédibles, c'est-à-dire que l'information recueillie doit avoir été vérifiée par des journalistes sérieux qui écrivent dans des périodiques renommés. Ne consultez pas des magazines qui visent à divertir plutôt qu'à informer. Ainsi, les articles de *Sélection du Reader's Digest* ou de l'hebdomadaire *Le Lundi* ne sauraient constituer la matière première d'un bon dossier. Lisez des périodiques sérieux, des revues scientifiques et des journaux empreints d'objectivité, de professionnalisme et de rigueur. N'hésitez pas à consulter votre bibliothécaire et votre enseignant à ce sujet.

Une revue crédible en histoire

Différents points de vue

Assurez-vous également de présenter une grande variété de points de vue : celui des acteurs, des journalistes, des autorités politiques, des analystes de diverses tendances, des éditorialistes et des chroniqueurs. Consultez les journaux anglophones et francophones dans la mesure du possible et choisissez une gamme d'opinions.

Un classement chronologique rigoureux et une bonne couverture de la période

Classez les articles selon leur date de parution, les uns à la suite des autres. Assurez-vous de bien couvrir toute la période visée. N'hésitez pas à découper quelques articles antérieurs à cette période ; ils pourront vous fournir des explications sur les causes des phénomènes étudiés. Consultez les journaux jusqu'à la date de remise de votre dossier ; vous pourriez peut-être tomber sur un article qui fait le point sur la question.

Une présentation impeccable

Découpez ou photocopiez les articles en indiquant leur source (titre du périodique, date de parution et numéro de la page), et collez-les sur des feuilles de format de 22 cm sur 28 cm. Classez les articles dans l'ordre chronologique de parution. Dressez une table des matières. Faites une page de titre selon le modèle proposé en p. 206. Présentez le dossier de presse en informant le lecteur de la période couverte et du thème abordé. Rédigez au besoin une analyse des événements en dégageant les grandes lignes des documents présentés, le rôle des principaux acteurs, l'enchaînement des événements, etc. À la fin du dossier, dressez la bibliographie complète des articles consultés (► *voir p. 222*).

L'ÉDITION D'UN DOSSIER DE PRESSE

Rien de plus facile que d'éditer une revue de presse avec *Eurêka,* par exemple, accessible sur le site Internet de votre bibliothèque. Effectuez une recherche, disons sur le thème des « accommodements raisonnables », en spécifiant la période de publication des articles. Dans l'exemple de la figure 8.6, *Eurêka* retient 34 articles parus en français au cours des 30 jours précédant le 8 avril 2008, date de la recherche. Sélectionnez ceux qui vous intéressent et faites glisser ces articles dans le dossier à droite de l'écran ; sauvegardez les textes en format PDF dans le texte intégral. Une revue de presse est alors automatiquement éditée, avec une table des matières, une date de création, la source et le texte intégral des articles sur trois colonnes ; cette revue peut être sauvegardée ou imprimée.

FIGURE 8.6	Une revue de presse dans *Eurêka*

date de création
du dossier

table des matières
(page titre du dossier)

titre de l'article

source (journal, date)

pagination du dossier
de presse

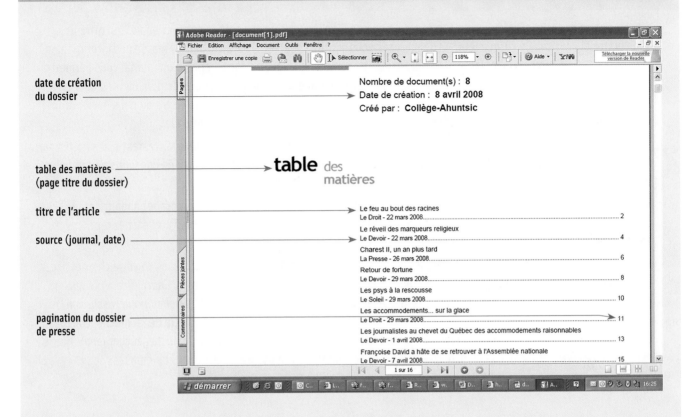

périodique

date de parution
et page

titre de l'article

auteur

texte intégral de l'article,
sur trois colonnes

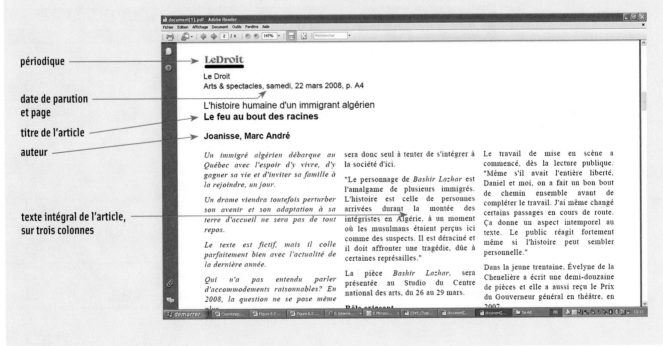

– Aiguisez votre curiosité. Choisissez un quotidien qui couvre bien l'actualité nationale et internationale, qui offre une page éditoriale et lisez-le chaque jour. Au début, vous vous sentirez peut-être perdu devant la masse des informations et vous mettrez du temps à démêler le fil des événements. Toutefois, la lecture quotidienne d'un journal vous permettra de vous familiariser avec l'information et le traitement qu'on en fait dans les journaux. Ainsi, le nom du président de l'Autorité palestinienne, l'action humanitaire de tel organisme ou la conduite du premier ministre du pays deviendront des éléments familiers pour vous et vous continuerez de lire le journal pour le reste de votre vie.

– Soyez organisé. Sélectionnez des articles en fonction de vos intérêts personnels et de l'importance des sujets traités par rapport à vos études. Découpez les articles importants qui portent sur ces sujets et constituez des dossiers personnels que vous pourrez consulter le moment venu.

– Soyez à l'aise à la bibliothèque. Fréquentez la salle des périodiques de votre bibliothèque, apprenez à maîtriser les cédéroms comme *Repère* et *Eurêka* de même que les ressources Internet (➤ *voir le chapitre 7*), et sachez repérer vos périodiques favoris sur les rayons ou les présentoirs.

– Développez un esprit scientifique et critique. Découvrez les revues scientifiques dans les disciplines de votre choix et lisez-les régulièrement, même si vous ne les lisez pas en entier. Des périodiques comme *L'actualité* ou *Châtelaine* n'ont aucune prétention scientifique : recherchez plutôt des revues scientifiques (➤ *voir le site* Pour réussir [*www.pourreussir.com*]). Portez attention au nom des auteurs, à l'établissement auquel ils sont rattachés (université, centre de recherche, collège) et aux conclusions de leurs travaux. Un journal comme *Le Monde diplomatique* est une publication de gauche, tandis que le périodique *Les Affaires* adopte un point de vue conservateur : soyez à l'affût des partis pris et des opinions !

À RETENIR La pensée critique	Oui	Non
Est-ce que je connais les différents types de périodiques ?	❑	❑
Est-ce que j'utilise une stratégie de recherche de l'information dans les index ?	❑	❑
Est-ce que je lis un quotidien ?	❑	❑
Est-ce que j'exerce ma pensée critique lorsque je lis des articles de périodiques ?	❑	❑
Est-ce que je construis des dossiers de presse rigoureux, variés et bien présentés ?	❑	❑
Est-ce que je fréquente les sites Internet des grands journaux et des revues ?	❑	❑
Est-ce que je m'informe du contenu des principaux périodiques dans mon domaine ?	❑	❑

Pierre Duchesne

journaliste et auteur

Cégep de Saint-Jérôme
Le Collège des Laurentides

Né en 1964 à Jonquière, Pierre Duchesne obtient un DEC en Sciences humaines au cégep de Saint-Jérôme en 1983, puis un baccalauréat en Sciences politiques et un certificat en Journalisme à l'Université Laval. Pendant ses études universitaires, il est choisi, avec quelques collègues, comme stagiaire à la radio de Radio-Canada. Il y occupe un poste de journaliste permanent à partir de 1990, puis il migre vers la télévision de Radio-Canada, où il participe à l'émission *Zone Libre*. En 2001, 2002 et 2004, il publie les trois tomes d'une biographie non autorisée de Jacques Parizeau : *Le Croisé*, *Le Baron* et *Le Régent*. Il pratique également le journalisme d'enquête et il est journaliste correspondant à la colline parlementaire.

L'importance du débat

Lorsque Pierre Duchesne entre au cégep, au début des années 1980, le Québec se remet à peine du premier référendum sur la souveraineté alors que l'URSS et les États-Unis sont en pleine guerre froide. Devant cette instabilité politique, les étudiants et les enseignants ne sont pas toujours sur la même longueur d'onde, mais pour Pierre Duchesne, le débat est une forme d'apprentissage très stimulante. « Les professeurs, parce qu'ils construisaient bien leurs cours et nous proposaient des activités pratiques, m'ont donné une longueur d'avance pour l'université », raconte-t-il. Passionné d'histoire et de politique, il s'engage dans le mouvement étudiant, saisissant ainsi une autre occasion de débattre et d'apprendre.

L'apprentissage des médias

Les études collégiales lui permettent d'abord d'acquérir une base solide quant à l'utilisation méthodologique des médias, acquisition essentielle pour le journaliste en devenir. Mais l'apprentissage va plus loin : « C'est au cégep que j'ai compris que, si on s'intéresse à la politique, il faut lire au moins un journal par jour et écouter les nouvelles. C'est là que j'ai commencé à lire *Le Devoir*. Au début, je voyais ça presque comme un travail, je me forçais à lire chaque article. Puis, j'ai compris qu'on pouvait et qu'on devait choisir, pour pouvoir tirer son point de vue de plusieurs textes et construire une argumentation nuancée. »

La passion, facteur de réussite

« À 13 ans, je voyais Bernard Derome à la télévision et je voulais être journaliste à Radio-Canada. Savoir ce qu'on aime est un moteur : c'est important d'avoir une passion pour nous guider. » ∎

Réussir de bons travaux

Rédiger un texte

Julien et Stéphanie au cégep

« Épreuve uniforme de français » : les professeurs de français de Julien et de Stéphanie ne semblent avoir que ces mots-là à la bouche ! Leurs cours, se plaisent-ils à répéter, constituent une excellente préparation à cette épreuve, mais cela n'empêche pas les étudiants d'être anxieux ! Stéphanie, qui a toujours aimé écrire, n'est pas tellement stressée à l'idée de rédiger un texte. Toutefois, quand elle doit rédiger une dissertation, elle a toujours de la difficulté à respecter la structure et préfère suivre le fil de ses pensées. Quand le professeur lui remet son travail, les commentaires « décousu » et « désorganisé » apparaissent donc souvent dans la marge… Julien, lui, s'inquiète du contenu de la dissertation. Il a entendu dire qu'il devra faire appel à ses « connaissances littéraires », mais il n'a pas l'impression d'en connaître bien long sur la littérature en dehors de ce qui lui a été enseigné… Sera-t-il évalué sur sa culture personnelle ? Devra-t-il se souvenir de tout ce qu'il a appris dans ses cours ?

Et voilà maintenant que son enseignant de philosophie parle lui aussi de dissertation ! Cependant, le nombre de mots n'est pas le même que celui de la dissertation qu'il doit rédiger en littérature et la structure est différente. Julien a peur de confondre les consignes d'une dissertation explicative avec celles d'une dissertation critique ou philosophique. Au fond, Julien aimerait bien avoir un mode d'emploi et connaître les étapes à suivre pour rédiger un texte, qu'il s'agisse d'un résumé, d'un compte rendu ou d'une dissertation.

OBJECTIFS

Après avoir lu attentivement le présent chapitre, vous serez en mesure :

■ de résumer un texte ;

■ de rédiger un compte rendu sur un événement ou un texte ;

■ de rédiger une analyse de texte, une dissertation explicative ou une dissertation critique ;

■ de rédiger une dissertation philosophique.

Vos tâches scolaires vous amènent à consulter des textes écrits par des écrivains, des scientifiques ou des spécialistes de différentes disciplines. Dans le cadre de vos études, on vous demande parfois de résumer ces textes, de les analyser, de les critiquer, bref de les expliquer. Ainsi, on peut vous demander de rédiger une dissertation explicative ou critique en vous basant sur un sujet d'actualité, un courant littéraire ou une idée philosophique.

Lorsque vous rédigez un texte, vos arguments ou vos idées doivent être énoncés de manière structurée et claire, votre style doit être limpide et votre texte, exempt de fautes. La tâche peut vous paraître titanesque, mais au lieu de vous affoler, adoptez une méthode de travail qui vous récompensera de vos efforts. Voici quelques règles simples pour vous aider à rédiger un texte.

www.pourreussir.com

Exemples de différents types de textes

RÉSUMER UN TEXTE

LE RÉSUMÉ

> Résumer vient du latin *resumere*, qui signifie « reprendre ». Un résumé n'est rien d'autre qu'un texte récrit dans un espace limité, un condensé ou une contraction fidèle d'un texte original ; une recomposition où l'on traduit dans ses propres mots les idées, les arguments, le mouvement même de la pensée, l'esprit et, si c'est possible, le ton du texte proposé.

Deux règles d'or[1] prévalent lorsqu'on résume un texte.

■ **Première règle : être fidèle au texte** Lorsque vous résumez un texte, exprimez uniquement la pensée de l'auteur sans ajouter vos propres réflexions. Évitez toute interprétation ou rectification de la pensée de l'auteur. Respectez les idées de l'auteur, son style et même le ton qu'il emploie.

■ **Seconde règle : être clair et cohérent** Bâtissez votre résumé autour de l'idée centrale. Ne résumez pas chacun des paragraphes. Regroupez les idées selon leur ordre de présentation afin de faire ressortir la logique de l'argumentation de l'auteur. En somme, le résumé doit être clair et parfaitement compréhensible en lui-même, c'est-à-dire que le lecteur doit pouvoir en saisir le sens sans avoir lu le texte original.

Habituellement, le résumé doit contenir un nombre de mots équivalant à 20 % du texte original. Ainsi, le résumé d'un texte de 4000 mots comprendra 800 mots. Le logiciel Word calcule automatiquement le nombre de mots dans un texte.

LES ÉTAPES POUR RÉDIGER UN RÉSUMÉ

Préparer la lecture du texte

Avant de lire le texte, découvrez l'auteur, situez le texte dans l'œuvre de ce dernier et dans son contexte.

Découvrir l'auteur

Consultez un dictionnaire des noms propres, par exemple *Le Petit Robert*, pour connaître l'auteur et le situer historiquement, s'il y a lieu. S'il s'agit d'un auteur littéraire, consultez également un dictionnaire des auteurs ; si l'auteur appartient au monde de la politique ou de la science, consultez un dictionnaire biographique ou une encyclopédie (► *voir le chapitre 6, p. 99 et 100*).

---

1. Marcel BORET et Jean PEYROT, *Le résumé de texte*, Paris, Chotard, 1969, p. 35.

Situer le texte dans l'œuvre de l'auteur

Cette opération n'est pas obligatoire dans le cas du résumé d'un court texte qui doit être rédigé en peu de temps. Toutefois, si vous devez résumer un long texte et que vous avez le temps de vous préparer, prenez connaissance de l'ensemble de l'œuvre de l'auteur. Ainsi, l'écrivain François Gravel (► *voir p. 173*) a publié une cinquantaine de romans depuis trente ans ; l'historien et sociologue Gérard Bouchard est l'auteur de nombreuses publications dans des domaines variés, tandis que le philosophe Georges Leroux a abordé divers champs de la connaissance dans ses travaux d'épistémologie ou de réflexion sur l'art, la religion, l'histoire des idées, etc. Prendre connaissance de l'œuvre d'un auteur, c'est un préalable à la lecture d'un texte particulier, une façon d'accéder encore plus rapidement au sens même du texte.

Situer l'œuvre dans son contexte[2]

Le texte est le témoin d'une époque en même temps qu'il en est, en quelque sorte, le produit. Découvrez le contexte sociohistorique de l'œuvre, repérez les événements politiques, économiques et culturels qui auraient pu en influencer la rédaction. Une œuvre écrite pendant la Révolution française, un article publié dans une revue d'extrême droite en 1935 ou un pamphlet souverainiste publié en pleine campagne référendaire de 1995 sont des textes marqués par leur époque. De plus, prêtez attention au contexte littéraire d'une œuvre en identifiant le courant ou le mouvement littéraire auquel elle est associée, s'il y a lieu. Un essai de Montaigne sera rattaché à la Renaissance (16e siècle), un roman de Simone de Beauvoir appartiendra au courant existentialiste (1940-1960), etc. Enfin, il peut être nécessaire de situer l'œuvre dans le contexte personnel de l'auteur, en relevant les éléments pertinents qui ont eu un effet direct sur l'écriture de l'œuvre.

Michel Eyquem de Montaigne
(1533-1592)

Lire le texte activement

Appliquez les consignes liées à la lecture active (► *voir le chapitre 3, p. 36*).

Annoter le texte

Faites d'abord un survol du texte, soit en le lisant en entier, soit en ne lisant que l'introduction, les grands titres et la conclusion. Cette étape de repérage des éléments constitutifs d'un texte est cruciale. Procédez ensuite à une lecture active sans oublier de vous munir d'un crayon, d'un marqueur et d'un dictionnaire usuel. Prenez connaissance du texte et efforcez-vous de le comprendre. Pour ce faire, soulignez les mots clés et les phrases qui développent une idée principale. Encadrez les paragraphes significatifs. Annotez le texte dans la marge pour faire ressortir une idée, un concept, un lien, ou pour poser une question (► *voir l'exemple d'un texte souligné et annoté, p. 41*). Cherchez dans un dictionnaire le sens des mots difficiles ou de ceux que vous ne connaissez pas et prenez des notes.

Comprendre la structure du texte

Après avoir lu le texte, regroupez les paragraphes portant sur un même thème, numérotez-les, donnez-leur un titre qui résume l'idée principale ou reprenez les titres utilisés par l'auteur. Créez autant de sections qu'il le faut. Écrivez les titres sur une feuille à part ; vous pourrez ainsi saisir la structure du texte en un seul coup d'œil.

Pour reproduire fidèlement l'ordre de présentation des idées ou des arguments, relevez les idées principales de chaque paragraphe (dans le cas d'un court texte) ou de chaque partie (si vous résumez un long texte). Si le texte compte plus d'une page, vous

---

2. Carole PILOTE, *Guide littéraire*, 2e éd., Montréal, Beauchemin, 2007, p. 5.

n'avez pas à reprendre l'idée de chaque paragraphe, car le résumé serait beaucoup trop long.

Présentez les liens logiques que l'auteur crée entre les idées principales. Par exemple, une idée peut être la conséquence d'une autre; elle peut aussi apporter une nuance, une réserve, ou présenter une opinion opposée. Choisissez de bons marqueurs de relation (➤ *voir p. 38*), afin de bien structurer votre texte. Utilisez judicieusement ces mots de transition indispensables pour faire ressortir les liens entre les idées.

Dresser le plan du résumé

Dressez le plan du texte, qui sera le plan du résumé, en écrivant les idées principales et leur enchaînement sur une feuille à part. Ce plan vous aidera à rédiger votre résumé.

Le fait de lire son texte à voix haute permet de repérer les phrases mal structurées, les idées mal formulées.

Rédiger une version préliminaire

Placez devant vous le plan ou le schéma du texte que vous avez construit. À l'aide de ce plan, reconstituez l'argumentation de l'auteur dans vos propres mots, en respectant le cheminement de sa pensée. Rédigez une première version de votre résumé sur des feuilles lignées ou, mieux encore, utilisez un logiciel de traitement de texte tel que Word. Grâce à cet outil, l'étape de la rédaction définitive se limitera à corriger le texte, à l'améliorer et à le rendre concis, plutôt qu'à le transcrire au propre. Dans un premier temps, ne vous préoccupez ni du style ni de la longueur du texte; vous le ferez au moment de la rédaction définitive.

Utilisez un vocabulaire précis, lié au contenu du texte à résumer. Faire le résumé d'un texte consiste à le traduire dans vos propres mots, mais jamais à paraphraser (répéter le texte) ni à reprendre des bouts de phrases ici et là. Cependant, il est parfois impossible de remplacer des mots techniques qui ont un sens précis. Ainsi, dans un texte de psychologie sur le rêve, les mots désignant des concepts comme « psychanalyse », « refoulement », « inconscient » ou « censure » ne peuvent être remplacés par des synonymes.

Évitez le style indirect; n'utilisez pas des formules telles que « l'auteur dit que… », « selon l'auteur », « il faut se mettre à la place de l'auteur », etc.

Sachez qu'il existe plusieurs techniques pour résumer une partie de texte[3].

■ Supprimez les éléments inutiles. Ainsi, dans la phrase « Internet connaît une popularité grandissante, il est adopté par de plus en plus de gens […] », la dernière partie (« il est adopté par de plus en plus de gens […] ») n'ajoute pas une idée nouvelle et peut donc être supprimée.

■ Sélectionnez les mots clés, ceux qui donnent un sens à la phrase et au paragraphe, et organisez le résumé autour de ces mots. Dans la phrase « Les études faites par l'Institut international de Stockholm pour la recherche de la paix (SIPRI) estiment qu'en dollars constants les dépenses militaires mondiales ont connu depuis 1948 une tendance générale à la hausse[4] », on retiendra les mots « dépenses militaires mondiales », « depuis 1948 » et « hausse ». On aura alors la phrase suivante: « Depuis 1948, les dépenses militaires mondiales sont en hausse. »

■ Condensez l'information essentielle. Pour remplacer une énumération ou un développement, trouvez une expression qui traduira l'idée de l'auteur sans les répétitions.

---

3. Selon Robert BESSON, *Guide pratique de la communication écrite*, Paris, Éditions Casteilla, 1987, p. 92 ss.
4. Bernard DIONNE et Michel GUAY, *Histoire et civilisation de l'Occident*, 2e éd., Laval, Éditions Études Vivantes, 1994, p. 474.

Au lieu de « les journaux, les revues, les bulletins et l'ensemble des publications de ce genre », dites « les périodiques ». La phrase « Le mouvement des suffragettes se radicalise avant la guerre de 1914 et il s'accompagne d'attentats à la bombe, de violentes manifestations de rue, de lacération de tableaux dans les musées et de rudoiement de parlementaires opposés au vote des femmes[5] » se résume par « le mouvement des suffragettes passe à l'action violente avant la guerre de 1914 ».

Mettez votre texte de côté pendant quelque temps. Après quelques heures, voire une journée ou deux, vous pourrez le retravailler en ayant un regard plus détaché sur votre production.

Rédiger la version définitive

Au moment de rédiger la version définitive de votre résumé, assurez-vous d'équilibrer les parties du résumé selon la structure même du texte original. Posez-vous ensuite la question : ai-je respecté la thèse ou l'idée principale de l'auteur ?

Prêtez attention au nombre de mots (selon les exigences de l'enseignant). Éliminez les expressions superflues ou répétitives, les exemples et les qualificatifs. Attention ! Tous les mots comptent, y compris les articles tels que « un », « le », « la », « les » et « l' ». Par exemple, dans la phrase « Y a-t-il des liens ? », on compte six mots, puisque même le « t » euphonique compte pour un mot.

Relisez votre version préliminaire en corrigeant le style et les fautes d'orthographe et de syntaxe. Utilisez le correcteur d'orthographe intégré au logiciel de traitement de texte ou un logiciel tel Antidote, si vous y avez accès au collège.

Assurez-vous enfin de prêter une attention toute particulière à la présentation de votre texte, qui doit respecter les normes méthodologiques de base (➤ voir le chapitre 11, p. 200).

www.pourreussir.com
Exemples de résumés

RÉDIGER UN COMPTE RENDU

LE COMPTE RENDU

On peut faire le « compte rendu » d'une activité, d'une entrevue, d'un article de journal, d'un livre, d'un événement, d'un colloque, d'un stage d'observation, d'une visite au musée, etc. Le compte rendu est soit le récit d'une activité ou d'un événement dans le but d'exposer les faits objectivement, soit le récit d'un ouvrage dans le but d'en révéler le contenu, la structure. C'est le compte rendu informatif. On peut aussi vous demander de faire la critique de l'événement ou de l'ouvrage. Il s'agit alors d'un compte rendu critique.

LES ÉTAPES POUR RÉDIGER LE COMPTE RENDU D'UN ÉVÉNEMENT

Préparer le compte rendu

Un événement peut être une conférence internationale, un stage d'observation, une assemblée du conseil d'administration de votre coopérative, une manifestation, etc. Préparez votre compte rendu en vous informant à l'avance sur la nature de l'événement, sur les participants, sur les organisateurs de l'événement et sur les buts qu'ils poursuivent.

---

5. *Ibid.*, p. 413-414.

Une manifestation est un événement porteur de sens. Son compte rendu doit être tout aussi rigoureux que celui d'une exposition, d'un stage, etc.

Assister à l'événement

Pour rédiger un compte rendu fidèle et bien structuré, prenez des notes, analysez les caractéristiques de l'événement et dressez un plan de rédaction.

Prendre des notes

Assistez à l'événement en prenant des notes de manière structurée et complète (▶ *voir le chapitre 2, p. 18*). Assurez-vous de noter les éléments suivants : la date de l'événement, les noms des organisateurs (il peut s'agir d'un organisme, d'un parti politique, d'une association, etc.), le nombre de personnes, la nature des lieux, la nature et le déroulement des activités, les moments forts, etc. S'il y a lieu, recueillez la documentation pertinente : horaire ou déroulement de l'événement, guide, dépliant, etc.

Dresser le plan du compte rendu

Dressez le plan du compte rendu en vous inspirant de la structure suivante :

- introduction ;
- présentation de l'événement ;
- déroulement de l'événement ;
- analyse de l'événement ;
- conclusion.

Rédiger une version préliminaire

1. Rédigez l'introduction à la fin, lorsque vous aurez terminé la rédaction du compte rendu. Vous y présenterez l'activité ou l'événement (sujet amené), vous en ferez ressortir l'importance (sujet posé) et vous décrirez les sections de votre compte rendu (sujet divisé). L'introduction ne contient pas d'éléments de contenu ; elle donne simplement au lecteur un aperçu du compte rendu.

2. Présentez la nature de l'événement et faites ressortir son importance : le nombre de personnes, la description de l'événement, la date, le lieu, etc.

3. Rédigez un bref résumé du déroulement de l'événement, de manière à répondre aux questions suivantes : qui ? quoi ? où ? quand ? comment ? (type d'activité) et pourquoi ? (objet de l'activité).

4. Analysez ou interprétez l'événement ou l'activité selon un plan chronologique (la succession des faits) ou thématique. Dégagez les principales idées, les grandes conclusions, les faits marquants et les décisions prises, s'il y a lieu. Si l'enseignant le demande, présentez une critique de l'événement, sans jamais attaquer les personnes ni porter de jugement qui ne soit appuyé sur des faits. Par exemple, faites ressortir la compétence des organisateurs, l'évaluation qu'en font les participants s'il y a lieu, les conditions dans lesquelles se déroule l'événement (climat, lieu, équipement, horaire, etc.), les résultats obtenus.

5. Indiquez les suites de l'événement ou les conclusions auxquelles vous arrivez après avoir assisté ou participé à l'événement. Assurez-vous de relier ces conclusions à l'objet même du travail demandé. Ainsi, évitez des commentaires sur le musée ou les

expositions parallèles si le travail consistait à vous rendre au Musée des beaux-arts pour voir et commenter une exposition sur un peintre impressionniste.

Mettez votre texte de côté pendant quelque temps. Après quelques heures, voire une journée ou deux, vous pourrez le retravailler en ayant un regard plus détaché sur votre production.

Rédiger la version définitive

Au moment de rédiger la version définitive du compte rendu, assurez-vous d'avoir tous les documents pertinents sous la main. Ainsi, si vous faites référence à un document qui a été distribué pendant l'événement, vous pourrez en donner la référence exacte en note de bas de page, ou en annexer le contenu à la fin du compte rendu.

Relisez votre version préliminaire en corrigeant le style et les fautes d'orthographe et de syntaxe. Utilisez un correcteur d'orthographe intégré au logiciel de traitement de texte ou un logiciel tel Antidote, si vous y avez accès au collège.

Prêtez une attention toute particulière à la présentation de votre texte, qui doit respecter les normes méthodologiques de base (► *voir le chapitre 11, p. 200*).

LES ÉTAPES POUR RÉDIGER LE COMPTE RENDU D'UN TEXTE

Le compte rendu d'un texte est aussi appelé « recension ». C'est une activité courante dans les milieux littéraires et scientifiques : toute revue importante comporte une section des recensions, où un collègue rend compte de la parution d'un ouvrage, en proposant d'abord un bref résumé, puis en formulant une critique qui fait ressortir les qualités de l'ouvrage, sa valeur et ses faiblesses.

Préparer la lecture du texte

Avant de lire le texte, découvrez l'auteur, situez le texte dans l'œuvre de ce dernier et dans son contexte. Appliquez les mêmes consignes que pour le résumé (► *voir p. 152*).

Lire activement

Appliquez les consignes liées à la lecture active (► *voir le chapitre 3, p. 36*) et les consignes retenues pour le résumé (► *voir p. 152*). Annotez et soulignez le texte, et efforcez-vous d'en comprendre la structure. Créez un fichier documentaire dans lequel vous noterez les faits, les idées et les opinions qui situeront l'ouvrage dans son contexte (► *voir le chapitre 3, p. 43*). Ensuite, construisez un réseau de concepts mettant en relation (opposition, concordance, contexte, etc.) les idées les unes avec les autres (► *voir le chapitre 4, p. 59*), ou un tableau dans lequel vous classerez les idées en fonction de critères pertinents (► *voir le chapitre 4, p. 58*).

Enfin, dressez le plan du compte rendu en vous inspirant de la structure suivante :

- introduction ;

- présentation de l'auteur et de son texte ;

- résumé du texte ;

- interprétation critique du texte ;

- conclusion.

Rédiger une version préliminaire

1. Rédigez l'introduction à la fin, lorsque vous aurez terminé la rédaction du compte rendu. Vous y présenterez le texte (sujet amené), vous en ferez ressortir l'importance (sujet posé) et vous décrirez les sections de votre compte rendu (sujet divisé). L'introduction ne contient pas d'éléments de contenu ; elle donne simplement au lecteur un aperçu du compte rendu.

Simone de Beauvoir

2. Présentez l'auteur et son texte brièvement, en indiquant les dates de sa naissance et de sa mort entre parenthèses, s'il est décédé, et en donnant la référence bibliographique complète de l'ouvrage dont vous faites le compte rendu (► *voir le chapitre 11, p. 222*). Associez ensuite l'auteur à un courant littéraire ou politique et caractérisez l'importance de son texte dans la production courante. Par exemple, tel auteur est à l'avant-garde de la littérature fantastique, tel autre est le porte-parole d'une école de pensée, d'un mouvement culturel, d'une association, etc. Ainsi, vous direz de l'essai de Simone de Beauvoir (1908-1986), *Le deuxième sexe*, que ce livre de la philosophe existentialiste est paru chez Gallimard en 1949 et qu'il a jeté les bases de la pensée féministe moderne.

3. Rédigez ensuite un bref résumé du texte. Assurez-vous de rendre compte de tous les aspects importants de l'ouvrage en question : la thèse ou l'idée principale de l'auteur, chacune des grandes parties du texte, etc. Soyez fidèle au texte (► *voir le résumé de texte, p. 152*). Assurez-vous de bien comprendre les consignes de votre enseignant : le résumé peut être très court si l'accent est mis sur la critique du texte. En l'absence de consignes, un résumé d'une page devrait suffire.

4. Interprétez le texte (critique interne et externe). Le compte rendu comporte une critique du texte. Le mot « critique » ne doit pas être pris dans son sens péjoratif. Ce mot vient du latin *criticus*, qui signifie « apte à juger » ; il désigne le fait de porter un jugement sur la qualité du texte et sur la valeur des arguments qui y sont présentés. La critique doit surtout être honnête et nuancée. Elle doit chercher à analyser les opinions et les idées exprimées par l'auteur et non sa personnalité ou ses qualités individuelles. L'évaluation du texte porte autant sur le contenu (critique interne) que sur sa pertinence par rapport à un courant d'idées ou à son contexte scientifique ou littéraire (critique externe).

   ▪ **La critique interne** La critique interne fait abstraction du contexte dans lequel le texte a été écrit et ne porte que sur le contenu : cohérence de l'ensemble, logique de l'ouvrage, rigueur de l'argumentation et choix des idées exposées.

   Posez-vous les questions suivantes : les problèmes que l'auteur expose sont-ils formulés clairement ? S'appuie-t-il sur des données vérifiables et admises par la communauté scientifique, par exemple des résultats d'enquêtes ou de sondages, des témoignages scrupuleusement recueillis, des statistiques rigoureusement compilées ? (► *Voir le chapitre 10, p. 188*.) Existe-t-il des liens logiques entre les problèmes que l'auteur expose, la manière dont il les explique et les solutions qu'il propose ? Le sens donné aux termes est-il cohérent tout au long de l'ouvrage ? En littérature, le récit est-il cohérent, les personnages sont-ils bien campés, les procédés d'écriture[6] concourent-ils à l'expression du contenu ?

---

6. Carole PILOTE, *op. cit.*, dresse une typologie des procédés d'écriture, p. 27 à 106.

Vous pouvez également présenter une idée, un argument, un aspect de l'ouvrage à la fois et en faire la critique en formulant une appréciation, un argument contraire ou complémentaire, une objection ou une réserve, etc. Vous poursuivez avec un second argument, et ainsi de suite.

■ **La critique externe** La critique externe situe l'ouvrage dans son contexte social, politique, scientifique, culturel, littéraire ou idéologique. Elle mesure l'apport du texte à l'avancement d'une idée, d'un thème ou d'une discipline scientifique.

L'élaboration d'une critique externe est un exercice relativement difficile, qui demande une bonne connaissance de l'auteur étudié, de l'ensemble de son œuvre, des autres courants d'idées auxquels n'adhère pas l'auteur, du contexte dans lequel il a produit son œuvre, etc. Posez-vous les questions suivantes : l'auteur fait-il partie d'un groupe qui a une idéologie particulière, adhère-t-il à un parti politique, à une école de pensée, à un mouvement littéraire ou à un groupe de recherche ? Exprime-t-il clairement un point de vue lié à un mouvement en particulier ?

Ces dernières questions soulèvent toutefois un problème : celui des idées de la personne qui fait la critique de l'auteur. En effet, l'honnêteté exige de cette personne qu'elle exprime clairement ses positions afin de bien faire ressortir l'angle sous lequel elle critique le texte.

Pour vous aider à établir la critique externe, utilisez le fichier documentaire, le réseau de concepts ou le tableau de classification que vous avez élaboré en prenant des notes sur l'auteur et son texte.

5. En conclusion, faites ressortir l'intérêt général du document sur lequel porte votre critique. Effectuez un bref retour sur le cheminement de votre critique ainsi que sur l'appréciation de la thèse de l'auteur, s'il y a lieu, avant de proposer une ouverture ou un élargissement du sujet.

Rédiger la version définitive

Avant de rédiger la version définitive du compte rendu, assurez-vous d'avoir tous les documents pertinents sous la main : le texte annoté, votre version préliminaire du compte rendu, le fichier documentaire, le réseau de concepts ou le tableau de classification (s'il y a lieu) et les références à l'auteur ou à son texte que vous avez trouvées dans une encyclopédie, un dictionnaire spécialisé ou une revue scientifique ou littéraire.

Relisez votre version préliminaire en corrigeant le style et les fautes d'orthographe et de syntaxe. Utilisez un correcteur d'orthographe intégré au logiciel de traitement de texte ou un logiciel tel Antidote, si vous y avez accès au collège.

Prêtez une attention toute particulière à la présentation de votre texte, qui doit respecter les normes méthodologiques de base (➤ *voir le chapitre 11, p. 200*).

Jean-François Lisée

NOUS

Boréal

Jean-François Lisée, l'auteur de cet ouvrage controversé paru en 2007, est un porte parole du mouvement souverainiste québécois, ce qui conditionne son point de vue sur la réalité.

www.pourreussir.com
Exemples de comptes rendus

9

- Précisez vos critères d'évaluation : pertinence des statistiques, qualité littéraire, solidité des arguments, variété des sources consultées par l'auteur, etc.

- Consultez un dictionnaire spécialisé ou un article d'encyclopédie sur l'auteur ou le thème abordé : vous pourrez ainsi mieux situer l'auteur et son œuvre dans une époque, un courant littéraire, etc. (➤ *voir le chapitre 6*).

- Référez-vous à un autre auteur de la même époque ou d'une époque ultérieure pour comparer le traitement des idées.

- Consultez d'autres ouvrages du même auteur où l'on trouve des affirmations en accord ou en contradiction avec celles du texte étudié.

- Consultez les revues scientifiques ou littéraires (*Recherches sociographiques, Lettres québécoises, Spirale, Revue d'histoire de l'Amérique française, Revue québécoise de psychologie*, etc.), dans la section des comptes rendus de livres, appelés aussi « recensions » : vous y trouverez des modèles de critiques externes.

- Vérifiez si vous avez affaire à une réédition revue et corrigée d'un ouvrage : dans ce cas, faites le rapprochement avec la première édition et vérifiez, dans la mesure du possible, l'évolution des idées de l'auteur d'une édition à l'autre.

- Informez-vous auprès de votre enseignant afin de connaître les autres publications de l'auteur de même que les études publiées sur lui.

- Vérifiez d'autres données, d'autres faits que ceux mentionnés par l'auteur.

- Relisez vos notes de cours : l'enseignant a peut-être fourni des pistes de réflexion intéressantes ou des éléments susceptibles d'alimenter votre jugement critique.

ANALYSER, EXPLIQUER ET APPRÉCIER LES TEXTES

Au collégial, les trois cours de français de la formation générale commune permettent à l'étudiant d'acquérir trois compétences interreliées : analyser des textes littéraires de genres variés et de différentes époques, expliquer les représentations du monde contenues dans des textes littéraires et apprécier des textes littéraires. À chacune de ces compétences correspond un type de texte à produire : l'analyse de texte (700 mots), la dissertation explicative (800 mots) et la dissertation critique (900 mots).

L'ANALYSE DE TEXTE

L'analyse de texte est une « opération intellectuelle consistant à décomposer une œuvre, un texte, en ses éléments essentiels, afin d'en saisir les rapports et de donner un schéma d'ensemble[7] ».

L'analyse serait ainsi une décomposition méthodique d'un texte en ses éléments constitutifs. Par l'analyse, on vise :

- à faire ressortir l'idée principale (la thèse) et les idées secondaires ;

- à reconstituer l'organisation interne de la pensée de l'auteur et faire ressortir les liens entre les idées ;

- à mettre en relation le fond et la forme de l'ouvrage : comment la forme (le style, la rigueur de la démonstration, les procédés employés) soutient le fond (les idées, le contenu).

---

7. *Le Petit Robert 1*, Paris, Le Robert, 1985, p. 65.

LA DISSERTATION LITTÉRAIRE

« Exercice écrit structuré et détaillé par lequel l'élève est invité à discuter, sous forme ou non de question, un thème littéraire, philosophique ou scientifique[8] ». La dissertation se fait toujours à partir d'une consigne, d'un énoncé de sujet ou d'une question dont il faut traiter.

TABLEAU 9.1	Les types de dissertation			
Type	**Position de départ**	**But**	**Mots clés**	**Exemples**
Dissertation explicative	Accord avec le point de vue proposé	Expliquer, prouver l'existence d'un lien de conformité	Montrez Démontrez Prouvez Justifiez Qu'est-ce qui nous permet de dire… ? Expliquez Dites pourquoi Comment peut-on… ? Développez	Démontrez que l'extrait suivant du *Génie du christianisme*, publié en 1802 par Chateaubriand, représente l'expression romantique d'un mal de vivre[9]. La vie est cruelle : tel est le message que Maupassant livre au lecteur dans le conte « Aux champs ». Démontrez[10].
Dissertation critique	Invite à la discussion : accord ou désaccord avec le point de vue proposé	Prendre position	Est-il juste de dire… ? Êtes-vous d'accord pour dire… ? A-t-on raison d'affirmer… ? Peut-on dire que… ? Discutez Appréciez Jugez Critiquez	A-t-on raison de dire que les personnages de « Aux champs » sont cruels ? Si l'on se réfère aux extraits de Molière, auteur classique, et de Balzac, auteur réaliste, on constate qu'ils prêtent à leurs personnages la même conception de l'amour et qu'ils le décrivent de façon similaire. Critiquez la véracité de cette affirmation[11]. Simone de Beauvoir fait une critique négative des Américaines. Discutez. (Sujet de l'ÉUF d'août 2007.)

Source : adapté de Jean-Louis LESSARD, *Dissertation*, [En ligne], www.profweb.qc.ca/jlessard/Dissertation.htm (Page consultée le 3 novembre 2007)

La **dissertation explicative** consiste à justifier un point de vue, « à expliquer et à prouver l'existence d'un lien de conformité ou d'écart entre un texte et un autre, entre un texte et une vision du monde, entre un texte et une époque ou un courant, ou encore entre un texte et un jugement extérieur porté sur lui, etc.[12] » La dissertation explicative est au programme du deuxième cours de français (601-102).

La **dissertation critique** est un texte argumentatif raisonné qui défend une thèse et qui porte un jugement sur celle-ci. C'est un exposé écrit et raisonné sur un sujet qui porte

---

8. OFFICE DE LA LANGUE FRANÇAISE, *Le grand dictionnaire terminologique*, [En ligne], www.granddictionnaire.com/btml/fra/r_motclef/index1024_1.asp (Page consultée le 8 avril 2008)
9. Adapté de Carole PILOTE, *op. cit.*, p. 3.
10. Jean-Louis LESSARD, *op. cit.*
11. Richard BERGER, *L'épreuve uniforme de français*, [En ligne], http://pages.infinit.net/berric/EUF/euf-accueil.html (Page consultée le 3 novembre 2007)
12. Carole PILOTE, *op. cit.*, p. 4.

La concentration est de mise au moment de passer l'épreuve uniforme de français.

à discussion. La dissertation critique, qui est au programme du troisième cours de français (601-103), prépare l'étudiant à l'épreuve uniforme de français qui « intègre les habiletés des trois cours de la formation générale commune : analyser, disserter, critiquer. La capacité d'analyse se vérifie à travers les preuves que l'étudiant tire des textes à l'étude pour appuyer sa démonstration, l'habileté à disserter passe par la discussion logique de l'affirmation proposée et l'habileté à critiquer transparaît dans la prise de position défendue tout au long du texte[13] ». (Pour s'y préparer, ► voir p. 166.)

LES ÉTAPES POUR RÉDIGER UNE ANALYSE OU UNE DISSERTATION

Préparer la lecture du texte

Avant de lire le texte, cernez le sujet du travail en découvrant l'auteur, en situant le texte dans l'œuvre de ce dernier et dans son contexte. Appliquez les mêmes consignes que pour le résumé (► voir p. 152).

Cerner le sujet du travail

Analysez soigneusement la formulation du sujet du travail. Quel est le type de texte demandé ? Assurez-vous de bien comprendre la consigne : faut-il démontrer, prouver, comparer ou juger ? Identifiez les éléments à traiter et la manière dont vous devez aborder le sujet.

Situer l'œuvre dans son contexte

Pour situer l'œuvre dans son contexte, essayez d'en savoir le plus possible sur l'ouvrage et son auteur : lisez les notes d'introduction, la préface, l'avant-propos, la page couverture, la quatrième de couverture, etc.

■ L'auteur a-t-il fait l'objet d'articles d'encyclopédie ou de revues spécialisées ? Consultez un dictionnaire des noms propres, comme *Le Petit Robert encyclopédique*, par exemple, pour connaître l'auteur et le situer historiquement s'il y a lieu. S'il s'agit d'un auteur littéraire, consultez également un dictionnaire des auteurs ; si l'auteur appartient au monde de la politique ou de la science, consultez un dictionnaire biographique ou une encyclopédie (► *voir le chapitre 6, p. 99 et 100*).

■ Le livre a-t-il fait l'objet d'une recension ou d'un compte rendu dans une revue spécialisée ? Interrogez les banques de données comme *Repère* et *Eurêka* (► *voir le chapitre 8, p. 138*).

■ Découvrez le contexte sociohistorique de l'œuvre. Pouvez-vous situer l'auteur et son œuvre dans un courant littéraire ou politique, à une époque, dans un contexte social précis ? Ce courant d'idées est-il présenté dans un manuel, une encyclopédie ou un essai ?

■ Enfin, identifiez le courant littéraire auquel appartient l'auteur, s'il y a lieu, ainsi que le genre et la forme littéraire qu'il privilégie. Informez-vous sur sa vie et son œuvre, afin de repérer les éléments qui auraient pu avoir un effet direct sur l'écriture du texte.

---

13. MINISTÈRE DE L'ÉDUCATION, DU LOISIR ET DU SPORT, *Épreuve uniforme de français, langue d'enseignement et littérature. Toute l'information de A à Z*, février 2008, p. 1, [En ligne], www.meq.gouv.qc.ca/ens-sup/ens-coll/ Eprv_uniforme/A-Z_Fran_Fev2008.pdf (Page consultée le 16 avril 2008)

Lire le texte activement

Faites une lecture active du texte en prenant des notes (▶ *voir le chapitre 3*).

Annoter et souligner le texte

Faites d'abord un survol du texte, soit en le lisant en entier, soit en ne lisant que l'introduction, les grands titres et la conclusion. Cette étape de repérage des éléments constitutifs d'un texte est cruciale.

Procédez ensuite à une lecture active sans oublier de vous munir d'un crayon, d'un marqueur et d'un dictionnaire usuel. Prenez connaissance du texte et efforcez-vous de le comprendre. Soulignez les mots clés et les phrases qui développent une idée principale. Encadrez les paragraphes significatifs. Annotez le texte dans la marge pour faire ressortir une idée, un concept, un lien, un procédé d'écriture, ou pour poser une question (▶ *voir l'exemple d'un texte souligné et annoté, p. 41*). Cherchez dans un dictionnaire le sens des mots difficiles ou de ceux que vous ne connaissez pas et prenez des notes.

Procédez à une lecture active du texte, soulignez les mots clés, annotez-le.

Analyser les composantes du texte

Les composantes de tout texte littéraire sont le contenu et la forme. L'analyse de tout aspect du texte comprend trois étapes : la description de cet aspect, l'illustration ou la preuve, sous forme de référence précise au texte (citation directe ou indirecte), et l'interprétation ou l'explication de cet aspect.

- **Le contenu** Le contenu du texte, ce sont les idées, les sentiments, le sujet même du texte à l'étude ; ici, les données factuelles qui concernent les héros, les moments forts du récit, la trame des événements, les lieux, les motivations des personnages, doivent être décrits.

- **La forme** La forme renvoie à l'étude de la langue et du style de l'auteur. On peut par exemple analyser le choix des mots, la tonalité, les procédés stylistiques, telles les comparaisons (« dur comme l'acier »), les métaphores (« les faucons du commandement militaire »), les litotes (« Va, je ne te hais point ! »), etc.

Dresser le plan de l'analyse ou de la dissertation

Le plan de toute dissertation comporte toujours une introduction, un développement et une conclusion. Le développement présente la structure de l'argumentation, les idées principales et les idées secondaires. Le tableau 9.2 à la page suivante présente plusieurs types de plans.

Rédiger une version préliminaire

L'introduction

L'introduction, qui représente de 10 à 15 % du texte, est divisée en trois parties : le sujet amené, le sujet posé, le sujet divisé.

TABLEAU 9.2	Des types de plan		
Type	**Sujet**	**Structure** (il y a toujours une introduction et une conclusion)	**Remarques**
Plan énumératif pour informer	Caractérisez le mal dont souffre le héros du texte. « Levez-vous vite, orages désirés… », extrait de *René* de Chateaubriand.	1re caractéristique (ou argument) 2e caractéristique (ou argument) 3e caractéristique (ou argument)	Propre à l'analyse de texte (cours de français 101)
Plan démonstratif pour défendre un point de vue imposé	Démontrez que, dans l'extrait « Levez-vous vite, orages désirés… », René souffre du « vague des passions » propre aux premiers romantiques.	1re convergence entre le texte et le courant 2e convergence entre le texte et le courant 3e convergence entre le texte et le courant	Propre à la dissertation explicative (cours de français 102)
Plan comparatif pour défendre le choix d'un point de vue unique	Est-il juste d'affirmer que le mal de vivre dont souffre René dans le texte de Chateaubriand (1802) est de la même nature que celui éprouvé par Oberman dans le texte de Senancour ?	1re ressemblance (ou différence) entre les deux textes 2e ressemblance (ou différence) 3e ressemblance (ou différence)	Propre à la dissertation explicative (cours de français 102) et à la dissertation critique (cours de français 103)
Plan analogique pour défendre le choix d'un point de vue nuancé, quand le sujet propose une comparaison	Est-il juste d'affirmer que le mal de vivre dont souffre René dans le texte de Chateaubriand (1802) est de la même nature que celui éprouvé par Oberman dans le texte de Senancour ?	Ressemblances entre les deux textes Différences entre les deux textes Analogie (synthèse/dépassement et point de vue choisi)	Propre à la dissertation critique (cours de français 103)
Plan dialectique pour défendre le choix d'un point de vue nuancé, quand le sujet propose de défendre ou de réfuter un jugement	Est-il juste d'affirmer qu'Oberman, le héros du roman de Senancour, est atteint du « vague des passions », comme René, le héros de Chateaubriand ?	Oui, sur certains aspects (thèse) Non, sur d'autres aspects (antithèse, objections ou restrictions partielles) Synthèse : prise de position personnelle/dépassement de l'opposition : le romantisme a évolué vers une dimension plus sociale.	Propre à la dissertation critique (cours de français 103)

Source : adapté de Carole PILOTE, *op. cit.*, p. 14-15.

Amenez le sujet en présentant l'auteur, l'époque, le genre de texte analysé, sa forme ou le courant littéraire auquel il est relié, etc. Posez le sujet, c'est-à-dire présentez le sujet que vous voulez traiter sous forme d'une affirmation : « Nous tenterons de démontrer que le personnage central est le prototype du héros romantique ». Divisez le sujet en annonçant les grandes lignes ou les parties du développement à venir.

Le développement

Le développement représente de 70 à 80 % du texte. Dans le développement, approfondissez le sujet posé en reconstituant la logique interne du texte et en mettant en lumière la structure des idées exprimées de même que les procédés d'écriture employés par l'auteur. Vous devez choisir un type de plan approprié à votre sujet (▶ *voir le tableau 9.2*).

Généralement, le développement se divise en deux ou trois arguments principaux (ou idées), pas davantage. Chacune des parties ainsi déterminées peut, à son tour, se subdiviser en idées secondaires, qui constituent les paragraphes d'une partie. Ces paragraphes contiennent les preuves relatives à la forme et au contenu de l'œuvre analysée; vous pouvez illustrer vos arguments à l'aide de citations tirées de l'œuvre, selon la méthode proposée dans le chapitre 11 (➤ *voir p. 218*). Chaque paragraphe est structuré de la même façon: après une phrase d'introduction, l'énoncé de l'idée est suivi d'une explication, puis d'une illustration (citation). Le paragraphe se termine par une mini-conclusion, ce qui permet de passer au paragraphe suivant. Ainsi, vos arguments s'enchaînent naturellement vers une conclusion.

La conclusion

La conclusion représente de 10 à 15 % du texte. Elle est l'aboutissement du texte, elle en découle logiquement. En conclusion, revenez sur le sujet posé et proposez une synthèse de votre démarche, de vos arguments en somme. Terminez ce paragraphe par une ouverture sur la portée de l'œuvre, sa signification, ses rapports avec l'époque, son opposition à un autre courant, etc. Voici un bon truc pour proposer une ouverture: demandez-vous quel autre aspect du texte pourrait être abordé dans une autre dissertation sur le même sujet.

Rédiger la version définitive

Avant de rédiger la version définitive, assurez-vous d'avoir tous les documents pertinents sous la main: le texte annoté, votre version préliminaire de la dissertation, les références à l'auteur ou à son texte que vous avez trouvées dans une encyclopédie, un dictionnaire spécialisé ou une revue scientifique ou littéraire.

Relisez votre version préliminaire en corrigeant le style et les fautes d'orthographe et de syntaxe. Utilisez un correcteur d'orthographe intégré au logiciel de traitement de texte ou un logiciel tel Antidote, si vous y avez accès au collège.

Prêtez une attention toute particulière à la présentation de votre texte, qui doit respecter les normes méthodologiques de base (➤ *voir le chapitre 11, p. 200*).

www.pourreussir.com

Exemples de dissertation

Vérifiez les points suivants:

- Votre introduction permet-elle au lecteur de se faire rapidement une idée précise du texte qu'il va lire?

- Vos arguments principaux sont-ils bien présentés?

- Ces arguments sont-ils soutenus par les idées secondaires?

- Vos citations sont-elles pertinentes? Sont-elles bien amenées, bien commentées, sans fautes et suivies du numéro de la page d'où elles sont tirées? (➤ *Voir le chapitre 11, p. 218.*)

- Votre conclusion reprend-elle le cheminement de votre démarche? Répond-elle aux questions posées sur ce texte? Ouvre-t-elle de nouvelles perspectives?

- La langue est-elle impeccable: orthographe, ponctuation et syntaxe?

- Avez-vous respecté les règles de la présentation d'un texte? (➤ *Voir le chapitre 11.*)

Pour en connaître davantage sur l'analyse de texte, consultez l'ouvrage de Carole Pilote et le site *Odilon* [www.odilon.ca].

Les étudiants du collégial doivent obligatoirement passer l'épreuve uniforme de français afin d'obtenir leur diplôme d'études collégiales. Les enseignants de français vous préparent à cette épreuve qui consiste à rédiger une dissertation critique de 900 mots. Au moment choisi, on vous propose trois sujets de dissertation, accompagnés d'extraits de textes littéraires de diverses époques et de divers genres. Vous avez quatre heures trente pour rédiger une dissertation sur le sujet de votre choix. La correction repose sur trois critères : la compréhension des textes et la qualité de l'argumentation, la structure de votre texte et la maîtrise de la langue. À cet égard, un maximum de 30 fautes sur 900 mots est permis.

Selon le ministère de l'Éducation, du Loisir et du Sport, « la dissertation critique est un exposé écrit et raisonné sur un sujet qui porte à discussion. Dans cet exposé, l'étudiant doit prendre position sur le sujet proposé, soutenir son point de vue à l'aide d'arguments cohérents et convaincants et à l'aide de preuves tirées des textes qui lui sont présentés et de ses connaissances littéraires[14]. »

« On entend par connaissances littéraires le fait d'utiliser des procédés langagiers (figures de style, versification, types de phrases, etc.) et les notions littéraires (point de vue narratif, genres, etc.) au service de votre argumentation. On reconnaît également comme connaissances littéraires le fait de vous référer à des œuvres autres que les textes proposés, de relier ces derniers à des courants ou tendances littéraires, ou le fait d'avoir recours à des connaissances culturelles et sociohistoriques qui conviennent au sujet de rédaction[15]. »

Pour vous préparer[16] :

– Choisissez les trois ouvrages de référence sur le code linguistique auxquels vous avez droit, parmi les suivants : une grammaire, un dictionnaire, un manuel de conjugaison ou un traité de ponctuation. Familiarisez-vous avec ces outils et repérez les parties les plus utiles : tableaux, règles, listes, etc. Attention ! Vous ne pouvez utiliser un dictionnaire électronique, des notes personnelles, des notes de cours, des anthologies de la littérature ou tout autre ouvrage portant sur la rédaction ou sur la présentation de textes.

– Consultez les sites et les ouvrages suivants, qui présentent des exercices, des consignes, la liste des épreuves qui ont eu lieu depuis la mise en place de cet examen, les dates importantes, les résultats, etc.

www.pourreussir.com
Pour accéder directement aux sites Internet suggérés

- BERGER, Richard. *L'épreuve uniforme de français*, [En ligne], http://pages.infinit.net/berric/EUF/euf-accueil.html (Page consultée le 3 novembre 2007)
- BERGER, Richard, Diane DÉRY et Jean-Pierre DUFRESNE. *L'épreuve uniforme de français. Pour réussir sa dissertation critique*, 2e éd., Montréal, Beauchemin/CCDMD, 2005, 240 p.
- CENTRE COLLÉGIAL DE DÉVELOPPEMENT DE MATÉRIEL DIDACTIQUE (CCDMD). *Répertoire des meilleurs sites Internet pour l'amélioration de la langue*, [En ligne], www.ccdmd.qc.ca/fr/repertoire (Page consultée le 4 janvier 2008)
- MINISTÈRE DE L'ÉDUCATION DU LOISIR ET DU SPORT, *Épreuve uniforme de français, langue d'enseignement et littérature. Toute l'information de A à Z*, février 2008, p. 1, [En ligne], www.meq.gouv.qc.ca/ens-sup/ens-coll/Eprv_uniforme/A-Z_Fran_Fev2008.pdf (Page consultée le 16 avril 2008)

– Révisez les notions littéraires (styles, courants, époques, etc.) et grammaticales pertinentes. Consultez l'ouvrage de Carole PILOTE, Guide littéraire, 2e éd., Montréal, Beauchemin, 2007.

– Prévoyez le matériel nécessaire : dictionnaire, grammaire, manuel de conjugaison, crayons, marqueurs, gomme à effacer, correcteur liquide, montre (l'épreuve dure quatre heures trente).

– Au moment de l'épreuve, répartissez le temps de la façon suivante : 90 minutes pour prendre connaissance des sujets, en choisir un, lire les textes, choisir les arguments et retenir les connaissances générales appropriées ; 90 minutes pour rédiger le développement, puis l'introduction et la conclusion ; 60 minutes pour transcrire votre texte au propre et le réviser.

---

14. MINISTÈRE DE L'ÉDUCATION, DU LOISIR ET DU SPORT, *op. cit.*
15. *Ibid.*
16. Inspiré de Richard BERGER, Diane DÉRY et Jean-Pierre DUFRESNE, *L'épreuve uniforme de français. Pour réussir sa dissertation critique*, 2e éd., Montréal, Beauchemin/CCDMD, 2005, p. 188 à 190.

RÉDIGER UNE DISSERTATION PHILOSOPHIQUE

Au collégial, la philosophie est une discipline que l'on aborde dans trois cours obligatoires quel que soit le programme d'études dans lequel on est inscrit. Il s'agit des cours *Philosophie et rationalité*, *Conceptions de l'être humain* et *Éthique et politique*. Dans ces cours, les enseignants vous demanderont de rédiger des textes d'argumentation et des dissertations philosophiques. Définissons ces termes avant de proposer une démarche de rédaction.

LA DISSERTATION PHILOSOPHIQUE

Le texte d'argumentation ou texte argumentatif est un texte que l'on rédige pour appuyer une thèse, un point de vue, à l'aide d'arguments qui sont reliés les uns aux autres.

Selon Jocelyne Rioux, « on argumente pour : fixer ses propres idées ; soumettre ses idées à l'épreuve de la critique ; intervenir dans la société en influençant ses concitoyens[17] ». Le texte d'argumentation prépare à la dissertation. Il est fréquemment demandé dans les deux premiers cours de philosophie.

La dissertation philosophique est un texte raisonné qui défend une thèse à l'aide d'arguments, de preuves et de faits organisés selon un ordre de présentation rigoureux.

La dissertation philosophique pose une problématique ; elle examine des modèles philosophiques et propose une réflexion personnelle visant à résoudre cette problématique.

« Le texte d'argumentation et la dissertation ont en commun la nécessité de raisonner pour justifier une position. Ce qui les distingue est le travail plus approfondi sur la problématique et l'enrichissement philosophique exigé par la dissertation », précise Jocelyne Rioux[18].

La dissertation philosophique est demandée dans le troisième cours de philosophie. Vous devez alors rédiger une dissertation d'au moins 900 mots dans le but de défendre une position critique à propos d'une situation problématique, à l'aide de théories philosophiques.

« La chouette de Minerve ne prend son envol qu'à la tombée de la nuit », disait Hegel, philosophe allemand du 19e siècle. La chouette est le symbole de la philosophie.

LES ÉTAPES POUR RÉDIGER UNE DISSERTATION PHILOSOPHIQUE

Préparer la lecture des textes

Avant d'entreprendre la lecture proprement dite des textes, assurez-vous de comprendre la consigne et de bien situer les auteurs à l'étude dans leur courant philosophique respectif.

Cerner le sujet du travail

- **Le fond** Vous devez comprendre les concepts, les notions philosophiques qui sont en jeu. Une question de départ comme « Néolibéralisme et mondialisation : les citoyens

---

17. Jocelyne RIOUX, *Apprivoiser la philosophie. Guide méthodologique pour les cours de philosophie*, Montréal, CCDMD/Beauchemin, 2005, p. 90.
18. *Ibid.*, p. 112.

sont-ils en voie de disparition?[19] » appelle la définition de libéralisme, de néolibé-ralisme, de mondialisation, de citoyens, selon des philosophes qui sont peut-être en désaccord sur ces questions. Le recours à un bon dictionnaire de philosophie (▶ *voir quelques suggestions au chapitre 6, p. 98*), de même qu'à vos notes de cours et à vos notes de lecture sur les philosophes concernés, sera d'un grand secours. De quelles conceptions de l'être humain, du bonheur, de la société ou de l'action humaine est-il question ici? Sur quoi les philosophes s'opposent-ils ou se rejoignent-ils en la matière?

▪ **La forme** Que devez-vous faire exactement: comparer deux théories et les appliquer à une situation problématique? Adopter une position, présenter celle d'un philosophe et tenter de les concilier ou de les opposer? En combien de mots? Devez-vous fournir des citations? Devez-vous tenir compte d'une objection à votre position et réfuter cette objection?

Situer les auteurs dans leur courant philosophique respectif

Pour situer les auteurs dans leur courant philosophique respectif, utilisez vos notes de cours, le manuel que l'enseignant utilise, s'il y a lieu, et les dictionnaires spécialisés.

Lire activement les textes philosophiques pertinents

Annoter et souligner les textes

Faites d'abord un survol des textes, soit en les lisant en entier, soit en ne lisant que l'introduction, les grands titres et la conclusion de chacun. Cette étape de repérage des éléments constitutifs d'un texte est cruciale.

Procédez ensuite à une lecture active des textes sans oublier de vous munir d'un crayon, d'un marqueur et d'un dictionnaire usuel. Prenez connaissance des textes et efforcez-vous de les comprendre. Pour ce faire, soulignez les mots clés et les phrases qui développent une idée principale. Encadrez les paragraphes significatifs. Annotez les textes dans la marge pour faire ressortir une idée, un concept, un lien, ou pour poser une question (▶ *voir l'exemple d'un texte souligné et annoté, p. 41*). Cherchez dans un dictionnaire le sens des mots difficiles ou de ceux que vous ne connaissez pas et prenez des notes.

Problématiser

Poser une problématique, c'est-à-dire présenter un sujet en tenant compte de toutes les dimensions du problème, est un exercice difficile mais réalisable si l'on s'y prend méthodiquement.

Lire les conceptions philosophiques pertinentes est un préalable, mais il faut aussi développer sa propre conception de la problématique. Le recours au remue-méninges est une technique éprouvée (▶ *voir le chapitre 10, p. 179*) pour faire « sortir » les idées, les organiser et choisir les plus pertinentes. Vous exposerez cette problématique dans l'introduction de votre dissertation.

Prenons l'exemple du sujet « Néolibéralisme et mondialisation: les citoyens sont-ils en voie de disparition? ». La problématique consiste à établir un lien entre la mondia-lisation et le néolibéralisme, d'une part, et la disparition des citoyens, d'autre part. La question posée sous-entend que la mondialisation et l'idéologie qui l'accompagne, le néolibéralisme, entraîneraient la disparition des citoyens. Mais qu'entend-on par citoyens? Et en quoi la mondialisation les fait-elle disparaître? Pour répondre à cette question, il faut définir les termes et déterminer les principales caractéristiques de la

---

19. Thème du concours « Philosopher » de l'année 2007.

mondialisation et du néolibéralisme. La problématisation consiste donc d'abord à établir les liens entre les composantes du problème, puis à évaluer les arguments sur lesquels reposent ces liens.

Dresser le plan de la dissertation

Après avoir complété les lectures, posé la problématique et défini les concepts, vous pourrez rédiger le plan de votre dissertation qui est en fait le plan d'exposition de vos arguments. Plus votre plan sera précis, plus la rédaction sera facile.

Il existe plusieurs types de plan pour soutenir votre démonstration. Nous aborderons ici les plans dialectique, progressif et comparatif. Pour chacun de ces plans, la structure de base est comparable à la structure de la dissertation littéraire : introduction, développement et conclusion.

TABLEAU 9.3	Des types de plan pour la dissertation philosophique	
Type	**Structure**	**Remarques**
Dialectique	Introduction Développement • Thèse • Antithèse • Synthèse Conclusion	La thèse est celle d'un auteur ou d'une conception donnée ; vous en présentez les arguments, sans prendre position. L'antithèse est la position opposée ou différente sur le même sujet ; vous en présentez les arguments, sans prendre position. La synthèse représente la position de l'étudiant : soit que vous vous prononciez, de manière argumentée, en faveur de la thèse ou de l'antithèse, soit que vous présentiez une nouvelle thèse, qui prend le meilleur des deux thèses et représente une nouvelle position sur le sujet. Attention de ne pas mettre l'accent sur les seuls aspects antagoniques des deux thèses : vous risquez d'escamoter des pans entiers de la position des auteurs.
Progressif	Introduction Développement • Causes • Conséquences • Solution(s) Conclusion	Ce type de plan peut aussi être qualifié de « libre » : on commence par clarifier les causes ou l'origine du problème étudié, tout en faisant valoir les arguments des auteurs consultés. On poursuit par un examen des conséquences ou de l'évolution de la question, avant d'aborder les solutions, en prenant soin de distinguer nettement les solutions des différents auteurs.
Comparatif	Introduction Développement • 1re ressemblance ou divergence • 2e ressemblance ou divergence • 3e ressemblance ou divergence • Synthèse Conclusion	Ce type de plan convient à l'étude de deux œuvres, de deux auteurs, de deux idées, etc. On relève quelques thèmes majeurs ou quelques points centraux dans la problématique (mondialisation, idéologie, citoyenneté, etc.) et on fait ressortir les ressemblances ou les oppositions entre les auteurs consultés ; pour ce faire, on a recours à des citations pertinentes. On peut également faire ressortir son propre point de vue ou son accord ou son désaccord avec les points de vue rapportés. Une synthèse fait le point sur l'ensemble de la problématique.

Rédiger une version préliminaire

L'introduction

On peut reprendre ici le modèle d'introduction présenté dans la section sur la dissertation en général (► *voir p. 163*) : sujet amené, sujet posé et sujet divisé. Commencez par une phrase qui vous permet de formuler le sujet tout en évitant les généralités du genre « De tous temps, les êtres humains… ». Dans l'exemple du néolibéralisme et de la mondialisation, campez votre sujet et intéressez votre lecteur en montrant immédiatement l'ampleur ou l'importance du phénomène étudié : la mondialisation affecte tous les rapports humains et le néolibéralisme est une idéologie qui sacrifie l'être humain au profit de la seule rentabilité des entreprises. C'est le sujet amené. Formulez ensuite votre problématique, en posant les termes d'une contradiction (aspects positifs et négatifs de la mondialisation, ou théorie de tel philosophe opposée à telle autre) ou en exposant la thèse que vous allez défendre (par exemple, les citoyens, en se mobilisant, vont canaliser la mondialisation en la démocratisant) : c'est le sujet posé. Il ne reste qu'à diviser le sujet en présentant les grandes parties de votre texte qui reprendront les principaux arguments de votre thèse ou de votre démonstration. L'introduction doit représenter de 10 à 15 % du texte, soit de 90 à 140 mots environ sur 900. Il est recommandé de rédiger l'introduction à la fin de votre travail de rédaction : vous avez alors les idées claires sur le contenu, la structure et l'enchaînement des idées de votre dissertation. Vous pouvez donc mieux présenter la structure de votre texte et la problématique dans l'introduction.

Le développement

Le développement est le cœur de votre dissertation. Il est formé de paragraphes qui contribuent à votre démonstration, c'est-à-dire à votre réponse à la question posée en introduction (problématique). Chaque argument est exposé dans un paragraphe cohérent, dont la conclusion permet de passer au paragraphe suivant. Ainsi, vos arguments s'enchaînent naturellement vers une conclusion. Enfin, ces paragraphes contiennent les preuves qui illustrent vos arguments à l'aide de citations, de faits, de données. Le développement constitue de 70 à 80 % de la dissertation.

Page d'accueil du concours « Philosopher »

Les arguments doivent être crédibles (acceptables) et suffisants. Votre enseignant de philosophie expliquera en classe les critères pour qu'un argument soit considéré comme acceptable, mais on peut dire ici que les arguments doivent être formulés logiquement, qu'ils ne doivent comporter ni syllogisme ni contradiction, qu'ils doivent reposer sur des faits établis, etc. Dans certains cas, il est demandé de présenter au moins une objection pertinente à la thèse ou à l'argument principal et de débattre de cette objection, voire de la réfuter. L'ensemble de l'argumentation doit être cohérent et montrer une progression dans la position.

La conclusion

La conclusion est le moment de revenir sur la problématique et d'indiquer la réponse à la question posée en introduction, par exemple « assiste-t-on à la disparition des citoyens en raison de la mondialisation ? ». La conclusion ne contient aucun nouvel argument, mais elle peut rappeler les principaux arguments présentés dans votre développement à l'appui de votre thèse ou de votre position sur le sujet. Terminez ce paragraphe par une ouverture sur la problématique, en formulant une nouvelle question sur celle-ci, en proposant une nouvelle piste de recherche, etc. La conclusion ne doit jamais constituer plus de 10 à 15 % du texte.

Rédiger la version définitive

Avant de rédiger la version définitive, assurez-vous d'avoir tous les documents pertinents sous la main : les textes annotés, votre version préliminaire de la dissertation, les références aux auteurs ou aux textes que vous avez trouvés dans une encyclopédie, un dictionnaire spécialisé ou une revue de philosophie.

Relisez votre version préliminaire en corrigeant le style et les fautes d'orthographe et de syntaxe. Utilisez un correcteur d'orthographe intégré au logiciel de traitement de texte ou un logiciel tel Antidote, si vous y avez accès au collège.

Prêtez une attention toute particulière à la présentation de votre texte, qui doit respecter les normes méthodologiques de base (➤ *voir le chapitre 11, p. 200*).

www.pourreussir.com
Exemples de dissertation philosophique

Vérifiez particulièrement les points suivants :

▪ Votre introduction permet-elle au lecteur de se faire rapidement une idée précise du texte qu'il va lire ?

▪ Vos arguments principaux sont-ils bien présentés ?

▪ Ces arguments sont-ils soutenus par les idées secondaires ?

▪ Vos citations, s'il y a lieu, sont-elles pertinentes ? Sont-elles bien amenées, bien commentées, sans fautes et suivies du numéro de la page d'où elles sont tirées ? (➤ *Voir le chapitre 11, p. 218.*)

▪ Votre conclusion reprend-elle le cheminement de votre démarche ? Répond-elle à la question posée ? Ouvre-t-elle de nouvelles perspectives ?

▪ La langue est-elle impeccable : orthographe, ponctuation et syntaxe ?

▪ Avez-vous respecté les règles de la présentation d'un texte ? (➤ *Voir le chapitre 11.*)

TACTIQUE	Participer au concours « Philosopher »

Le concours « Philosopher », créé en 1988 lors du lancement de la Décennie du développement culturel 1988-1997 de l'Unesco (Organisation des Nations Unies pour l'éducation, la science et la culture), s'adresse aux étudiants qui sont inscrits à un programme menant au diplôme d'études collégiales dans les établissements participants du Québec.

Il s'agit de rédiger une dissertation philosophique, soit un texte argumentatif dans lequel on prend position, de façon rationnelle, personnelle et critique sur une question.

Exemples de concours antérieurs

– (2008) Crise environnementale et changements climatiques : l'humanité manque-t-elle à l'éthique de la responsabilité ?

– (2007) Néolibéralisme et mondialisation : les citoyens sont-ils en voie de disparition ?

– (2006) Culte du corps et de la jeunesse : la beauté est-elle devenue notre nouvel impératif catégorique ?

Voici les critères d'évaluation :

1. Problématisation : la dimension philosophique du problème est bien expliquée. Les définitions des concepts clés sont justes. Le problème est clarifié. . . . . **20 %**

2. Argumentation : les arguments sont crédibles (acceptables) et suffisants. Au moins une objection pertinente est présentée. La réponse à cette objection est adaptée. L'ensemble de l'argumentation est cohérent et montre une progression dans la position. . . . . **20 %**

3. Créativité : des pistes de réflexion fécondes sont ouvertes. La stratégie argumentative est inventive. . . . . **20 %**

4. Exploitation de théories philosophiques : les références à l'histoire des idées sont appropriées. Les interprétations sont fidèles. Les citations sont bien choisies. . . . . **20 %**

5. Rédaction : la langue est maîtrisée et la formulation des énoncés est claire. L'utilisation des formules de transition et des marqueurs de relation est judicieuse. Le vocabulaire est riche et précis. Le niveau de langue est adéquat. . . . . **20 %**

6. Présentation matérielle : au maximum 2000 mots incluant les notes de bas de page et au maximum 8 pages.

Source : concours « Philosopher », [En ligne], www.concoursphilosopher.qc.ca (Page consultée le 9 novembre 2007)

– Soyez respectueux du texte lorsque l'on vous demande de l'évaluer, de le résumer, de le critiquer ou de l'analyser. Lisez-le attentivement, prenez des notes, soulignez les mots clés, cherchez dans le dictionnaire la définition des mots que vous ne connaissez pas. Vous serez ainsi mieux outillé pour comprendre le propos de l'auteur sans déformer sa pensée.

– Documentez-vous sur l'œuvre complète de l'auteur. S'il s'agit d'un classique, les dictionnaires, les guides de littérature, les biographies, etc., vous permettront d'en savoir plus. S'il s'agit d'un auteur actuel, tentez d'en savoir le plus possible sur son œuvre ainsi que sur ses allégeances sur les plans politique, intellectuel, esthétique ou autre. Les Who's Who, les sites Internet (des individus, des universités, des associations, etc.), les répertoires de membres d'associations et les revues scientifiques vous permettront d'en savoir davantage.

– Aiguisez votre sens critique en prenant conscience du contexte dans lequel un ouvrage a pu être rédigé. Situez la production d'un texte dans son époque, faites les liens nécessaires avec le contexte, mais ne faites pas dire à un auteur ce qu'il n'aurait pas voulu ou pu dire. Cette opération exige beaucoup de finesse et, pour la mener à bien, il faut bien connaître le contexte littéraire, scientifique, sociopolitique ou économique d'une période donnée.

– Soyez toujours objectif, employez un vocabulaire neutre, n'attaquez pas inutilement l'auteur ni les arguments du texte : proposez des arguments qui vont à l'encontre de ceux de l'auteur, montrez les lacunes dans son argumentation, mais toujours dans le respect des personnes.

À RETENIR   La rédaction efficace

	Oui	Non
Est-ce que je respecte toutes les étapes du résumé : préparation, lecture active, recherche de la structure et élaboration du plan, rédaction des deux versions ?	❏	❏
Est-ce que je respecte toutes les étapes du compte rendu d'un événement ou d'un texte : préparation, collecte de l'information, lecture active, analyse, élaboration du plan, rédaction des deux versions ?	❏	❏
Est-ce que je respecte toutes les étapes de l'analyse de texte et de la dissertation littéraire : préparation, compréhension du sujet, lecture active, analyse des composantes, élaboration du plan, rédaction des deux versions ?	❏	❏
Est-ce que je respecte toutes les étapes de l'analyse philosophique : travail préliminaire sur le sujet, problématisation, plan, rédaction des deux versions ?	❏	❏

François Gravel

écrivain

Né en 1951, François Gravel a enseigné l'économie au cégep Saint-Jean-sur-Richelieu pendant trente ans, après avoir obtenu son DEC en Sciences humaines au cégep de Rosemont en 1972 et poursuivi des études en Sciences économiques à l'Université du Québec à Montréal. Auteur d'une cinquantaine de livres, il a remporté de nombreux prix, dont le Prix du Gouverneur général pour *Deux heures et demi avant Jasmine* (1991) et le prix Alvine-Bélisle pour *Klonk* (1993).

Trouver sa voie

François Gravel n'a pas toujours su ce qu'il voulait faire dans la vie, et cette incertitude a été un obstacle: «Tant que je n'ai pas su exactement ce que je voulais, je n'arrivais pas à vraiment m'investir dans mes cours, raconte-t-il. Mais à partir du moment où j'ai trouvé le domaine d'études qui m'intéressait (les sciences humaines), tout m'a semblé facile. Quand on trouve sa propre motivation intérieure, la plupart des difficultés disparaissent comme par enchantement. »

C'est en écrivant qu'on devient écrivain

« Il y a plus de trente-cinq ans aujourd'hui que j'ai terminé mes études collégiales. J'ai donc oublié certaines choses, bien sûr. Me croirez-vous cependant si je vous affirme me souvenir encore des travaux que j'ai rédigés dans mes cours de philosophie, de français, de sociologie ou d'histoire? »

« En tant qu'écrivain, je suis bien placé pour savoir que la seule façon d'apprendre à écrire, c'est d'écrire chaque jour, avec discipline. Prendre des notes, répondre à des questions d'examen, rédiger des dissertations ou des travaux, toutes les occasions sont bonnes pour s'entraîner », rappelle François Gravel.

Le droit à l'erreur

« J'ai commencé mes études collégiales en Lettres, puis j'ai bifurqué vers les Sciences humaines. J'ai ensuite enseigné l'économie avant de découvrir, vers l'âge de trente ans, que je désirais écrire des romans. La leçon à retenir, c'est qu'on a le droit de changer d'idée, tant qu'on a une passion! » ■

Effectuer un travail de recherche

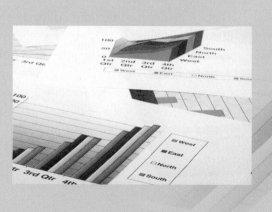

Julien et Stéphanie au cégep

Stéphanie assiste à son cours d'histoire. Elle attend impatiemment le plan corrigé de son travail de fin de session, qu'elle a remis à son enseignante la semaine dernière. Elle est particulièrement fière d'elle : cette fois, elle s'y est prise à l'avance et a trouvé deux livres très intéressants sur le sujet qu'elle a choisi. Elle s'est s'inspirée de la table des matières des deux ouvrages pour élaborer le plan de son travail et s'attend à recevoir des commentaires positifs. Lorsque l'enseignante l'appelle pour aller chercher son plan, elle s'avance, confiante. Mais en regardant sa feuille, la déception se lit sur son visage lorsqu'elle voit le seul commentaire à l'encre rouge : « Il faut développer ta propre problématique et non simplement rapporter des faits. Que veux-tu démontrer ? » Elle croyait pourtant avoir présenté un plan clair !

Qu'entend l'enseignante par « problématique » ? Que doit « démontrer » Stéphanie pour que son travail réponde aux attentes de son enseignante ? N'est-il pas suffisant de trouver de l'information et de la présenter dans un travail ?

Au collégial, les étudiants apprennent à effectuer une recherche selon les règles de la science. La méthode scientifique est donc présentée avec des variantes, selon le programme d'études dans lequel l'étudiant est inscrit. L'analyse de contenu en histoire, la résolution de problèmes en sciences, l'étude de cas en administration ou le sondage et l'enquête en sociologie sont toutes des méthodes de recherche qui exigent de la rigueur et qui reposent sur une solide collecte de données (faits, statistiques, témoignages, résultats d'expérimentation, etc.).

Quelles sont les étapes de la recherche ? Comment formuler une hypothèse de travail et une problématique ? Comment présenter des résultats de recherche ?

OBJECTIFS

Après avoir lu attentivement le présent chapitre, vous serez en mesure :

- de planifier toutes les étapes d'une recherche ;

- d'effectuer une recherche documentaire rigoureuse ;

- de rédiger un rapport de recherche.

Au cégep ou à l'université, un travail de recherche consiste habituellement à recueillir et à traiter de la documentation sur un sujet, à résoudre un problème à l'aide de la documentation existante, à faire une étude de cas ou à développer de nouvelles connaissances selon les exigences de la méthode scientifique. Celle-ci consiste à décrire, à expliquer et parfois à prédire des phénomènes en suivant rigoureusement les étapes d'observation, de formulation d'une problématique et d'une hypothèse, d'application d'une méthode de recherche spécifique et d'élaboration de conclusions, de lois ou de théories.

Ce chapitre présente d'abord une vue d'ensemble du processus de la recherche documentaire valable dans les domaines des sciences et des techniques humaines, de la philosophie, des arts et de la littérature, sauf si l'enseignant demande une recherche d'un type particulier, tel le sondage ou l'expérimentation. Dans ces cas, le présent chapitre fournit des références à des ouvrages largement utilisés dans le réseau collégial. Ensuite, les différentes étapes d'une recherche sont abordées : de la délimitation du sujet à la rédaction du rapport de recherche, en passant par la planification des opérations, la collecte de données ainsi que l'analyse et l'interprétation des résultats.

VUE D'ENSEMBLE DE LA RECHERCHE

La figure 10.1 illustre le cycle de la recherche, alors que le tableau 10.1 présente les étapes d'un travail de recherche. On trouve dans ce tableau les chapitres du présent manuel qu'il serait profitable de consulter pour l'une ou l'autre des étapes d'une recherche.

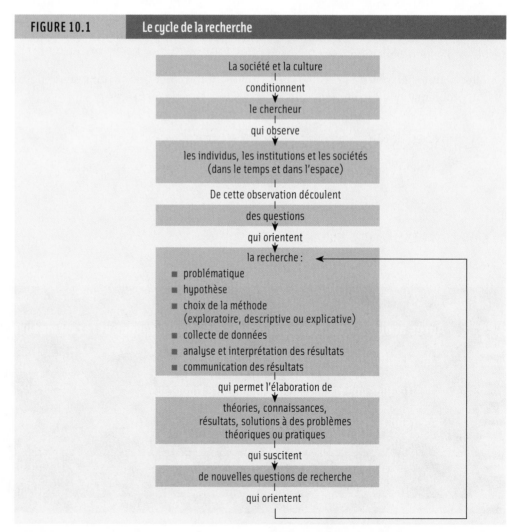

FIGURE 10.1   Le cycle de la recherche

La société et la culture

conditionnent

le chercheur

qui observe

les individus, les institutions et les sociétés
(dans le temps et dans l'espace)

De cette observation découlent

des questions

qui orientent

la recherche :

- problématique
- hypothèse
- choix de la méthode
  (exploratoire, descriptive ou explicative)
- collecte de données
- analyse et interprétation des résultats
- communication des résultats

qui permet l'élaboration de

théories, connaissances,
résultats, solutions à des problèmes
théoriques ou pratiques

qui suscitent

de nouvelles questions de recherche

qui orientent

TABLEAU 10.1	Les étapes d'un travail de recherche			
1re étape **Délimiter le sujet**	**2e étape** **Établir la stratégie de recherche**	**3e étape** **Procéder à la collecte des données**	**4e étape** **Analyser et interpréter les résultats**	**5e étape** **Rédiger le rapport de recherche**

■ Choisir un thème ou un sujet de recherche
 	
■ Effectuer la recension des écrits
 	
■ Émettre des idées (remue-méninges)
 	
■ Établir une problématique : poser un problème précis
 	
■ Formuler une hypothèse de travail
 	
■ Dresser un plan provisoire
	■ Choisir une méthode :
	  – historique
	  – expérimentale
	  – enquête (sondage)
	  – entrevue
	  – analyse de contenu
	  – étude de cas
	  – etc.
	■ Dresser la liste des concepts (mots clés)
	
	■ Repérer la documentation à l'aide des concepts :
	  – bibliothèque
	  – Internet
	  – centres de documentation spécialisés
	  – autres
	■ Respecter une éthique de recherche
	
	■ Établir un échéancier de travail
		■ Rencontrer l'enseignant
		■ Dépouiller la documentation :
		  – fiches de lecture,
		  – visionnement,
		  – téléchargement de documents,
		  – etc.
		■ Réaliser les autres activités : sondage, entrevue, expérimentation, etc.
			■ Analyser le matériel recueilli
			
			■ Interpréter les résultats au regard de l'hypothèse
			
			■ Élaborer un plan de travail définitif
				■ Établir la structure du texte :
				  – introduction (problématique, hypothèse)
				  – développement (arguments)
				  – conclusion (retour sur la problématique et l'hypothèse)
				■ Rédiger un brouillon
				
				■ Réviser le texte
				
				■ Présenter le rapport selon les règles de l'art

(➡ *Pour la recension des écrits, voir le chapitre 9*, Rédiger un texte ; si le travail se fait en équipe, ➡ *voir le chapitre 5*, Travailler en équipe.)		(➡ *Voir le chapitre 3*, Lire efficacement.)		(➡ *Voir le chapitre 11*, Présenter un rapport ; *le chapitre 12*, Réussir un exposé oral.)
	(➡ *Voir le chapitre 6*, La bibliothèque : comment s'y retrouver ; *le chapitre 7*, Naviguer dans Internet ; *le chapitre 8*, Se documenter à l'aide des journaux et des revues.)			

PREMIÈRE ÉTAPE – DÉLIMITER LE SUJET

Avant d'effectuer une recherche, choisissez soigneusement le sujet selon le temps et les ressources disponibles, vos champs d'intérêt et vos capacités. Si l'enseignant impose le sujet de la recherche, délimitez précisément votre projet.

LE CHOIX D'UN THÈME OU D'UN SUJET DE RECHERCHE

Choisissez un thème de recherche en fonction des six éléments suivants : la pertinence ; les dimensions du sujet ; le temps dont vous disposez ; les ressources disponibles ; vos capacités ; votre intérêt pour le sujet.

La pertinence du sujet

On fait de la recherche pour augmenter ses connaissances, pour trouver des solutions, pour régler des problèmes réels qui se posent dans une société. Personne n'a de temps à perdre avec des sujets de recherche tels que « Le nombre de buts comptés par les joueurs du Canadien de Montréal le mardi » ou « Que serait-il arrivé si les Patriotes avaient triomphé des Britanniques en 1837 ? ».

Le thème de la recherche doit être pertinent et lié à la réalité sociale et à des problèmes réels. Pour établir cette pertinence, il faut lire la documentation sur le sujet, confronter ses idées avec celles des spécialistes et situer son sujet dans le cadre d'une discipline ou d'un domaine scientifique particulier, par exemple la sociologie de la famille, la gestion des organisations, l'histoire des femmes. Chaque domaine a son vocabulaire, ses concepts, ses champs de recherche et ses auteurs renommés ; découvrez-les et inscrivez votre recherche dans un cadre à la fois connu et enrichissant.

Les dimensions du sujet

Déterminez les variables sur lesquelles vous voulez travailler et les contraintes dont vous devez tenir compte : période à couvrir, lieu, langue(s) de la documentation, disciplines scientifiques, contexte de la recherche, nature des informations requises (statistiques, perceptions, faits), sources primaires (entrevues, lettres) ou secondaires (analyses, études, essais), types de documents (thèses, rapports, articles, livres, sites Internet), etc. Reprenons l'exemple du chapitre 6 (► *voir p. 93*) : supposons que votre sujet porte sur « les effets du divorce sur le comportement des enfants au Québec, dans les années 2000 » ; les composantes du sujet seront le divorce, la famille, l'histoire, la culture, les aspects psychologiques, moraux, sociaux, économiques, juridiques, financiers et éthiques du problème étudié. Rappelez-vous qu'un sujet qui ne comprend que deux ou trois éléments ou « variables » (► *voir p. 181*) peut être plus facilement traité en profondeur qu'un sujet qui comprend de nombreuses composantes.

Le sujet des accommodements raisonnables, au Québec, en 2007-2008, est très vaste. Une commission d'enquête a été instituée pour faire le point sur cette question, avec à sa tête deux éminents chercheurs du Québec : l'historien Gérard Bouchard et le philosophe Charles Taylor.

Le temps dont vous disposez

La plupart des travaux de recherche au cégep et à l'université sont effectués dans le cadre d'une session de 15 à 17 semaines. C'est bien court pour établir le lien, par exemple, entre « le revenu personnel, le niveau de scolarisation d'une population et ses habitudes culturelles ». Il sera peut-être plus judicieux d'établir un lien entre « les habitudes de fréquentation des théâtres par les étudiants d'un cégep et l'occupation professionnelle des parents » en menant une enquête, par exemple. Pensez que vous n'aurez en réalité que quelques semaines pour effectuer votre recherche, puisque le reste du temps sera consacré à la formulation du projet, à la recherche de documents, à l'élaboration des outils d'enquête, à la rédaction et à la présentation en classe du rapport de recherche. Pensez aussi que vous aurez d'autres cours et d'autres travaux en même temps. (Pour la planification de la recherche, ► *voir la figure 10.4, p. 187.*)

Les ressources disponibles

Le choix du sujet de recherche doit tenir compte des ressources du milieu, c'est-à-dire des personnes-ressources à rencontrer, de la richesse de la bibliothèque du collège ou de l'université, de la bibliothèque municipale, des centres de documentation des organismes publics et privés, du réseau Internet, etc.

Il faut également s'informer de la documentation disponible sur le sujet choisi : l'analyse d'un coup d'État dans un pays d'Afrique centrale, par exemple, pose le problème des sources d'information ; à l'inverse, tout lire sur la question de la famille au Canada relève de l'utopie. Il s'agit donc d'une question d'information et de jugement. Consultez votre enseignant avant de vous lancer dans la recherche proprement dite.

Vos capacités

On peut également s'illusionner sur ses capacités de mener à terme une recherche : comment bien se documenter sur « la politique américaine de sécurité du revenu » si l'on ne sait pas lire l'anglais ? Comment adopter une stratégie de recherche axée sur la méthode expérimentale si l'on ne maîtrise pas les méthodes quantitatives ? Certaines lacunes, comme le manque d'information, sont facilement comblées ; d'autres le sont plus difficilement. Bien se connaître et entreprendre des recherches sur un sujet accessible sont donc des conditions de réussite.

Votre intérêt pour le sujet

Il est entendu qu'il faut tâcher de choisir des sujets qui vous intéressent, qui vous motivent. Il est pénible de travailler pendant toute une session sur un sujet pour lequel on n'a aucun intérêt. Pensez toutefois qu'un sujet rébarbatif peut devenir intéressant si vous lui donnez une couleur personnelle. Ainsi, un étudiant qui n'aime pas l'histoire du Moyen Âge, mais pour qui la mode est une passion, s'intéressera à l'histoire du vêtement au 12e siècle. Un autre, réfractaire aux chiffres et aux tableaux statistiques, sera motivé par une recherche sur les effets éthiques ou environnementaux d'une politique économique.

Faire un survol de la documentation disponible à la bibliothèque est indispensable.

LA FORMULATION D'UNE PROBLÉMATIQUE ET D'UNE HYPOTHÈSE DE TRAVAIL

Vous avez choisi un thème général de recherche, par exemple « la famille et le divorce au Québec », et vous essayez de préciser le sujet, par exemple « les effets du divorce sur les enfants ». Posez-vous les bonnes questions, celles qui vous permettront de construire un projet de recherche pertinent et enrichissant. L'élaboration de la problématique conditionne l'hypothèse de recherche. Pour rédiger la problématique, faites le point sur vos connaissances. À cette fin, utilisez la technique du remue-méninges.

Le remue-méninges

Lisez d'abord un article sérieux sur votre sujet dans une revue scientifique ou une encyclopédie reconnue, telle l'encyclopédie *Universalis*, et notez les mots clés, les événements majeurs, etc. (► *voir les chapitres 6 et 8*). Allez à la bibliothèque et consultez le catalogue pour trouver les vedettes-matières ou les descripteurs relatifs à votre sujet ; ainsi, au mot « divorce », vous trouverez des mots clés tels que : actions en divorce, conventions de divorce, détournement d'affection, excès, sévices et injures graves, garde des enfants, partage des biens communs, pension alimentaire, procès. Ces descripteurs sont autant de clés qui ouvrent les portes de la recherche en bibliothèque. Par exemple, sous « Actions en divorce », votre bibliothèque propose peut-être 5 ou 20 titres, de quoi nourrir une bonne réflexion ! De plus, servez-vous de cette liste de mots clés pour formuler vos idées.

Dans un premier temps, jetez sur papier les idées qui vous viennent spontanément à l'esprit, sans vous soucier de leur pertinence, encore moins de leur formulation. Ensuite, classez-les en idées principales et en idées secondaires ou regroupez-les en catégories et en sous-catégories. Quelles seraient vos premières idées sur le divorce ?

- Divorce / séparation / pension alimentaire / pauvreté
- Vente de la maison / peine / rupture / nombre de divorces
- Disputes / aspects financiers / aspects psychologiques
- Garde des enfants / famille / amis / religion
- Effets sur les enfants / augmentation des divorces au Québec
- Sacrement du mariage / aspects juridiques / aspects historiques
- Société québécoise / alcoolisme / violence / etc.

Tous ces mots ainsi énumérés n'ont pas beaucoup de sens. Cependant, dès qu'on tente de créer des catégories et des liens entre les mots, comme dans les figures 10.2 et 10.3, tout s'éclaire. Des pistes de recherche, des angles d'approche et des questions stimulantes surgissent alors.

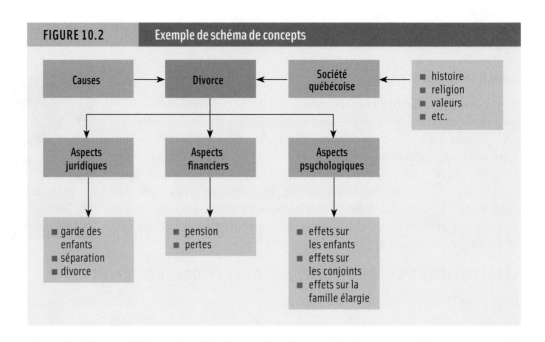

FIGURE 10.2 Exemple de schéma de concepts

Causes
Divorce
Société québécoise
histoire
religion
valeurs
etc.
Aspects juridiques
Aspects financiers
Aspects psychologiques
garde des enfants
séparation
divorce
pension
pertes
effets sur les enfants
effets sur les conjoints
effets sur la famille élargie

Si l'on prend l'exemple du tsunami du 26 décembre 2004, on peut dresser une carte mentale qui ressemblerait à ceci :

FIGURE 10.3 Exemple de schéma heuristique ou de carte mentale, réalisé à l'aide du logiciel Mind Manager

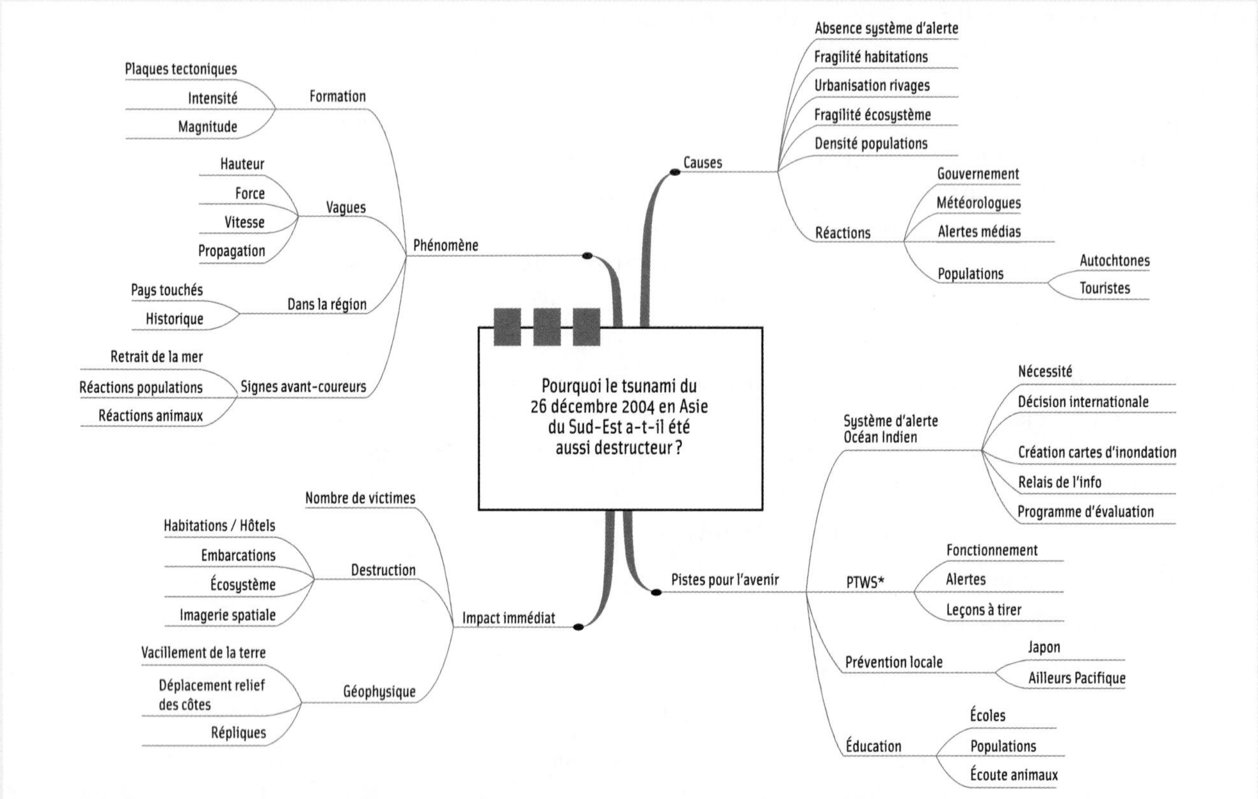

Pourquoi le tsunami du 26 décembre 2004 en Asie du Sud-Est a-t-il été aussi destructeur ?
Phénomène
Formation
Plaques tectoniques
Intensité
Magnitude
Vagues
Hauteur
Force
Vitesse
Propagation
Dans la région
Pays touchés
Historique
Signes avant-coureurs
Retrait de la mer
Réactions populations
Réactions animaux
Impact immédiat
Nombre de victimes
Destruction
Habitations / Hôtels
Embarcations
Écosystème
Imagerie spatiale
Géophysique
Vacillement de la terre
Déplacement relief des côtes
Répliques
Causes
Absence système d'alerte
Fragilité habitations
Urbanisation rivages
Fragilité écosystème
Densité populations
Réactions
Gouvernement
Météorologues
Alertes médias
Populations
Autochtones
Touristes
Pistes pour l'avenir
Système d'alerte Océan Indien
Nécessité
Décision internationale
Création cartes d'inondation
Relais de l'info
Programme d'évaluation
PTWS*
Fonctionnement
Alertes
Leçons à tirer
Prévention locale
Japon
Ailleurs Pacifique
Éducation
Écoles
Populations
Écoute animaux

* PTWS : Pacific Tsunami Warning System
Source : Hélène Guertin *et al.*, *Chercher pour trouver : L'espace des élèves*, Université de Montréal, [En ligne], www.ebsi.umontreal.ca/jetrouve/projet/etape1/cart_tsu. (Page consultée le 4 avril 2008)
Voir également le site de CmapTools : [http://cmap.ihmc.us].

Comme on le voit, l'énumération d'idées et leur classement sont à l'origine d'une démarche de recherche personnelle. Cette technique appelée «remue-méninges» a été élaborée à partir des travaux du chercheur américain Tony Buzan sur le *brainstorming*. Elle a fait ses preuves dans nombre d'entreprises et d'organisations aux prises avec des problèmes à résoudre[1]. Ainsi, la liste de mots sur le divorce permet d'établir des catégories d'éléments et des regroupements d'idées: les aspects financiers, psychologiques, historiques, sociaux et juridiques du divorce pourraient retenir l'attention du chercheur.

La problématique

Que signifie le mot «problématique»? Alors que le problème est une situation qui mérite une solution, la problématique est la mise en perspective de l'ensemble des liens qui existent entre les faits, les acteurs et les composantes d'un problème donné. On pourrait ajouter que c'est l'art de définir le plus précisément possible le problème à l'origine de la recherche.

La problématique s'élabore au moyen de deux opérations: la recension des écrits et la détermination des variables sur lesquelles portera la recherche. Mentionnons que la problématique est essentielle à la formulation d'une hypothèse de travail.

Avant de se lancer dans une recherche, il est absolument nécessaire de parcourir la documentation sur le sujet. Cette opération consiste à recenser (du latin *recensere*, «passer en revue») les principaux écrits afin de préciser:

- les composantes du problème;
- les diverses interprétations des chercheurs;
- les problèmes de recherche non résolus;
- les voies de solution envisagées par les autres chercheurs.

Certains auteurs parlent de «revue de la littérature». Ce terme, souvent critiqué à tort, sous prétexte d'une origine anglaise (*review of the literature*), est parfaitement acceptable[2]. De nombreux instruments de recherche vous aideront à vous renseigner sur l'état de la question (➤ *voir le chapitre 6*).

La deuxième opération liée à la problématique consiste à déterminer clairement les variables, c'est-à-dire les éléments sur lesquels portera la recherche. Par exemple, dans une recherche sur «l'influence du milieu socioéconomique sur le décrochage scolaire», l'origine socioéconomique et le taux de décrochage peuvent varier sous l'influence de différents facteurs; on peut postuler que plus l'origine socioéconomique est élevée, moins il y a de décrochage. Ces facteurs s'appellent des variables.

Une variable se définit comme une caractéristique mesurable qui peut prendre une ou plusieurs propriétés ou valeurs différentes.

Les variables classiques d'une recherche portant sur une population donnée sont: l'âge, le sexe, le milieu d'origine (urbaine ou rurale), le niveau socioéconomique (défavorisé, moyen, favorisé), la classe sociale (bourgeoise, ouvrière, etc.), le revenu (salaires et autres revenus), l'occupation (agriculteur, ouvrier, professionnel, cadre, etc.), la langue (français, anglais) et la scolarité (primaire, secondaire, collégial, universitaire). Dans

---

1. Tony BUZAN, *Une tête bien faite*, 3e éd., Paris, Éditions d'Organisation, 2004.
2. OFFICE QUÉBÉCOIS DE LA LANGUE FRANÇAISE, *Le grand dictionnaire terminologique*, [En ligne], www.granddictionnaire.com/btml/fra/r_motclef/index1024_1.asp (Page consultée le 11 février 2008)

une recherche portant sur le divorce par exemple, les principales variables pourraient être : le sexe (si l'on désire observer les réactions selon le sexe), le niveau des revenus (si l'on veut établir un lien entre l'influence du revenu et le taux de divorce), la scolarité (pour vérifier l'hypothèse selon laquelle les gens moins instruits divorcent moins que les autres).

Attention ! Il ne s'agit pas seulement de déterminer les variables. Il faut aussi proposer une relation entre celles-ci. Ainsi, chaque variable joue un rôle différent dans l'hypothèse. Dans l'exemple « le divorce des parents entraîne plus d'agressivité chez les enfants », les variations de la première variable (le divorce) ont un effet sur la seconde (l'agressivité)[3]. Dans ce cas, « le divorce des parents » est considéré comme la variable indépendante (si les parents divorcent, l'agressivité des jeunes est censée augmenter), alors que l'« agressivité » est la variable dépendante.

L'hypothèse de travail

Qu'est-ce qu'une hypothèse de travail ? Une hypothèse de travail, c'est l'énoncé d'une proposition, c'est l'affirmation d'une relation entre deux variables que l'on tentera de confirmer ou d'infirmer.

Devant un problème (« certains comportements agressifs des enfants à l'école »), le chercheur, après avoir recensé les principaux écrits sur la question, postule l'existence d'un lien ou d'une corrélation entre deux facteurs (« divorce des parents » et « agressivité des enfants »). La formulation d'une relation entre deux variables est le prolongement logique de la problématique. Cette relation n'est rien d'autre, au début, qu'une hypothèse de travail.

Il existe aussi des travaux de recherche sans hypothèse. Ainsi, l'enseignant peut demander un dossier de presse, une recherche strictement documentaire, une étude de cas, une analyse factuelle, une dissertation comparant des points de vue opposés sur une question controversée (la peine de mort, par exemple), afin de combler un besoin de connaissances sur le sujet. Ces travaux requièrent cependant la formulation d'une problématique.

Comme le dit Madeleine Grawitz : « L'hypothèse est une proposition de réponse à la question posée. Elle tend à formuler une relation entre des faits significatifs. Même plus ou moins précise, elle aide à sélectionner les faits observés. Ceux-ci rassemblés, elle permet de les interpréter, de leur donner une signification qui, vérifiée, constituera un élément possible de théorie[4] ». Une hypothèse de travail est donc une proposition affirmant l'existence d'une relation entre deux variables que le chercheur tentera de vérifier.

Le travail de recherche permet de vérifier l'existence de cette relation : en mesurant les variables à l'aide d'indices sûrs (par exemple, le nombre d'actes de vandalisme permet d'établir le taux d'agressivité des enfants) et en comparant les comportements des enfants de parents divorcés avec ceux d'autres enfants. S'il y a une différence significative entre les comportements des deux groupes, et si cette différence montre que le nombre d'actes de vandalisme commis par les enfants de parents divorcés est sensiblement plus élevé que celui des autres enfants, l'hypothèse est confirmée ; sinon, elle est infirmée. C'est ce que l'on appelle la vérification de l'hypothèse.

Par ailleurs, une hypothèse n'est pas un jugement de valeur. Une hypothèse doit mettre en relation des faits réels et non des jugements de valeur. Par exemple, l'hypothèse « Les

---

3. Christian LAVILLE et Jean DIONNE, *La construction des savoirs*, Montréal, Chenelière/McGraw-Hill, 1996, p. 147 et 344.
4. Madeleine GRAWITZ, *Méthodes des sciences sociales*, 6e éd., Paris, Dalloz, 1981, p. 408.

enfants qui ont de meilleures mères réussissent mieux à l'école » ne signifie rien, car la variable « meilleures mères » n'est pas un critère mesurable. En revanche, l'hypothèse « Les enfants de milieux socioéconomiques favorisés réussissent mieux » est tout à fait vérifiable (de fait, de nombreuses études l'ont démontrée).

En outre, une hypothèse doit être spécifique et ne pas se perdre dans des généralités. Une hypothèse telle que « Si les filles sont plus scolarisées que les garçons, cela entraînera un changement global dans la société » est beaucoup trop générale pour être démontrée. On cherchera plutôt à établir que « L'augmentation de la scolarité des Québécoises s'est traduite, depuis 10 ans, par une hausse de leurs revenus ».

Une hypothèse doit également être conçue à partir de données vérifiables par une technique ou une méthode particulière, selon la science ou la discipline en question : histoire, physique, chimie, sociologie, etc. On ne peut pas vérifier que « Le système communiste aurait fini par assurer le bonheur des Soviétiques », mais on peut vérifier à l'aide de la méthode économique que « L'étatisation des entreprises dans l'ex-URSS a entraîné leur retard technologique ».

Finalement, le fait d'établir une hypothèse permet d'effectuer la recherche en ayant un but, un objectif ou un fil conducteur. Il est plus stimulant de chercher à démontrer l'existence d'un lien entre des facteurs que de s'en tenir à décrire un phénomène. De plus, chercher à résoudre des problèmes réels est le propre de la méthode scientifique : établir une hypothèse, c'est proposer une solution, une réponse à un problème.

Cependant, il est possible que l'hypothèse ne soit pas confirmée, que la recherche ne montre pas l'existence d'un lien entre les deux facteurs donnés. Contrairement à ce que l'on pourrait croire, cette démarche est tout aussi utile pour la recherche, car elle élimine une possibilité et ouvre la voie à de nouvelles recherches sur d'autres variables. C'est ainsi que se développe la connaissance scientifique grâce à la recherche par essais et erreurs. L'important n'est pas tant de « prouver » son hypothèse que de bien mener la recherche et de respecter scrupuleusement les résultats de la collecte de données sans tenter d'infléchir le cours de la recherche en ne retenant, par exemple, que les données qui coïncident avec son hypothèse. Cette dernière attitude est antiscientifique et peut même nuire à l'avancement de la science.

Il existe un lien étroit entre le problème de recherche, l'hypothèse de travail et la stratégie de vérification que l'on doit adopter pour tenter de démontrer la validité de son hypothèse. Le tableau 10.2 illustre ce cheminement à l'aide de divers exemples empruntés à plusieurs approches disciplinaires.

TABLEAU 10.2	De la problématique à la stratégie de vérification				
Sujet ou thème de la recherche	Questions de recherche (Q) et éléments de la problématique (P)	Variable indépendante	Variable dépendante	Hypothèse de travail	Stratégie de vérification
La peine de mort	(Q) Est-ce que la peine de mort dissuade les criminels violents ? (P) Système pénal, types de criminalité, éthique et valeur de la vie humaine, gouvernements et idéologie, lois, société, etc.	Présence ou absence de la peine de mort	Taux de criminalité	Le rétablissement de la peine de mort n'a aucun effet sur la criminalité au Canada.	Comparer les taux de criminalité des pays (ex. : États-Unis) où existe la peine de mort avec ceux où elle a été abolie.

TABLEAU 10.2

		De la problématique à la stratégie de vérification (*suite*)			

Sujet ou thème de la recherche	Questions de recherche (Q) et éléments de la problématique (P)	Variable indépendante	Variable dépendante	Hypothèse de travail	Stratégie de vérification
Le divorce au Québec	(Q) Les enfants de parents divorcés sont-ils plus sujets que les enfants de parents unis à avoir des troubles de comportement ? (P) Sexe des enfants, milieu socioéconomique, agressivité/passivité, école, etc.	Enfants de parents divorcés et enfants de parents unis	Nombre de comportements agressifs	Les enfants de parents divorcés ont plus de comportements agressifs que les enfants de parents unis.	Comparer le nombre de gestes agressifs chez deux groupes d'enfants (ex. : école, garderie) : un dont les parents sont divorcés et l'autre dont les parents sont unis.
La publicité et le tabagisme	(Q) La publicité sur le tabagisme (ex. : les commandites d'événements sportifs ou culturels) a-t-elle une plus grande influence sur les jeunes que sur les adultes ? (P) Publicité /marketing, valeurs, contenu et effet de la publicité, sexe des jeunes, comportements, médias, etc.	Adultes et jeunes placés dans un contexte en présence de commandites	Attitudes à l'égard du tabagisme ; présence ou absence de comportements de fumeur	Les publicités de cigarettes ont plus d'effet sur les adolescents que sur les adultes.	Comparer les attitudes et les comportements de jeunes et d'adultes à l'égard du tabagisme en effectuant un sondage, une série d'entrevues, etc.
Le gouvernement de Maurice Duplessis, de 1944 à 1959	(Q) La politique d'intervention économique du gouvernement de Duplessis était-elle différente de celle des gouvernements des autres provinces ? (P) Période historique, idéologie, faits, principes, libéralisme, État-providence, rôle de l'État, interventions économiques, etc.	Types d'interventions économiques (libéraux, dirigistes, etc.)	Politique d'intervention économique (Duplessis et autres)	Le gouvernement Duplessis n'était pas différent des autres gouvernements provinciaux parce qu'il respectait les mêmes principes économiques libéraux dans ses interventions.	Comparer les types d'interventions économiques des gouvernements de quelques provinces canadiennes entre 1944 et 1959.
Les médias et la crise d'Oka, en 1990	(Q) Les médias francophones ont-ils contribué à la détérioration du climat entre les autochtones et les Québécois francophones ? (P) Presse et idéologie, histoire des rapports entre Autochtones et francophones, faits et interventions politiques, sondages, culture et racisme, etc.	Contenu et orientation des médias francophones avant et pendant la crise	Détérioration du climat entre les deux communautés (ex. : nombre d'incidents)	Le contenu et l'orientation des médias francophones avant et pendant la crise d'Oka ont contribué à la détérioration du climat entre les deux communautés.	■ Analyser le contenu des journaux à l'aide d'une grille. ■ Mettre en relation des journaux et des sondages d'opinion.
L'immigration à Montréal et les services d'intégration	(Q) Les services d'intégration des immigrants à Montréal remplissent-ils efficacement leur rôle et permettent-ils aux immigrants de mieux s'intégrer à leur société d'accueil ? (P) Intégration et immigration, société d'accueil, types d'immigrants, politiques et rôle des gouvernements, critères, valeurs, racisme, etc.	Types de services offerts par les carrefours d'intégration (structure mise en place par le ministère des Relations avec les citoyens et de l'Immigration du Québec dans les quartiers de Montréal, entre autres)	Type d'intégration des immigrants (participation à des activités culturelles de la société d'accueil, etc.)	L'intégration des immigrants est réussie grâce à la qualité et aux types de services offerts par les carrefours d'intégration à Montréal.	■ Faire des entrevues avec des immigrants et des intervenants dans un carrefour d'intégration de Montréal. ■ Analyser les mesures d'intégration : connaissance des lois, langue parlée, etc.

Source : adapté de Benoît GAUTHIER, « La structure de la preuve », dans B. GAUTHIER, dir., *Recherche sociale. De la problématique à la collecte des données*, Québec, Presses de l'Université du Québec, 1997, p. 136-137.

Les sciences humaines étudient les actions des humains et leurs institutions afin de proposer des solutions à des problèmes réels.
1. Maurice Duplessis, premier ministre de 1936 à 1939 et de 1944 à 1959.
2. Oka : confrontation entre un soldat et un « Warrior ».
3. Le festival annuel Vues d'Afrique, à Montréal, pour une autre vision des immigrants.

DEUXIÈME ÉTAPE – ÉTABLIR LA STRATÉGIE DE RECHERCHE

L'établissement de la stratégie de recherche comprend le choix de la méthodologie scientifique, le choix de la documentation pertinente et des règles éthiques, et l'élaboration d'un échéancier de travail.

LE CHOIX D'UNE MÉTHODE DE TRAVAIL

Pour vérifier une hypothèse, il faut utiliser des moyens pertinents. Or, le choix de ces moyens dépend en bonne partie de la nature des liens entre les variables ou entre les éléments du problème de recherche : explore-t-on une question pour approfondir ses connaissances ? Cherche-t-on seulement à décrire un phénomène ou désire-t-on établir l'existence d'une corrélation entre deux facteurs ? Veut-on plutôt démontrer une relation de cause à effet ? Plusieurs ouvrages décrivent les méthodes de recherche en sciences humaines, telles que les enquêtes, les sondages, les analyses de contenu, la méthode expérimentale, la méthode historique, etc.

Pour vous guider dans le choix d'une méthode de recherche, consultez les ouvrages suivants, recommandés par les enseignants ou disponibles dans les bibliothèques collégiales :

– ANGERS, Maurice. *Initiation pratique à la méthodologie des sciences humaines*, 4ᵉ éd., Montréal, CEC, 2005, 198 p.
– GAUTHIER, Benoît, dir. *Recherche sociale. De la problématique à la collecte des données*, 4ᵉ éd., Québec, Presses de l'Université du Québec, 2003, 632 p.
– GIROUX, Sylvain, et Ginette TREMBLAY. *Méthodologie des sciences humaines. La recherche en action*, Montréal, ERPI, 2002, 262 p.
– GRAWITZ, Madeleine. *Méthodes des sciences sociales*, 11ᵉ éd., Paris, Dalloz, 2001, 1019 p.
– LAMOUREUX, Andrée. *Recherche et méthodologie en sciences humaines*, 2ᵉ éd., Laval, Éditions Études Vivantes, 2000, 352 p.

Une source première : la Proclamation à l'endroit de Louis-Joseph Papineau, Bas-Canada, 1837.

UNE RECHERCHE DOCUMENTAIRE ÉLARGIE

Les sources écrites, publiques ou privées, de même que les sources orales, audiovisuelles et électroniques (Internet), constituent la matière première de la plupart des travaux de recherche. Lorsque les sources émanent directement d'une personne ou d'un groupe, ou d'une personne morale (entreprise), telles qu'une collection de lettres personnelles, un journal intime, une liste d'employés ou un document d'archives, elles sont considérées comme des sources premières. On appelle sources secondaires les études, les ouvrages généraux, les thèses, les articles de périodiques et tous autres documents qui interprètent les sources premières. C'est le matériel le plus utilisé dans les recherches au collégial.

L'ÉTHIQUE DE RECHERCHE

La recherche en sciences et techniques humaines suppose qu'on observe des personnes, qu'on les interroge, qu'on les soumette à des activités particulières, etc. Le chercheur doit respecter certaines conditions que l'on nomme éthique (morale) de la recherche.

Voici certains principes à mettre en pratique.

Photo du film *L'expérience* (2003), basé sur la *Stanford-Prison-Experiment*, cette expérience menée en milieu carcéral réel afin d'étudier la question de la brutalité extrême qu'une personne peut développer quand on lui laisse un pouvoir illimité. Dans ce cas, l'éthique de recherche n'a pas été respectée, puisque les personnes ont été soumises à une violence et à un stress non expliqués et non souhaités.

- Obtenir par écrit le consentement libre et éclairé des personnes.
- Protéger les personnes contre tout dommage physique ou psychologique.
- Révéler aux sujets la vraie nature de la recherche.
- Révéler aux sujets toute tromperie dont ils auraient fait l'objet, notamment par l'usage de placebo (substance neutre prescrite comme médicament réel).
- Inciter les sujets à ne commettre que des actes respectueux des personnes.
- Ne pas exposer les personnes à un stress physique ou mental.
- Respecter l'intimité des sujets et la confidentialité de leurs réponses.
- Recueillir les témoignages avec beaucoup de discrétion.
- Ne pas priver les personnes de certains avantages qui auraient été conférés à d'autres sujets.

Les informations recueillies dans les questionnaires ou les entrevues doivent absolument demeurer confidentielles. Par exemple, toutes les questions relatives à l'ethnie, à la religion, au statut socioéconomique et au sexe doivent être traitées avec le plus grand soin sous la supervision de l'enseignant. On doit obtenir l'accord de ce dernier avant de distribuer des questionnaires portant sur des sujets intimes ou potentiellement conflictuels (opinions politiques, par exemple). On doit également obtenir le consentement écrit du sujet, qui doit avoir la possibilité de se retirer de la recherche à n'importe quel moment, même s'il a donné son consentement écrit. En somme, le chercheur informe les sujets de la nature de la recherche en cours et il respecte leurs droits.

L'ÉCHÉANCIER DE TRAVAIL

Après avoir choisi une ou des méthodes de recherche et déterminé les principales sources de documentation, il reste à planifier les étapes de la réalisation du projet. Dans le cadre des études collégiales, vous ne disposez en général que d'une session (trois ou quatre mois) pour réaliser un travail de recherche, ce qui est bien peu. Il est donc essentiel de planifier ce travail dès le début de la session (► *voir le chapitre 1, p. 9*). (Pour la planification détaillée d'un travail de recherche en équipe, ► *voir le chapitre 5, p. 75.*)

Jetez un coup d'œil à la figure 10.4, qui propose une planification sous forme de cheminement critique, appelée aussi « diagramme de Gantt », et adaptez-en le contenu pour planifier chacun de vos travaux de recherche. Cet exercice consiste à décomposer le travail de recherche en diverses opérations dont on planifie l'exécution le plus soigneusement possible. Faites appel à votre expérience et tentez d'allouer un nombre de semaines réaliste à l'exécution de chaque tâche, en respectant l'échéancier imposé par l'enseignant. Cette technique vous incitera à commencer le travail le plus tôt possible, à cause des échéances serrées.

www.pourreussir.com

Grille de planification d'un travail de recherche

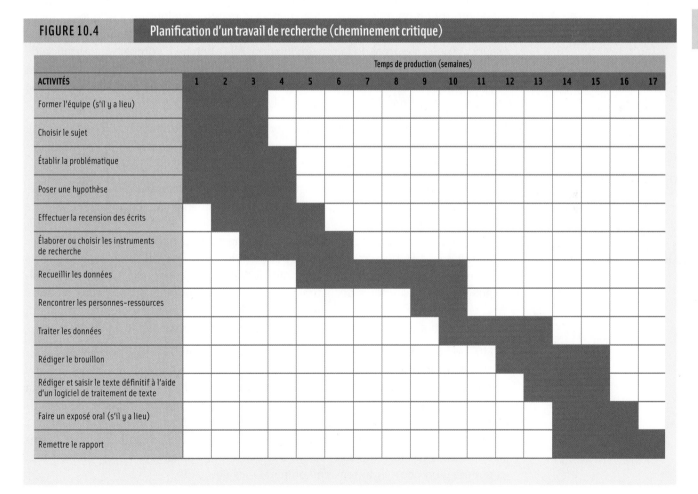

FIGURE 10.4 — Planification d'un travail de recherche (cheminement critique)

TROISIÈME ÉTAPE – PROCÉDER À LA COLLECTE DES DONNÉES

La collecte des données est l'opération par laquelle le chercheur recueille des faits qui lui permettront de vérifier ou non son hypothèse de travail. Cette opération s'effectue au moyen d'outils ou d'instruments précis en suivant une procédure rigoureuse. On entend par « donnée » un élément (fait, chiffre, témoignage, etc.) qui est une information de base sur laquelle on peut s'appuyer pour prendre une décision, tenir un raisonnement ou proposer un argument.

Le nombre d'immigrants au Canada en 2008, la réponse d'un étudiant à un sondage sur les services offerts dans son cégep et des observations sur le comportement d'un enfant en garderie sont des données que l'on peut recueillir (collecter) pour construire une démonstration.

DIFFÉRENTS TYPES DE COLLECTES DE DONNÉES

Imaginons que Stéphanie effectue une recherche sur l'Accueil Bonneau, cet organisme qui reçoit les personnes itinérantes à Montréal depuis la fin du 19e siècle. Son objectif est de dresser un portrait de l'établissement et d'analyser quelques-unes de ses facettes : le type de services offerts, la clientèle, la vocation, la relation entre les bénévoles et les usagers. Après un survol de la documentation, elle cherche à comparer la vocation de l'établissement créé en 1877 et sa vocation actuelle d'organisme reconnu ; elle émet l'hypothèse que cette vocation a changé depuis que le clergé et, par la suite, l'État se sont progressivement désengagés de l'aide sociale.

Comment s'y prendra-t-elle pour effectuer sa collecte de données ? L'exemple qui suit présente une stratégie de recherche complexe, qui donne une idée de la variété des types de collectes de données.

■ Stéphanie utilisera la méthode historique, qui est une enquête dans le temps, une tentative de reconstitution du passé à l'aide d'un examen critique des documents et de tous les témoignages du passé (objets, lettres, habitat, etc.). Elle cherchera à recueillir des sources primaires, c'est-à-dire des témoignages laissés par des acteurs de l'histoire : archives de l'établissement, lettres, publications, etc. Puis elle se penchera sur les sources secondaires : journaux, livres, articles de revues, thèses, etc. Lorsqu'elle consignera par écrit ses notes de lecture (on dit qu'elle « dépouillera » la documentation), elle créera un fichier de lecture manuel ou informatisé (▶ *voir le chapitre 3, p. 43*) qui lui permettra de traiter, puis de classer l'information recueillie.

■ Elle procédera peut-être à une analyse de contenu de certains documents. Pour comparer le discours des religieuses du 19e siècle et celui des travailleurs sociaux du 20e siècle, elle compilera les documents pertinents, les lira en les analysant à l'aide d'une grille et cherchera à noter l'occurrence (la présence répétée) de certains mots ou concepts dans les deux discours, tels que « charité, Église, christianisme, péché » dans le discours des religieuses ou « État, solidarité, morale et dignité » dans le discours des travailleurs sociaux. Elle classera ses observations par catégories et tentera d'en dégager le sens en comparant les deux textes.

■ Elle réalisera quelques entrevues avec une intervenante, un bénévole et un usager, par exemple, afin de mieux comprendre la perception que chacun a de son rôle ou de la qualité des services.

- Elle analysera certaines données chiffrées, telle l'évolution du nombre d'usagers de 1880 à 2008 ou la somme des contributions et des subventions amassées au cours de cette période. Elle établira un lien entre ces informations et l'évolution du nombre de prestataires de l'aide sociale au Québec ou à Montréal au cours de la même période en consultant notamment les statistiques du ministère de la Santé et des Services sociaux du Québec [www.msss.gouv.qc.ca/statistiques/index.php].

- Finalement, elle procédera à une observation systématique d'une journée type à l'un des ateliers de travaux manuels que l'Accueil Bonneau organise pour favoriser la réinsertion sociale des usagers. Elle tentera alors de mesurer la qualité de l'engagement des usagers dans les activités proposées, afin de mieux comprendre le rôle de l'organisme.

Il est donc possible d'effectuer un travail de recherche documentaire à l'aide de plusieurs types de collectes de données dans le but de recueillir l'information nécessaire à la vérification de l'hypothèse.

L'entrevue est une méthode de collecte de données.

LES OUTILS DE LA COLLECTE DE DONNÉES

La nature des outils de la collecte de données varie selon la méthode de recherche employée. Le tableau 10.3 donne un aperçu de la variété des outils et des méthodes que l'on peut utiliser pour la collecte de données afin de s'assurer de la fiabilité de celles-ci. Quel que soit l'outil de recherche choisi, la technique des fiches documentaires est la meilleure pour consigner des notes de lecture, des éléments d'entrevue, des chiffres, des observations, des notes critiques, etc. (*voir le chapitre 3, p. 43*).

TABLEAU 10.3	Outils et méthodes de la recherche documentaire			
Méthodes de recherche	**Buts**	**Sources des informations**	**Outils**	**Procédures**
Méthode historique	■ Explorer ■ Découvrir ■ Analyser	■ Personnes ■ Documents ■ Objets ■ Données chiffrées	■ Recherche documentaire (*voir le chapitre 6*) ■ Fichier de lecture (*voir le chapitre 3*) ■ Internet (*voir le chapitre 7*) ■ Dossier de presse (*voir le chapitre 8*)	■ Inventaire des sources ■ Dépouillement de ces dernières dans un fichier ■ Classement des informations ■ Critiques interne (valeur du témoignage) et externe (authenticité) des sources
Analyse de contenu	■ Décomposer une production ■ Dénombrer des éléments de contenu inclus dans une production ■ Tracer un portrait	■ Productions écrites, audiovisuelles, visuelles, etc.	■ Grille d'analyse ■ Questionnaire	■ Lecture ou visionnement des productions à l'aide d'une grille d'analyse ■ Isoler les composantes (unités de contenu) et faire ressortir les mécanismes cachés par le calcul des occurrences (nombre de fois qu'apparaît un mot ou un concept) ■ Classer par catégories et dégager le sens de l'analyse
Entrevue	■ Tracer un portrait ■ Recueillir des informations	■ Personnes	■ Grille d'entrevue ■ Enregistrement	■ Entrevue structurée (questions fermées, ordre préétabli) ■ Entrevue semi structurée (questions fermées et ouvertes, ordre préétabli) ■ Entrevue non structurée (questions ouvertes, sans ordre préétabli)

| TABLEAU 10.3 | Outils et méthodes de la recherche documentaire (*suite*) |

Méthodes de recherche	Buts	Sources des informations	Outils	Procédures
Analyse de données chiffrées (statistiques)	■ Recueillir des informations ■ Consulter et regrouper des données disponibles	■ Données chiffrées déjà constituées, de source publique ou privée ■ Données chiffrées que l'on recueille soi-même	■ Chiffriers (ex. : Excel, Statistical Package for Social Science) ■ Recueils de statistiques (ex. : recensements) ■ Tableaux et toutes formes de présentation des données (► *voir le chapitre 11, p. 211*)	■ Collecte des données ■ Lecture des données ■ Évaluation des données ■ Traitement des données ■ Présentation des données

Observation	■ Recueillir des informations
	■ Dénombrer et décrire des comportements observés
		■ Personnes	■ Grille d'observation fermée ou ouverte
			■ Vidéo
			■ Journal de bord (consignation différée et retour sur l'observation)
				■ Élaboration des grilles
				  a) grille fermée (comportements prévisibles déjà consignés)
				  b) grille ouverte (l'observateur note tous les comportements)
				■ Observation
				■ Consignation des comportements : durée, fréquence, amplitude, etc.

Source : adapté d'Andrée LAMOUREUX, *Recherche et méthodologie en sciences humaines*, Laval, Éditions Études Vivantes, 1995, p. 143-241.

LA RENCONTRE AVEC L'ENSEIGNANT

À cette étape-ci, il serait temps de rencontrer de nouveau votre enseignant pour lui présenter votre hypothèse de travail (s'il y a lieu), le plan provisoire et les résultats de la collecte de données, sous forme de fiches documentaires, de rapports d'entrevue et de tableaux statistiques. L'enseignant sera alors en mesure d'évaluer le projet de recherche, de suggérer des modifications et de proposer des lectures ou des activités complémentaires.

QUATRIÈME ÉTAPE – ANALYSER ET INTERPRÉTER LES RÉSULTATS

À cette étape, vous posez un jugement sur la qualité du matériel que vous avez recueilli et vous établissez la validité de votre démonstration par rapport à l'hypothèse de travail. Vous devez donc :

■ analyser la qualité du matériel recueilli ;

■ interpréter vos résultats au regard de l'hypothèse ;

■ élaborer un plan de rédaction ;

■ rencontrer votre enseignant.

L'ANALYSE DU MATÉRIEL RECUEILLI

La recherche est un processus de questionnement. Tout au long des diverses activités de recherche, il faut exercer son esprit critique sur les données recueillies.

Voici quelques pistes de réflexion pour les données écrites.

- Les textes lus proviennent-ils de spécialistes, d'universitaires ou de personnes qui ont peu de crédibilité scientifique ? Les données provenant d'un site Internet dont on ne connaît pas l'auteur n'ont aucune valeur scientifique. C'est souvent le cas des articles de l'encyclopédie *Wikipédia*. En revanche, les données provenant de sites universitaires, de sites gouvernementaux et de sites de chercheurs reconnus sont fiables.

- Attention aux résultats de travaux de recherche scientifiques : toutes les recherches comportent des biais, des problèmes et des difficultés d'interprétation. Certaines recherches sont carrément remises en question par d'autres chercheurs. Alors, prudence !

La rencontre avec l'enseignant est déterminante, car s'il accepte votre hypothèse et votre plan de travail, c'est que vous êtes sur la bonne voie. S'il la rejette, il est encore temps de rectifier le tir.

- Les témoignages concordent-ils ?

- S'il y a des contradictions entre les témoignages ou entre les opinions des spécialistes, en vertu de quel principe optera-t-on pour une interprétation plutôt qu'une autre ?

- Faut-il effectuer d'autres entrevues, par exemple pour vérifier ou confirmer certaines données ?

- Les informations recueillies tiennent-elles compte des récentes découvertes ou des nouvelles approches ?

- Y a-t-il des informations inutiles que l'on peut rejeter sans nuire à la rigueur de la démonstration ?

- Les sources sont-elles variées ? Il faut éviter de s'en tenir à une seule série de faits ou à des témoignages émanant de la même source. Il faut consulter des sources variées : pour un travail de 10 à 15 pages, il faut consulter une dizaine de sources différentes.

- Le type de sources est-il varié ? Il faut consulter des sources primaires (témoignages) et des sources secondaires (interprétations).

Pour les données chiffrées, votre réflexion pourrait porter sur les points suivants :

- Ce n'est pas parce qu'une donnée est chiffrée ou présentée dans un tableau statistique attrayant qu'elle est nécessairement vraie ou pertinente. Soyez toujours vigilant, même envers les chiffres !

- Les calculs sont-ils effectués correctement ?

- L'information est-elle pertinente ? Apporte-t-elle quelque chose à votre démonstration ?

- Les informations sont-elles à jour ? Y aurait-il moyen d'aller chercher des statistiques plus récentes sur le même sujet ?

- La présentation des tableaux est-elle claire et rigoureuse ?

- On peut utiliser divers procédés graphiques, tels que des tableaux, des figures, des schémas (► *voir le chapitre 11, p. 211*), mais il ne faut retenir que les éléments les plus probants.

L'INTERPRÉTATION DES RÉSULTATS AU REGARD DE L'HYPOTHÈSE

Vous devez maintenant réfléchir à la portée de vos résultats. Êtes-vous en mesure de valider votre hypothèse, c'est-à-dire de la confirmer? Devez-vous la déclarer infirmée, parce que le matériel recueilli ne permet pas d'établir une relation entre les deux variables à l'étude?

Vous devez construire un raisonnement, une séquence d'arguments, de preuves, de faits qui confirment ou infirment votre hypothèse. Vous devez ensuite proposer un plan de présentation de vos arguments, de manière qu'il y ait une progression pour amener le lecteur à adhérer à la logique de votre exposé.

L'ÉLABORATION D'UN PLAN DÉFINITIF

Vous allez maintenant «jouer» avec les fiches documentaires ou le matériel d'expérimentation, afin d'organiser l'information et les arguments dans un ordre logique et convaincant. Il faut classer toutes les fiches en fonction des idées principales et des idées secondaires, puis ordonner le tout et élaborer un plan définitif.

Le plan définitif comprend une introduction (hypothèse et présentation du travail), un développement (des parties ordonnées en fonction des idées principales) et une conclusion. Vous pouvez ajouter des annexes, s'il y a lieu, avant la bibliographie. Il est fortement recommandé de rédiger le développement avant l'introduction, car ce n'est qu'une fois le développement terminé que l'on peut à coup sûr présenter dans l'introduction l'enchaînement des idées.

CINQUIÈME ÉTAPE – RÉDIGER LE RAPPORT DE RECHERCHE

Rédiger un texte, quel qu'il soit, suppose qu'on veut communiquer un message, une émotion ou une information à un lecteur. Pour reprendre les termes de la théorie de l'information, on devient alors un émetteur qui veut communiquer un message à un récepteur. Une communication efficace implique le respect de certaines lois. Le texte doit être clair, structuré et rédigé dans un style neutre où l'on emploie le «nous» scientifique (➤ *voir les conseils de rédaction, p. 196*).

LA STRUCTURE DU RAPPORT

Il faut diviser le travail en parties où les arguments liés aux idées principales sont développés. Le tableau 10.4 présente un exemple de la structure d'un rapport. Nous avons présenté, au chapitre 9, les différentes sortes de plans de rédaction d'une dissertation explicative, critique ou philosophique. Les tableaux 9.2 et 9.3 (➤ *voir le chapitre 9, p. 164 et 169*) en présentent plusieurs. À vous de choisir l'enchaînement des arguments qui cadre le mieux avec vos objectifs et avec la nature du travail demandé.

Pour faire ressortir la structure et l'organisation du texte, vous pouvez utiliser des sous-titres numérotés de façon à aider le lecteur à s'y retrouver. Le tableau 10.5 (➤ *voir p. 194*) présente les méthodes de numérotation les plus courantes. Évitez d'utiliser le système décimal pour un travail court, car il alourdit la présentation. Dans le système usuel ou traditionnel, plus répandu, les chiffres alternent avec les lettres.

TABLEAU 10.4	Exemples de structures d'un rapport de recherche
Dissertation	**Rapport scientifique**
Pages liminaires Table des matières Liste des tableaux Liste des figures	**Pages liminaires** Table des matières Liste des tableaux Liste des figures Sommaire de la recherche (facultatif)
Introduction Sujet amené (problématique) Sujet posé (hypothèse) Sujet divisé (les grandes divisions du texte)	**Introduction** Présentation du sujet ou du problème Présentation de la recherche menée Les divisions du rapport
Développement **Chapitre 1 : Premier argument principal** Introduction Ce qui va être démontré dans le chapitre 1 Développement ■ Premier argument secondaire ■ Transition ■ Deuxième argument secondaire ■ Transition ■ Troisième argument secondaire Conclusion et transition vers le chapitre 2	**Développement** **Chapitre 1 : Problématique** Les questions de départ, les éléments de la problématique Les connaissances que l'on a du problème (recension des écrits) L'hypothèse de travail ou l'objectif de la recherche
Chapitre 2 : Deuxième argument principal Introduction Ce qui va être démontré dans le chapitre 2 Développement ■ Premier argument secondaire ■ Transition ■ Deuxième argument secondaire Conclusion et transition vers le chapitre 3	**Chapitre 2 : Méthodologie** Le choix de la méthode de recherche Les principaux concepts Les instruments utilisés Les caractéristiques de la population étudiée ou de l'échantillon
Chapitre 3 : Troisième argument principal Introduction Ce qui va être démontré dans le chapitre 3 Développement ■ Premier argument secondaire ■ Transition ■ Deuxième argument secondaire Conclusion du chapitre 3	**Chapitre 3 : Analyse et interprétation des résultats** L'analyse des données recueillies : principales constatations L'évaluation de l'hypothèse ou de l'objectif de la recherche La discussion sur les résultats
Conclusion Retour sur le cheminement du travail Réponse à la question posée ou retour sur l'hypothèse Limites de la recherche et perspectives nouvelles	**Conclusion** Synthèse de l'analyse des données Chemin parcouru, nouvelles connaissances acquises Nouvelle perspective de recherche
Annexes (s'il y a lieu)	**Annexes (s'il y a lieu)**
Bibliographie	**Bibliographie**

Source : adapté de C. LAVILLE et J. DIONNE, *La construction des savoirs*, Montréal, Chenelière/McGraw-Hill, 1996 et de Maurice ANGERS, *Initiation pratique à la méthodologie des sciences humaines*, 4e éd., Montréal, CEC, 2005.

10

À partir du plan définitif et des fiches documentaires, rédigez le brouillon de votre rapport. Relisez-le et complétez-le en ajoutant des arguments, en peaufinant le style et en corrigeant les fautes. Rappelez-vous que même les plus grands écrivains et les plus brillants scientifiques rédigent souvent plusieurs versions de leurs écrits et qu'ils soumettent leur production à la critique d'autres personnes avant de publier quoi que ce soit. Alors… «Vingt fois sur le métier, remettez votre ouvrage», comme l'a écrit Boileau.

La structure d'un rapport de recherche peut varier selon les exigences de l'enseignant ou selon les règles des différentes disciplines scientifiques. Le tableau 10.4 présente les deux modèles les plus courants. Le premier est celui d'une dissertation qui avance, dans son développement, les grands arguments qui confirment ou infirment l'hypothèse de départ. Le second représente le modèle scientifique : un sommaire d'une page est inséré avant l'introduction et le développement commence par la présentation de la problématique, suivi d'une justification des choix méthodologiques ; viennent ensuite l'analyse et l'interprétation des résultats de recherche.

TABLEAU 10.5	Les systèmes usuel et décimal de numérotation de la structure d'un texte	
Système usuel		**Système décimal**
Le système usuel comporte une succession hiérarchique de chiffres romains en majuscules (I, II, III…) pour les chapitres ou les sections d'un rapport, de lettres en majuscules (A. B. C…), de chiffres arabes (1, 2, 3…) et de lettres en minuscules (a, b, c…) pour les sous-chapitres ou les sous-sections du rapport.		Le système décimal comporte une succession hiérarchique de chiffres arabes (1, 2, 3…) pour les chapitres ou les sections d'un rapport, de subdivisions (1.1, 1.2, 1.3…) pour chacune des parties d'un chapitre et de nouvelles subdivisions (1.1.1, 1.1.2, 1.1.3.) et (1.1.1.1, 1.1.1.2, 1.1.1.3) pour les sous-chapitres ou les sous-sections du rapport.

Système usuel	Système décimal
Introduction	Introduction
I. Le divorce au Québec	1. Le divorce au Québec
A. Historique sur le plan législatif	1.1 Historique sur le plan législatif
B. Évolution de la situation de 1960 à 1999	1.2 Évolution de la situation de 1960 à 1999
1. Nombre de mariages	1.2.1 Nombre de mariages
a. Au Canada	1.2.1.1 Au Canada
b. Au Québec	1.2.1.2 Au Québec
2. Nombre de divorces	1.2.2 Nombre de divorces
3. Nombre de familles monoparentales	1.2.3 Nombre de familles monoparentales
4. Nombre d'enfants touchés par un divorce	1.2.4 Nombre d'enfants touchés par un divorce
C. La situation en 1999 et les tendances pour l'an 2005	1.3 La situation en 1999 et les tendances pour l'an 2005
II. Les effets du divorce sur les enfants	2. Les effets du divorce sur les enfants
A. Le contexte social	2.1 Le contexte social
1. L'école	2.1.1 L'école
2. Les amis	2.1.2 Les amis
B. La dimension affective	2.2 La dimension affective
C. La perte d'un parent	2.3 La perte d'un parent
III. Les comportements des enfants de parents divorcés	3. Les comportements des enfants de parents divorcés
A. Éthique du divorce centrée sur l'enfant	3.1 Éthique du divorce centrée sur l'enfant
B. Rôle des autres adultes	3.2 Rôle des autres adultes
C. Rôle de l'État	3.3 Rôle de l'État
Conclusion	Conclusion
Bibliographie	Bibliographie

Notez que, dans les deux cas, seules les parties du développement sont numérotées ; l'introduction, la conclusion et la bibliographie ne le sont pas.

LA RÉDACTION DU DÉVELOPPEMENT

Le rapport est une démonstration, une argumentation. Il doit indiquer une progression ou une évolution des idées qui mène vers la conclusion. Dans le développement, on répond à la question posée initialement : on la discute, on démontre la validité de l'hypothèse de départ ou, au contraire, on la réfute, arguments à l'appui. Le développement doit être clair, logique, cohérent et continu. Il doit être rédigé – tout comme le reste du document – dans un français de qualité.

Chaque partie du développement doit être introduite, développée et conclue. L'introduction d'une partie ou d'un chapitre situe cette partie ou ce chapitre dans l'ensemble du travail et donne un aperçu des principaux arguments qui vont suivre. Le paragraphe qui clôt une partie, la conclusion, doit faire le point et proposer une transition avec ce qui suit.

LA RÉDACTION DE L'INTRODUCTION

L'introduction (du latin *intro*, « intérieur » et *ductio*, « conduire ») sert à préparer le lecteur au texte qui va suivre, et ne représente pas plus de 10 % de la longueur totale du rapport. Elle remplit essentiellement trois fonctions.

■ **Amener le sujet** Définir la problématique, c'est-à-dire évaluer l'intérêt de la question, cerner sa difficulté et, s'il y a lieu, présenter l'historique du problème.

■ **Poser le sujet** Énoncer l'hypothèse de travail, c'est-à-dire préciser la question traitée et l'angle sous lequel elle sera abordée.

■ **Diviser le sujet** Exposer les grandes lignes du plan du développement et poser les limites du rapport.

LA RÉDACTION DE LA CONCLUSION

La conclusion doit être évocatrice, pratique et stimulante. Évocatrice parce qu'elle rappelle le cheminement de la pensée, tel qu'il a été suivi tout au long du travail, à travers l'enchaînement des idées principales. Pratique parce qu'elle apporte la réponse à l'énoncé ou à l'hypothèse de travail, indiquant dans quelle mesure cette hypothèse a été confirmée ou infirmée. Stimulante parce qu'elle présente des perspectives nouvelles et suggère un angle de recherche qui pourrait être prometteur, tout en précisant les limites du travail de recherche effectué. La conclusion n'occupe jamais plus de 10 % de la longueur totale du rapport.

Ne terminez jamais votre travail par une formule du genre « J'espère que vous avez aimé ce travail » ou encore « Vous en savez maintenant davantage sur ce sujet ». Ne présumez pas des connaissances de votre lecteur. Il faut garder un ton neutre, propre aux écrits scientifiques.

- Lorsque vous rédigez un brouillon à la main, n'écrivez qu'au recto des feuilles et laissez beaucoup d'espace entre les parties afin de pouvoir ajouter du texte, s'il y a lieu.

- Ayez devant vous le plan détaillé de votre rapport.

- Tenez-vous-en à une idée par paragraphe ; changez de paragraphe aussi souvent qu'il le faut pour aérer le texte.

- N'employez pas le « je » ; employez le style impersonnel, scientifique ou neutre : « Les faits concordent », « Tout conduit à penser que… » au lieu de « Je crois que… » ou « Mon opinion est que… », etc. Certains chercheurs parlent d'eux-mêmes à la troisième personne : « Le chercheur constate que… ».

- Le « nous » scientifique est recommandé, car il indique que le chercheur appartient à la communauté scientifique, mais il ne faut pas en abuser ; les adjectifs et les participes s'accordent avec le sujet en genre, mais pas en nombre ; ainsi, Stéphanie écrira « Nous sommes convaincue… », alors que Julien conclura « Nous sommes persuadé que… ».

- Choisissez le mot juste : utilisez un dictionnaire des synonymes pour vous aider.

- Relisez-vous au moins une journée après avoir terminé la rédaction pour corriger le style et les fautes.

- Faites lire votre rapport par un ami ou un parent.

LES CITATIONS ET LE PLAGIAT DES SOURCES CONSULTÉES

Les citations

Il est parfois essentiel de reproduire textuellement la pensée d'un auteur, ou l'extrait d'un document. Quand on cite : on acquitte sa « dette intellectuelle » envers l'auteur ; on permet au lecteur de retrouver les sources qui ont servi à construire l'argumentation ; on informe le lecteur de son cheminement intellectuel[5].

Comme le remarque Raymond H. Shevenell :

> On cite pour fournir une preuve, pour appuyer le contexte et pour l'éclairer, non pour le rendre obscur ni pour le faire perdre de vue. On ne plante jamais une citation dans le texte comme un poteau au milieu d'une rue. La citation fera toujours partie intégrante du texte ; […] elle sera liée intimement à la marche des idées[6].

Puisque la citation vient à l'appui d'un argument, elle doit toujours être présentée par le rédacteur du rapport ; elle doit parfois être expliquée ou commentée. En somme, on ne doit pas « parsemer » le texte de citations choisies au hasard pour faire étalage de ses lectures. Au contraire, une citation judicieusement choisie et commentée témoigne de la capacité d'analyser un texte et de faire ressortir la pensée d'un auteur (pour la présentation des citations, ► *voir le chapitre 11, p. 217*).

---

5. B.T. WILLIAMS et M. BRYDON-MILLER, *Concept to Completion. Writing Well in the Social Sciences,* New York, Harcourt Brace College Publishers, 1997, p. 78.
6. Raymond H. SHEVENELL, o.m.i., *Recherches et thèses. Research and Theses,* 3e éd., Ottawa, Éditions de l'Université d'Ottawa, 1963, p. 76.

Le plagiat

> Plagier, c'est reproduire le texte ou l'idée d'un auteur sans en donner la source, de manière à laisser croire que c'est l'expression de sa propre pensée.

Lorsqu'on reproduit un extrait de livre, un document de site Internet, un paragraphe d'un article de revue ou d'encyclopédie sans donner la référence complète de cet emprunt à la pensée d'un autre, on commet un plagiat. Le plagiat est une fraude sanctionnée par la note zéro, parfois par le renvoi du cours auquel on est inscrit, parfois même par le renvoi de l'établissement où l'on étudie. Il s'agit d'un délit grave. Il en va de votre intégrité intellectuelle, voire de la simple honnêteté. Omettre d'indiquer sa source lorsqu'on cite le texte d'un autre ou que l'on reprend les idées d'un autre est un acte inacceptable sur le plan de l'éthique intellectuelle. Résumer le texte d'un autre est permis, mais ne pas en indiquer la source, c'est plagier.

L'ÉVALUATION DU RAPPORT

Pour corriger ou évaluer votre rapport, l'enseignant utilisera certains critères incluant à coup sûr les paramètres suivants :

- **Clarté** Le message véhiculé dans chaque phrase, chaque paragraphe, doit être clair pour le lecteur. Les phrases doivent être complètes et bien structurées.

- **Logique** Les idées secondaires doivent appuyer les idées principales. Chaque partie doit concourir à développer un aspect de l'argumentation centrale du rapport de recherche. L'introduction, le développement et la conclusion doivent être rédigés dans les règles de l'art : l'introduction ne contient pas d'arguments, la conclusion n'apporte pas de faits nouveaux, etc.

- **Cohérence** Il faut que chaque partie occupe la place qui lui revient dans la progression de la démonstration. Par exemple, les causes viennent avant les conséquences, les exemples suivent l'énoncé des arguments théoriques.

- **Originalité** Les idées développées doivent être les vôtres et non celles des autres. Bien entendu, vous pouvez citer celles des autres, sans plagier.

- **Pertinence des sources** Vos sources d'information, qu'elles soient qualitatives ou quantitatives, doivent être pertinentes, c'est-à-dire qu'elles doivent éclairer le sujet, avoir un lien avec lui et contribuer à le faire mieux connaître. Les statistiques, entre autres, doivent être bien choisies et bien présentées.

- **Qualité de la langue** L'orthographe, la syntaxe et la justesse des mots choisis et des figures de style doivent concourir à faciliter la lecture du rapport. Il est désagréable de lire un rapport rempli de fautes : le lecteur qui passe son temps à les corriger et à deviner le sens du texte finit par perdre le fil. Il n'est alors pas très enclin à apprécier la qualité des idées développées.

– Soyez curieux. Le chercheur curieux veut apprendre et il est prêt à mener une enquête approfondie sur une question afin d'en savoir plus. Il prend le temps de s'arrêter pour observer et comprendre des phénomènes nouveaux : il n'est pas déboussolé par les découvertes qu'il fait en chemin, même par celles qui bousculent ses idées.

– Ayez l'esprit critique. Le chercheur n'accepte pas les idées toutes faites et il doute de la véracité des faits, des arguments et des statistiques qu'on lui présente, à moins d'avoir la preuve formelle de leur authenticité. Il examine avec soin la méthode utilisée par les autres chercheurs ou, à tout le moins, il s'interroge sur leur démarche et cherche à faire le lien entre la méthode utilisée et les conclusions auxquelles ils arrivent.

– Soyez rigoureux. Bien entendu, le chercheur n'accepte pas les demi-vérités et il s'emploie à établir les faits en utilisant des outils reconnus. Il construit sa preuve de manière systématique et ne laisse rien au hasard. Il emploie un vocabulaire précis et décrit minutieusement les faits.

– Ayez l'esprit coopératif. Le chercheur qui entreprend une démarche de collecte de données bénéficie des résultats obtenus par d'autres chercheurs et contribuera, par sa propre recherche, à faire avancer les connaissances des autres chercheurs. La modestie est donc de rigueur, de même que la reconnaissance des « dettes intellectuelles » que l'on a contractées à l'égard des autres. De plus, le chercheur travaille bien en équipe : il ne prend pas toute la place, mais il ne laisse personne orienter le travail dans un sens qu'il juge inadéquat.

À RETENIR La recherche planifiée	Oui	Non
Ai-je choisi un sujet bien délimité dans le temps et dans l'espace ?	❏	❏
Est-ce que je formule mes idées de manière à dégager une hypothèse de travail vérifiable ?	❏	❏
Ai-je bien planifié toutes les étapes du travail de recherche ?	❏	❏
Est-ce que je connais les caractéristiques des différentes méthodes de collecte de données ?	❏	❏
Est-ce que j'interprète mes résultats de recherche en fonction de mon hypothèse ?	❏	❏
Est-ce que je prends tous les moyens pour éviter le plagiat et citer correctement les auteurs consultés ?	❏	❏

Jean-François Lisée

journaliste, essayiste et chercheur

Né à Thetford Mines en 1958, celui qui sera le conseiller des premiers ministres Jacques Parizeau et Lucien Bouchard de 1994 à 1999 devient membre du Parti québécois dès l'âge de 16 ans et devient membre actif du comité exécutif du parti dans sa ville. Après avoir terminé un DEC en Sciences humaines au cégep de Thetford Mines en 1976, il complète des études de droit à l'Université du Québec à Montréal. En 1990, il reçoit le Prix du Gouverneur général pour son ouvrage intitulé *Dans l'œil de l'aigle*, un essai sur l'attitude américaine envers les souverainistes québécois. Par la suite, il écrit plusieurs livres sur la politique québécoise. Il a également été journaliste pendant près de 20 ans avant de devenir, en 2004, directeur exécutif du Centre d'études et de recherches internationales de l'Université de Montréal (CÉRIUM). En 2007, il a publié l'essai *Nous* chez Boréal.

La passion de la politique

« Au secondaire, raconte Jean-François Lisée, nous avions formé un comité politique et, pendant la campagne de 1973, nous avions fait venir des candidats de chacun des partis à l'école. Je suis ensuite devenu journaliste étudiant et correspondant pour le quotidien indépendant *Le Jour* et pour CKAC pendant une grosse grève de l'amiante. J'écrivais aussi sur la vie étudiante. Je n'étais pas très impliqué dans l'Association étudiante, mais je l'étais beaucoup en dehors de l'école. »

La politique nuit-elle aux études ?

« J'ai déjà suivi un cours d'été pour alléger une session, mais ça ne m'a pas vraiment empêché de réussir mes études. J'étais assez assidu, j'avais de bons professeurs et je faisais mes lectures... »

L'importance de la recherche documentaire dans la vie professionnelle

« Il y a eu un changement énorme depuis l'arrivée d'Internet, c'est très différent maintenant : la rapidité et l'accessibilité aux documents se sont beaucoup améliorées. Mais la recherche documentaire prend plusieurs formes selon le métier. Par exemple, en écrivant un livre, j'ai travaillé à la bibliothèque du Congrès américain et j'ai pu accéder aux rayonnages, ce qui est un grand privilège. Comme journaliste, la recherche est différente, il faut trouver des sources rapidement, les vérifier... J'ai aussi souvent fait appel à la *Loi sur l'accès à l'information*. »

Le facteur clé de la réussite ?

« La curiosité, qui est le moteur de la recherche, et la discipline, qui canalise cette motivation. » ■

Présenter un rapport

Julien et Stéphanie au cégep

C'est vendredi soir et Julien est chez son ami de longue date, Colin. Ce dernier célèbre ses dix-huit ans et tous ses amis sont rassemblés chez lui pour l'événement. Comme les autres, Julien s'amuse, content de profiter de ce moment pour évacuer le stress de sa fin de session. Il faut dire que, ces temps-ci, il est plutôt préoccupé: le résultat qu'il a obtenu pour son dernier travail de psychologie risque de compromettre sa session. Il a perdu une grande partie des points parce que ses références, sa bibliographie et ses tableaux étaient mal présentés. Il veut éviter que ça se reproduise, mais en méthodologie, il y a tellement de cas particuliers et de détails auxquels il faut penser qu'il se demande toujours si c'est la bonne façon de faire.

Les enseignants accordent beaucoup d'importance à la présentation matérielle d'un rapport de recherche, d'une dissertation ou d'un simple résumé. Pour eux, la forme soutient le fond, c'est-à-dire que la présentation des idées appuie le contenu. Il n'est donc pas étonnant qu'ils enlèvent des points s'il y a des fautes de français, si les références sont incomplètes, si les citations sont mal présentées ou, tout simplement, si le texte n'est pas ordonné selon les règles de l'art.

Comment présenter un rapport? Comment présenter une bibliographie, une référence, un tableau, une figure? Quelles règles faut-il respecter pour citer la pensée de quelqu'un sans plagier?

OBJECTIFS

Après avoir lu attentivement le présent chapitre, vous serez en mesure :

- de présenter un rapport selon les règles ;
- d'utiliser des tableaux et des figures pour présenter vos idées ;
- d'indiquer correctement les références des auteurs consultés ;
- de présenter convenablement la bibliographie d'un rapport.

LA DISPOSITION GÉNÉRALE D'UN RAPPORT

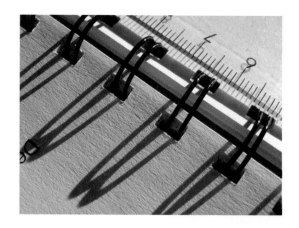

PRÉSENTATION

L'étape de la rédaction finale et de la mise en forme d'un rapport est déterminante, car la présentation matérielle (la forme) soutient la présentation des idées (le fond). Un texte disposé selon des règles précises qui en facilitent la consultation attire l'attention du lecteur. En outre, une apparence harmonieuse et rigoureuse prédispose à la lecture d'un rapport.

Le présent chapitre – qui propose essentiellement des tableaux faciles à consulter – traite des normes de présentation matérielle des rapports. Ce protocole est valable pour la plupart des travaux écrits (dissertations, rapports de recherche, rapports de stage, dossiers, etc.).

LA DISPOSITION GÉNÉRALE

Le tableau 11.1 résume les normes générales de disposition des rapports. Cependant, certains enseignants ont des exigences particulières, reliées parfois aux normes de leur discipline d'enseignement. Assurez-vous de les connaître et de vous y conformer.

TABLEAU 11.1	La disposition générale
Éléments à surveiller	**Consignes**
Le papier	■ Utiliser du papier blanc, de bonne qualité et de dimensions uniformes (22 cm sur 28 cm). N'utiliser que le recto des feuilles.
La reliure	■ Agrafer le rapport au coin supérieur gauche. ■ Éviter d'insérer le rapport dans une reliure : les enseignants n'apprécient guère les reliures qui se manipulent mal lors de la correction.
Les marges (► voir la figure 11.1, p. 206)	■ Laisser des marges suffisantes pour que le correcteur puisse annoter le texte. ■ Établir la mise en pages du texte avec un logiciel de traitement de texte sous le menu « Fichier » ; les marges sont alors définies une fois pour toutes. Créer un modèle de mise en pages permanent (un gabarit) à sauvegarder ou utiliser le gabarit qui se trouve sur le site Internet *Pour réussir* [www.pourreussir.com]. ■ Le texte ne doit jamais excéder ces marges, même sur les pages qui comportent des tableaux ou des figures, ou celles qui présentent des notes de bas de page. ■ Respecter les dimensions suivantes : – **en haut :** 6,25 cm au début d'un chapitre ou d'une section du rapport, 4 cm pour les autres pages ; – **en bas :** 3 cm ; – **à gauche :** 4 cm afin de permettre une lecture facile lorsque le texte est agrafé et de laisser de l'espace pour que le correcteur puisse annoter le texte ; – **à droite :** 3 cm.
La pagination (► voir la figure 11.1, p. 206) (► voir les figures 11.2 à 11.11, p. 206 à 211)	■ Compter toutes les pages du texte, de la page de titre à la dernière page de la bibliographie. ■ Ne pas indiquer de numéro sur une page qui commence par un titre important (page de titre, introduction, chapitre, conclusion, annexe, index, bibliographie). ■ Indiquer le numéro des pages en chiffres arabes dans le coin supérieur droit des feuilles, à 2,5 cm du haut et à 3 cm de la droite de la page. ■ Paginer les pages contenant des tableaux et des figures. ■ Compter les pages précédant l'introduction (page de titre, table des matières, liste des tableaux ou des figures, avant-propos, etc.) et les numéroter avec des chiffres romains en petites capitales (I, II, III, IV, V, etc.) ; ne pas paginer la page de titre, même si elle est comptée. ■ Numéroter les pages du corps du texte, qui commence avec l'introduction, en chiffres arabes à partir de un (1).

TABLEAU 11.1	La disposition générale (*suite*)
Éléments à surveiller	**Consignes**
La justification (► *voir la figure 11.5, p. 208*)	■ La justification d'un texte est l'action de mettre toutes les lignes à une longueur requise. En général, les lignes d'un texte ont une soixantaine de caractères qui occupent une longueur de 16 cm. Une page normale compte 25 lignes. L'alignement à gauche facilite la lecture. Cependant, la mise en pages est visuellement plus agréable lorsque le texte est justifié à gauche et à droite, comme dans un livre. **Exemple de texte aligné à gauche** La mise en pages est visuellement plus agréable lorsque le texte est justifié à gauche et à droite, comme dans un livre. Mais l'alignement à gauche seulement est également acceptable. **Exemple de texte aligné à gauche et à droite (justifié)** La mise en pages est visuellement plus agréable lorsque le texte est justifié à gauche et à droite, comme dans un livre. Mais l'alignement à gauche seulement est également acceptable.

L'interligne	■ Écrire le texte à double interligne ou à un interligne et demi.
	
	■ L'interligne simple est utilisé dans les cas suivants :
	  – table des matières ;
	  – citation de plus de cinq lignes (en retrait) ;
	  – note et référence de bas de page ;
	  – tableau ;
	  – titre de plus de une ligne ;
	  – notice bibliographique (un double interligne ou un interligne et demi sépare cependant les notices les unes des autres) ;
	  – titres énumérés dans les listes de figures, d'illustrations, de sigles ou autres ;
	  – annexe ;
	  – index.
	
	■ Faire suivre le titre d'un chapitre d'un quadruple interligne[1].
	
	■ Faire précéder l'intertitre d'un triple interligne et le faire suivre d'un double interligne, car il doit être rapproché du texte qu'il annonce.
	
	■ Commencer chaque section (table des matières, liste, préface ou avant-propos, introduction, chapitre, conclusion, bibliographie, annexe, etc.) sur une nouvelle page.
	
	■ Ne pas commencer un paragraphe à la dernière ligne d'une page : le reporter à la page suivante.
	
	■ Ne pas couper un mot au bas d'une page.

L'alinéa (► *voir les figures 11.5 à 11.9, p. 208 à 210*)	■ Commencer la première ligne de chaque paragraphe par un retrait d'environ six espaces.
Les caractères typographiques	■ Employer un caractère typographique uniforme du début à la fin du texte. ■ Employer la police de caractères Times New Roman, dont le corps (la taille) ne doit pas excéder 12 points (une mesure courante en typographie). ■ Réserver l'emploi d'un corps plus petit, de 10 points par exemple, pour les notes de bas de page, comme le font les logiciels tels que Word. **Exemples** Le texte suivant est rédigé en Times New Roman, 12 points. Le texte suivant est rédigé en Times New Roman, 10 points. `Le texte suivant est rédigé en Courier New, 12 points.`

---

1. Si le texte du rapport est à un interligne et demi, le triple interligne suffit à la suite d'un titre de chapitre.

TABLEAU 11.1	La disposition générale (*suite*)
Éléments à surveiller	**Consignes**
Le niveau du caractère (casse)	■ Employer la minuscule (ou bas de casse), car c'est la casse la plus lisible. ■ Réserver la majuscule pour le début des phrases, les sigles (ex. : OQLF, BNQ, HEC, RRQ, etc.) et les acronymes[2] (OPEP, NASA, AFEAS, ONU, etc.) ; écrire les sigles et les acronymes sans points séparateurs : INRS, OTAN, et non I.N.R.S., O.T.A.N., etc. ■ Écrire les noms des auteurs cités (en référence ou dans une bibliographie) en majuscules ; cette norme est utile dans le cas d'un auteur qui s'appellerait René ROBERT, par exemple. ■ Mettre les accents sur les majuscules : l'État, le ministre de l'Éducation, du Loisir et du Sport, etc.
Le soulignement	■ Éviter le soulignement, car il coupe les traits verticaux de certaines lettres, comme *g* et *p*. Utilisé autrefois, il est désuet avec les logiciels de traitement de texte qui permettent le recours à l'italique.
Les caractères romains et italiques	■ Rédiger le texte en caractères romains, qui sont droits. ■ Réserver l'italique, qui se rapproche de l'écriture manuscrite, qui est penché et qui se lit plus difficilement, aux éléments ci-dessous. – Le titre d'une œuvre (livre, pièce de théâtre, partition musicale, film, tableau, site Internet, etc.) : **Exemples** L'ouvrage de Dante, *La divine comédie*, *La Joconde* de Léonard de Vinci, On consultera le *Site de la Bibliothèque de l'Université Laval* ; – Le titre d'un périodique : **Exemples** Le journal *Le Devoir*, *L'Éveil agricole* est un périodique influent ; – La devise d'un pays, d'un État, d'une institution : **Exemples** *Je me souviens* est la devise du Québec, *In hoc signo vinces*, est la devise de l'ancien collège Sainte-Croix ; – Les expressions latines, les mots en langues étrangères : **Exemples** *Ad hoc, op. cit., a posteriori, in extenso*, Le style de vie *DINK* (*Double Income No Kid*) ; – Pour signaler un détail secondaire : **Exemples** *Voir à la page 154*, *Note de la traductrice*.
Les caractères gras	■ Écrire tous les titres et intertitres en gras. ■ Ne jamais rédiger un texte entièrement en caractères gras. Réserver les caractères gras pour insister sur un mot, un titre, une notion importante, etc. **Exemple** C'est par son **style** qu'on reconnaît un grand écrivain.
L'ordre de présentation des sections d'un rapport (➤ *voir les figures 11.2 à 11.11, p. 206 à 211*)	■ Présenter les différentes sections d'un rapport selon l'ordre suivant : 1. la page de titre ; 2. la table des matières ; 3. la liste des tableaux (s'il y a lieu) ; 4. la liste des figures (s'il y a lieu) ; 5. la liste des illustrations (s'il y a lieu) ; 6. la liste des sigles, des symboles et des abréviations (s'il y a lieu) ; 7. l'avant-propos (s'il y a lieu) ; 8. le corps du rapport : introduction, développement (chapitres) conclusion ; 9. les annexes (s'il y a lieu) ; 10. la bibliographie.

2. « Un sigle est un groupe de lettres initiales de plusieurs mots. On doit prononcer séparément toutes les lettres d'un sigle. Un acronyme est un sigle qui peut être prononcé comme un mot ordinaire », selon Aurel RAMAT, *Le Ramat de la typographie*, 7e éd., Montréal, Aurel Ramat éditeur, 2003, p. 54.

TABLEAU 11.1	La disposition générale (*suite*)
Éléments à surveiller	**Consignes**

La page de titre
(▶ *voir la figure 11.2, p. 206*)
	■ Regrouper les renseignements suivants en quatre zones distinctes sur la page de titre, séparées par des espaces égaux. Séparer chaque information par un double interligne à l'intérieur d'une zone :
	
	1re zone
	  – le prénom et le nom de l'auteur ou des auteurs (dans ce dernier cas, par ordre alphabétique) ;
	  – le nom du cours dans le cadre duquel ce rapport est remis ;
	  – le numéro du cours et du groupe cours.
	
	2e zone
	  – le titre du rapport en lettres majuscules ;
	  – s'il y a un sous-titre, il est inscrit en lettres minuscules au-dessous du titre.
	
	3e zone
	  – le nom de l'enseignant à qui on présente le rapport, précédé de la mention : « Travail présenté à M. ou Mme… », ou « Rapport… », ou « Dissertation… », etc.
	
	4e zone
	  – le nom du collège ou de l'université et celui du département, s'il y a lieu ;
	  – la date de la remise du rapport.
	
	■ Ne pas ajouter de ponctuation aux éléments de la page de titre, ni aux titres à l'intérieur du rapport.

La table des matières (▶ *voir la figure 11.3, p. 207*)	■ Inclure les titres de toutes les sections du rapport avec leur pagination. ■ Écrire les titres des chapitres en lettres majuscules, à double interligne. ■ Écrire les intertitres en lettres minuscules, à simple interligne. ■ Le logiciel Word indexe la pagination des titres pour l'élaboration d'une table des matières (menu « Insertion »).
La liste des tableaux et des figures (▶ *voir la figure 11.4, p. 207*)	■ À la suite de la table des matières, dresser la liste des tableaux et des figures du rapport lorsqu'il y en a au moins trois. ■ Dresser une liste unique des tableaux et des figures pour un rapport de moins de 15 pages. Pour les longs travaux qui contiennent plusieurs tableaux et figures, fournir deux listes séparées. ■ Présenter ces listes à simple interligne.
Le corps du rapport (▶ *voir les figures 11.5 à 11.9, p. 208 à 210*)	■ Placer l'introduction à la page 1 du rapport ; cette page n'est pas paginée, bien qu'elle soit comptée. Ne pas indiquer de numéro de chapitre (I, II, III, etc.) pour l'introduction, car elle ne constitue pas la première partie du développement. ■ Diviser le développement en chapitres distincts numérotés en chiffres romains : I, II, III, etc. (▶ *voir le chapitre 10, p. 194*). Commencer chaque chapitre sur une nouvelle page qui est comptée mais non paginée. Un rapport de 10 à 15 pages ne devrait jamais comporter plus de trois chapitres. ■ Placer la conclusion après le développement. Commencer la conclusion sur une nouvelle page qui est comptée mais non paginée ; paginer les pages suivantes.
Les annexes (▶ *voir la figure 11.10, p. 210*)	■ Utiliser des annexes afin d'intégrer au rapport des documents ou des données (statistiques, compte rendu d'entrevue, organigramme, glossaire, etc.) dont la longueur ou la lourdeur gêneraient la lecture s'ils étaient insérés dans le corps du texte. Il ne faut cependant pas en abuser. ■ Insérer les annexes après la conclusion et avant la bibliographie, à simple interligne. ■ Numéroter chaque annexe en chiffres romains lorsqu'il y en a plus d'une (Annexe I, Annexe II, etc.) ; donner un titre à l'annexe et l'annoncer dans la table des matières et dans le corps du texte, à l'endroit approprié.

11

MODÈLE DE PRÉSENTATION D'UN RAPPORT

CONSIGNES GÉNÉRALES

Appliquez les consignes expliquées dans le tableau 11.1. Créez un modèle de mise en pages (gabarit) pour tous vos travaux.

MODÈLE

Dans les exemples qui suivent, les textes et les données sont fictifs.

www.pourreussir.com

Gabarit de mise en pages

FIGURE 11.1   Marges d'un texte

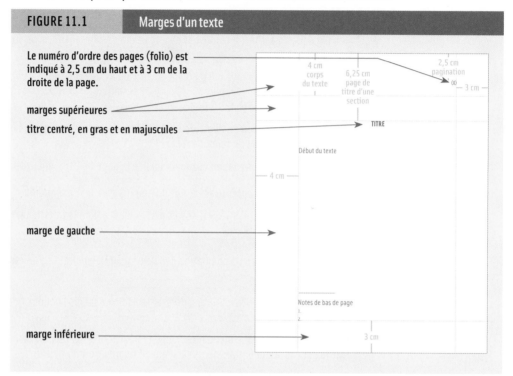

Le numéro d'ordre des pages (folio) est indiqué à 2,5 cm du haut et à 3 cm de la droite de la page.

marges supérieures

titre centré, en gras et en majuscules

marge de gauche

marge inférieure

FIGURE 11.2   Page de titre

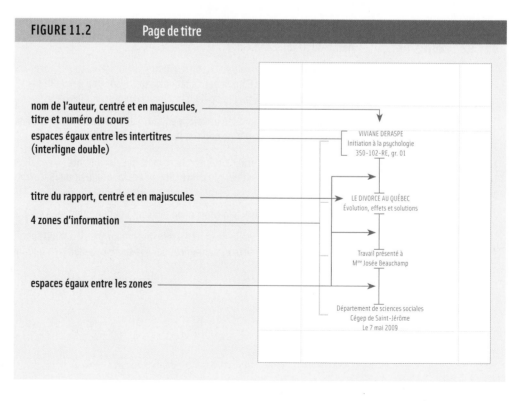

nom de l'auteur, centré et en majuscules, titre et numéro du cours

espaces égaux entre les intertitres (interligne double)

titre du rapport, centré et en majuscules

4 zones d'information

espaces égaux entre les zones

FIGURE 11.3 — Table des matières

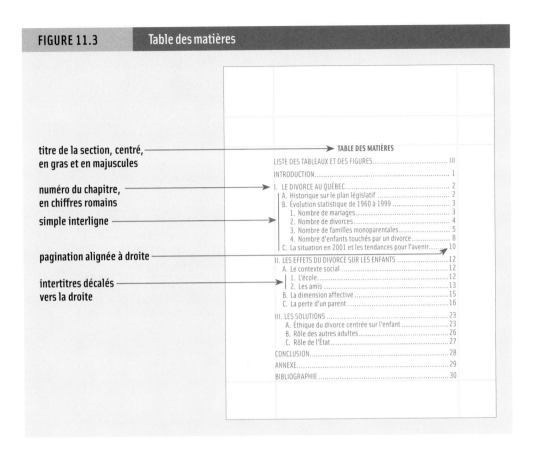

titre de la section, centré,
en gras et en majuscules

numéro du chapitre,
en chiffres romains

simple interligne

pagination alignée à droite

intertitres décalés
vers la droite

FIGURE 11.4 — Liste des tableaux et des figures

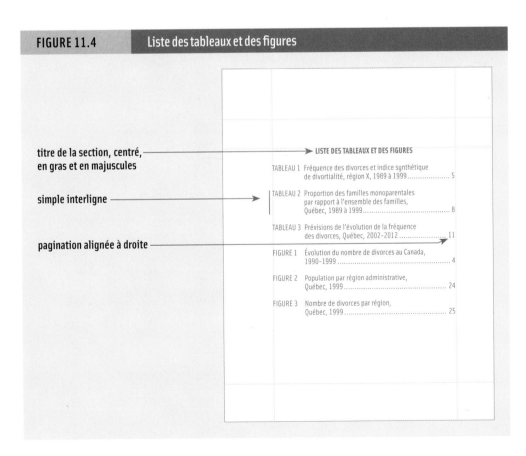

titre de la section, centré,
en gras et en majuscules

simple interligne

pagination alignée à droite

FIGURE 11.5 — Exemple d'introduction

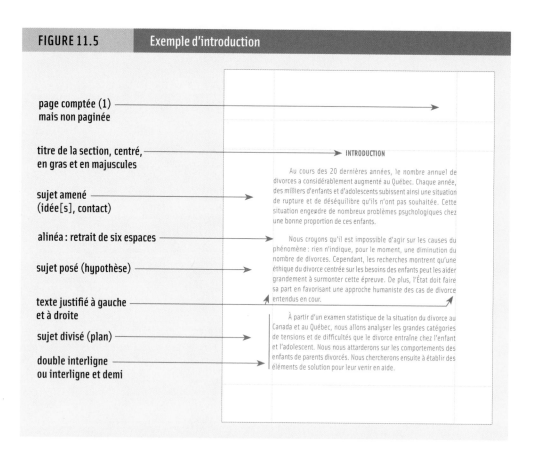

page comptée (1) mais non paginée

titre de la section, centré, en gras et en majuscules

sujet amené (idée[s], contact)

alinéa : retrait de six espaces

sujet posé (hypothèse)

texte justifié à gauche et à droite

sujet divisé (plan)

double interligne ou interligne et demi

INTRODUCTION

Au cours des 20 dernières années, le nombre annuel de divorces a considérablement augmenté au Québec. Chaque année, des milliers d'enfants et d'adolescents subissent ainsi une situation de rupture et de déséquilibre qu'ils n'ont pas souhaitée. Cette situation engendre de nombreux problèmes psychologiques chez une bonne proportion de ces enfants.

Nous croyons qu'il est impossible d'agir sur les causes du phénomène : rien n'indique, pour le moment, une diminution du nombre de divorces. Cependant, les recherches montrent qu'une éthique du divorce centrée sur les besoins des enfants peut les aider grandement à surmonter cette épreuve. De plus, l'État doit faire sa part en favorisant une approche humaniste des cas de divorce entendus en cour.

À partir d'un examen statistique de la situation du divorce au Canada et au Québec, nous allons analyser les grandes catégories de tensions et de difficultés que le divorce entraîne chez l'enfant et l'adolescent. Nous nous attarderons sur les comportements des enfants de parents divorcés. Nous chercherons ensuite à établir des éléments de solution pour leur venir en aide.

FIGURE 11.6 — Exemple de tableau dans le corps du texte

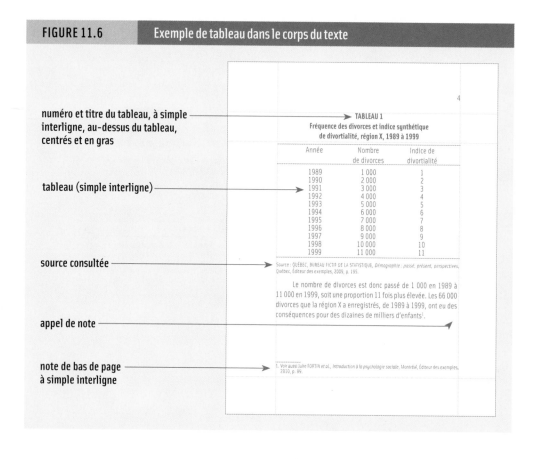

numéro et titre du tableau, à simple interligne, au-dessus du tableau, centrés et en gras

tableau (simple interligne)

source consultée

appel de note

note de bas de page à simple interligne

4

TABLEAU 1
Fréquence des divorces et indice synthétique de divortialité, région X, 1989 à 1999

Année	Nombre de divorces	Indice de divortialité
1989	1 000	1
1990	2 000	2
1991	3 000	3
1992	4 000	4
1993	5 000	5
1994	6 000	6
1995	7 000	7
1996	8 000	8
1997	9 000	9
1998	10 000	10
1999	11 000	11

Source : QUÉBEC, BUREAU FICTIF DE LA STATISTIQUE, Démographie : passé, présent, perspectives, Québec, Éditeur des exemples, 2009, p. 195.

Le nombre de divorces est donc passé de 1 000 en 1989 à 11 000 en 1999, soit une proportion 11 fois plus élevée. Les 66 000 divorces que la région X a enregistrés, de 1989 à 1999, ont eu des conséquences pour des dizaines de milliers d'enfants[1].

1. Voir aussi Julie FORTIN et al., Introduction à la psychologie sociale, Montréal, Éditeur des exemples, 2010, p. 89.

FIGURE 11.7 | Exemple de figure (graphique linéaire) dans le corps du texte

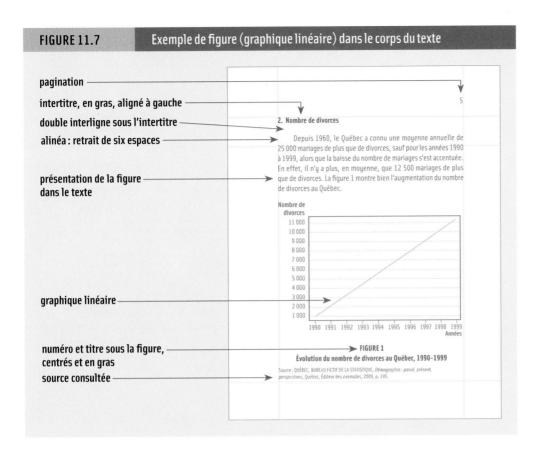

pagination

intertitre, en gras, aligné à gauche

double interligne sous l'intertitre

alinéa : retrait de six espaces

présentation de la figure dans le texte

graphique linéaire

numéro et titre sous la figure, centrés et en gras

source consultée

5

2. Nombre de divorces

Depuis 1960, le Québec a connu une moyenne annuelle de 25 000 mariages de plus que de divorces, sauf pour les années 1990 à 1999, alors que la baisse du nombre de mariages s'est accentuée. En effet, il n'y a plus, en moyenne, que 12 500 mariages de plus que de divorces. La figure 1 montre bien l'augmentation du nombre de divorces au Québec.

Nombre de divorces

11 000
10 000
9 000
8 000
7 000
6 000
5 000
4 000
3 000
2 000
1 000

1990 1991 1992 1993 1994 1995 1996 1997 1998 1999
Années

FIGURE 1
Évolution du nombre de divorces au Québec, 1990-1999

Source : QUÉBEC, BUREAU FICTIF DE LA STATISTIQUE, *Démographie : passé, présent, perspectives*, Québec, Éditeur des exemples, 2009, p. 195.

11

FIGURE 11.8 | Exemple de début d'un chapitre et exemple de citation

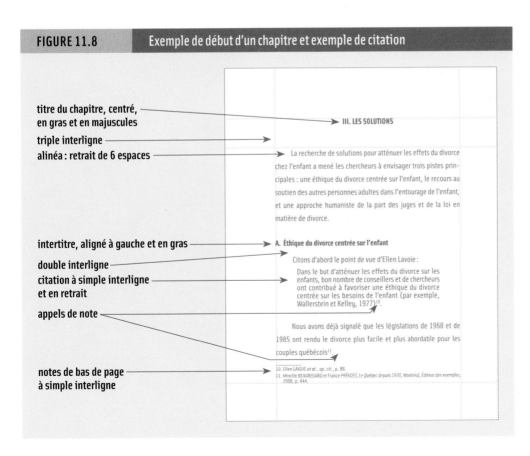

titre du chapitre, centré, en gras et en majuscules

triple interligne

alinéa : retrait de 6 espaces

intertitre, aligné à gauche et en gras

double interligne

citation à simple interligne et en retrait

appels de note

notes de bas de page à simple interligne

III. LES SOLUTIONS

La recherche de solutions pour atténuer les effets du divorce chez l'enfant a mené les chercheurs à envisager trois pistes principales : une éthique du divorce centrée sur l'enfant, le recours au soutien des autres personnes adultes dans l'entourage de l'enfant, et une approche humaniste de la part des juges et de la loi en matière de divorce.

A. Éthique du divorce centrée sur l'enfant

Citons d'abord le point de vue d'Ellen Lavoie :

Dans le but d'atténuer les effets du divorce sur les enfants, bon nombre de conseillers et de chercheurs ont contribué à favoriser une éthique du divorce centrée sur les besoins de l'enfant (par exemple, Wallerstein et Kelley, 1977)[10].

Nous avons déjà signalé que les législations de 1968 et de 1985 ont rendu le divorce plus facile et plus abordable pour les couples québécois[11].

10. Ellen LAVOIE *et al.*, *op. cit.*, p. 88.
11. Mireille BEAUREGARD et France PRÉVOST, *Le Québec depuis 1930*, Montréal, Éditeur des exemples, 2008, p. 444.

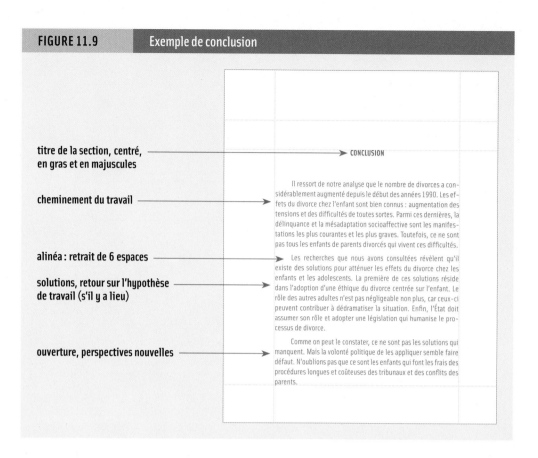

FIGURE 11.9 — Exemple de conclusion

titre de la section, centré, en gras et en majuscules

cheminement du travail

alinéa : retrait de 6 espaces

solutions, retour sur l'hypothèse de travail (s'il y a lieu)

ouverture, perspectives nouvelles

CONCLUSION

Il ressort de notre analyse que le nombre de divorces a considérablement augmenté depuis le début des années 1990. Les effets du divorce chez l'enfant sont bien connus : augmentation des tensions et des difficultés de toutes sortes. Parmi ces dernières, la délinquance et la mésadaptation socioaffective sont les manifestations les plus courantes et les plus graves. Toutefois, ce ne sont pas tous les enfants de parents divorcés qui vivent ces difficultés.

Les recherches que nous avons consultées révèlent qu'il existe des solutions pour atténuer les effets du divorce chez les enfants et les adolescents. La première de ces solutions réside dans l'adoption d'une éthique du divorce centrée sur l'enfant. Le rôle des autres adultes n'est pas négligeable non plus, car ceux-ci peuvent contribuer à dédramatiser la situation. Enfin, l'État doit assumer son rôle et adopter une législation qui humanise le processus de divorce.

Comme on peut le constater, ce ne sont pas les solutions qui manquent. Mais la volonté politique de les appliquer semble faire défaut. N'oublions pas que ce sont les enfants qui font les frais des procédures longues et coûteuses des tribunaux et des conflits des parents.

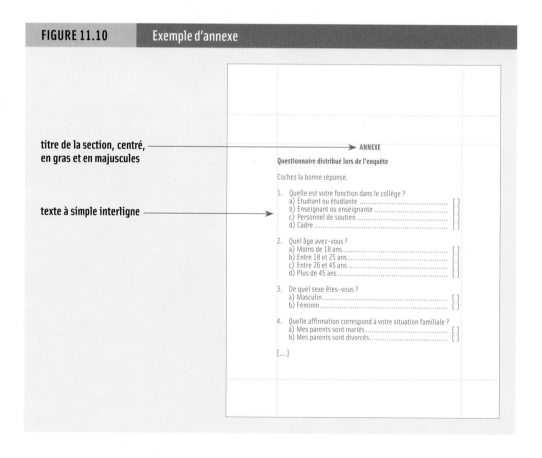

FIGURE 11.10 — Exemple d'annexe

titre de la section, centré, en gras et en majuscules

texte à simple interligne

ANNEXE

Questionnaire distribué lors de l'enquête

Cochez la bonne réponse.

1. Quelle est votre fonction dans le collège ?
   a) Étudiant ou étudiante .... [ ]
   b) Enseignant ou enseignante .... [ ]
   c) Personnel de soutien .... [ ]
   d) Cadre .... [ ]

2. Quel âge avez-vous ?
   a) Moins de 18 ans.. [ ]
   b) Entre 18 et 25 ans .... [ ]
   c) Entre 26 et 45 ans .... [ ]
   d) Plus de 45 ans .... [ ]

3. De quel sexe êtes-vous ?
   a) Masculin... [ ]
   b) Féminin .... [ ]

4. Quelle affirmation correspond à votre situation familiale ?
   a) Mes parents sont mariés .... [ ]
   b) Mes parents sont divorcés............................. [ ]

[...]

FIGURE 11.11	Exemple de bibliographie

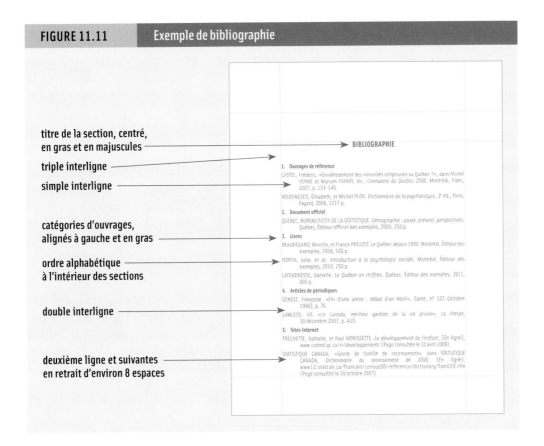

titre de la section, centré,
en gras et en majuscules

triple interligne

simple interligne

catégories d'ouvrages,
alignés à gauche et en gras

ordre alphabétique
à l'intérieur des sections

double interligne

deuxième ligne et suivantes
en retrait d'environ 8 espaces

LES TABLEAUX ET LES FIGURES

LA PRÉSENTATION DES TABLEAUX ET DES FIGURES

Les tableaux et les figures sont des compléments essentiels au texte ; ils ajoutent des éléments d'information qui soutiennent l'argumentation. Il faut donc les présenter soigneusement. Ainsi, il faut toujours numéroter et présenter un tableau, une liste ou une figure, lui donner un titre précis et indiquer la source des renseignements fournis. Le titre doit être complet et permettre au lecteur de se faire une idée précise du contenu du tableau ou de la figure en le lisant. La source aussi doit être complète ; dans le cas où on a trouvé le tableau ou la figure dans Internet, il faut donner la source complète en mentionnant le type de support [En ligne], l'adresse URL et la date de consultation de la page (Page consultée le 24 avril 2008).

Les tableaux

Les tableaux présentent des informations sous forme de lignes et de colonnes. Un tableau doit toujours être numéroté (en chiffres arabes) et titré. La mention du numéro et du titre est placée au-dessus du tableau ; on indique la source consultée en dessous du tableau. Un tableau doit être présenté, commenté et analysé dans le texte.

Les listes

Les listes fournissent une simple énumération de renseignements, tels que des dates, des noms de personnes ou de lieux, etc. Ceux-ci sont numérotés et inscrits les uns à la suite des autres. Ils forment une liste qui doit être présentée dans le corps du texte, mais qui n'est pas numérotée.

Les figures

Les figures sont des illustrations que l'on insère dans le rapport, afin d'accompagner l'argumentation, de l'éclaircir, de la compléter, etc. Elles comprennent les graphiques, les dessins, les cartes, les photographies, les schémas, etc. On les numérote en chiffres arabes. Contrairement au tableau, le titre de la figure, comme la source, sont insérés en dessous de cette dernière.

LES PRINCIPAUX TYPES DE TABLEAUX ET DE FIGURES

Nous présentons ici quelques types de tableaux et de figures les plus couramment utilisés. On a recours à ces tableaux et à ces figures pour présenter des données, illustrer une réalité ou présenter des structures d'organisations ou de concepts. Pour choisir le bon type de graphique, consultez le site de l'Université de Montréal, *Quel type de graphique choisir?,* à l'adresse suivante: [www.ebsi.umontreal.ca/jetrouve/illustre/index.htm].

1. Pour présenter des données

Les graphiques servent à illustrer les données présentées dans le rapport pour les visualiser d'un seul coup d'œil. Toutefois, les graphiques doivent toujours être accompagnés d'explications.

Le graphique linéaire

Le graphique linéaire est utile pour montrer des tendances, pour comparer des tendances entre elles ou pour montrer l'interaction entre deux ou plusieurs variables. Le graphique peut alors être linéaire, bilinéaire ou multilinéaire.

FIGURE 11.12	Exemple de graphique linéaire

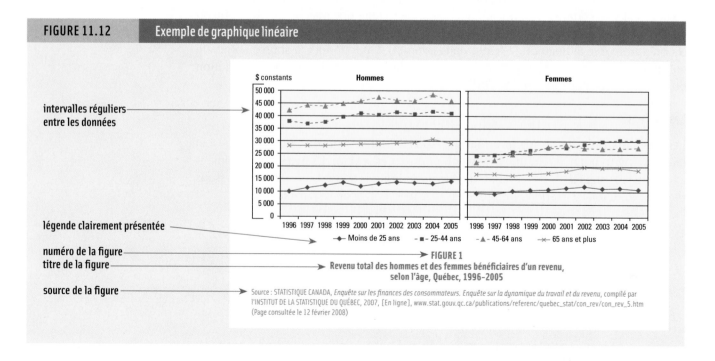

Le graphique à barres

Le graphique à barres horizontales ou verticales est utilisé pour montrer des tendances ou pour faire des comparaisons.

Dans l'exemple qui suit, la disposition des catégories de réponses par ordre décroissant permet de repérer rapidement les pires difficultés vécues par les immigrants au Canada.

FIGURE 11.13 — Exemple de graphique à barres horizontales

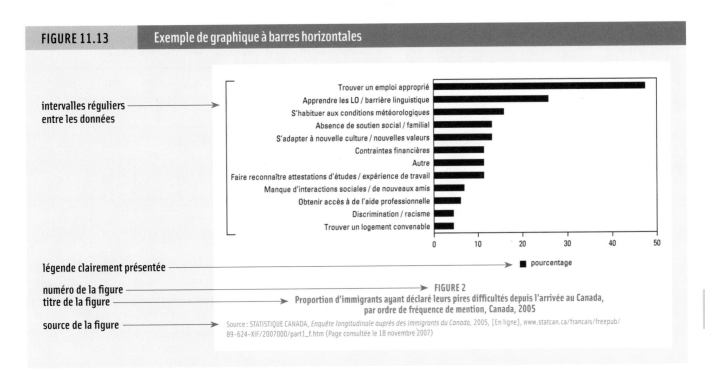

intervalles réguliers entre les données

légende clairement présentée

numéro de la figure
titre de la figure

source de la figure

FIGURE 2
Proportion d'immigrants ayant déclaré leurs pires difficultés depuis l'arrivée au Canada, par ordre de fréquence de mention, Canada, 2005

Source : STATISTIQUE CANADA, *Enquête longitudinale auprès des immigrants du Canada*, 2005, [En ligne], www.statcan.ca/francais/freepub/89-624-XIF/2007000/part1_f.htm (Page consultée le 18 novembre 2007)

La construction de ce graphique permet de mettre en relation le temps consacré à faire des appels et les raisons qui motivent les étudiants à les faire.

FIGURE 11.14 — Exemple de graphique à barres verticales

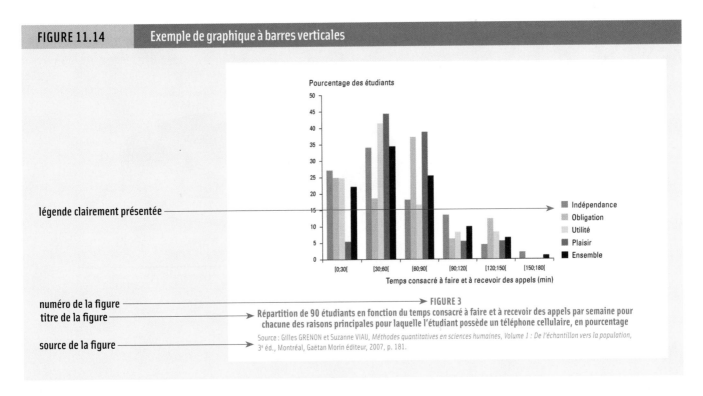

légende clairement présentée

numéro de la figure
titre de la figure

source de la figure

FIGURE 3
Répartition de 90 étudiants en fonction du temps consacré à faire et à recevoir des appels par semaine pour chacune des raisons principales pour laquelle l'étudiant possède un téléphone cellulaire, en pourcentage

Source : Gilles GRENON et Suzanne VIAU, *Méthodes quantitatives en sciences humaines, Volume 1 : De l'échantillon vers la population*, 3ᵉ éd., Montréal, Gaetan Morin éditeur, 2007, p. 181.

Le tableau par classes

Le tableau par classes présente les données regroupées en catégories par rapport à l'ensemble.

FIGURE 11.15   Exemple de tableau par classes

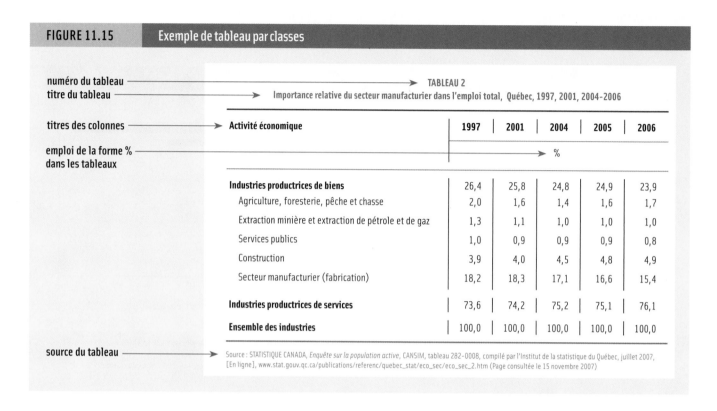

FIGURE 11.15   Exemple de tableau par classes

numéro du tableau

titre du tableau

titres des colonnes

emploi de la forme %
dans les tableaux

source du tableau

TABLEAU 2
Importance relative du secteur manufacturier dans l'emploi total, Québec, 1997, 2001, 2004-2006

Activité économique	1997	2001	2004	2005	2006
			%		
Industries productrices de biens	26,4	25,8	24,8	24,9	23,9
Agriculture, foresterie, pêche et chasse	2,0	1,6	1,4	1,6	1,7
Extraction minière et extraction de pétrole et de gaz	1,3	1,1	1,0	1,0	1,0
Services publics	1,0	0,9	0,9	0,9	0,8
Construction	3,9	4,0	4,5	4,8	4,9
Secteur manufacturier (fabrication)	18,2	18,3	17,1	16,6	15,4
Industries productrices de services	73,6	74,2	75,2	75,1	76,1
Ensemble des industries	100,0	100,0	100,0	100,0	100,0

Source : STATISTIQUE CANADA, *Enquête sur la population active*, CANSIM, tableau 282-0008, compilé par l'Institut de la statistique du Québec, juillet 2007,
[En ligne], www.stat.gouv.qc.ca/publications/referenc/quebec_stat/eco_sec/eco_sec_2.htm (Page consultée le 15 novembre 2007)

Le diagramme circulaire

Le diagramme circulaire est utile pour représenter les parties d'un ensemble et leur proportion respective.

FIGURE 11.16   Exemple de diagramme circulaire

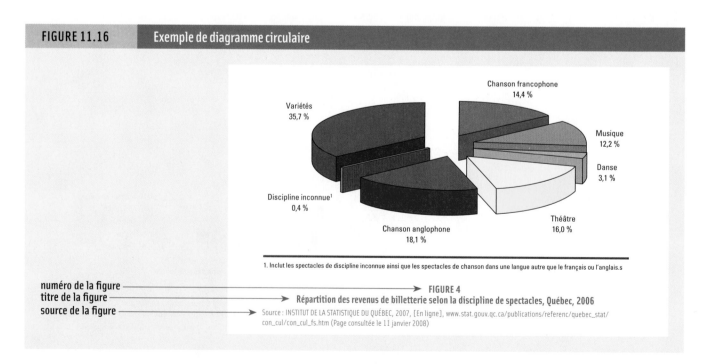

FIGURE 11.16   Exemple de diagramme circulaire

numéro de la figure

titre de la figure

source de la figure

1. Inclut les spectacles de discipline inconnue ainsi que les spectacles de chanson dans une langue autre que le français ou l'anglais.s

FIGURE 4
Répartition des revenus de billetterie selon la discipline de spectacles, Québec, 2006

Source : INSTITUT DE LA STATISTIQUE DU QUÉBEC, 2007, [En ligne], www.stat.gouv.qc.ca/publications/referenc/quebec_stat/
con_cul/con_cul_fs.htm (Page consultée le 11 janvier 2008)

2. Pour illustrer une réalité

La photographie

La photographie est une figure qui a un auteur, un titre et une source. Le rôle de la photographie dans un rapport n'est pas d'illustrer bêtement le sujet ; elle doit, au contraire, ajouter quelque chose au texte, apporter une autre dimension au travail, contenir des informations qui éclairent le propos de l'auteur. La légende sous la photo est un bon moyen de préciser l'apport de l'illustration au texte.

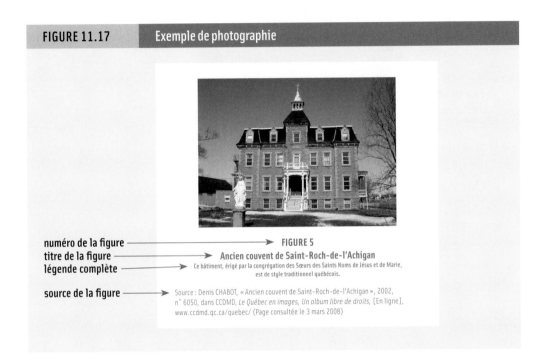

FIGURE 11.17 — Exemple de photographie

numéro de la figure → **FIGURE 5**
titre de la figure → **Ancien couvent de Saint-Roch-de-l'Achigan**
légende complète → Ce bâtiment, érigé par la congrégation des Sœurs des Saints Noms de Jésus et de Marie, est de style traditionnel québécois.

source de la figure → Source : Denis CHABOT, « Ancien couvent de Saint-Roch-de-l'Achigan », 2002, n° 6050, dans CCDMD, *Le Québec en images, Un album libre de droits*, [En ligne], www.ccdmd.qc.ca/quebec/ (Page consultée le 3 mars 2008)

La carte géographique

La carte est une figure qui a parfois un auteur, mais toujours un titre et une source.

FIGURE 11.18 — Exemple de carte géographique

échelle

numéro de la figure → **FIGURE 6**
titre de la figure → **Carte du Canada**
source de la figure → Source : Alain PARENT et Geneviève PAIEMENT-PARADIS, *Atlas - Portraits du monde*, Montréal, Graficor, 2007, p. 37.

3. Pour montrer des structures

L'organigramme

L'organigramme permet d'illustrer la structure d'une organisation.

FIGURE 11.19 — Exemple d'organigramme

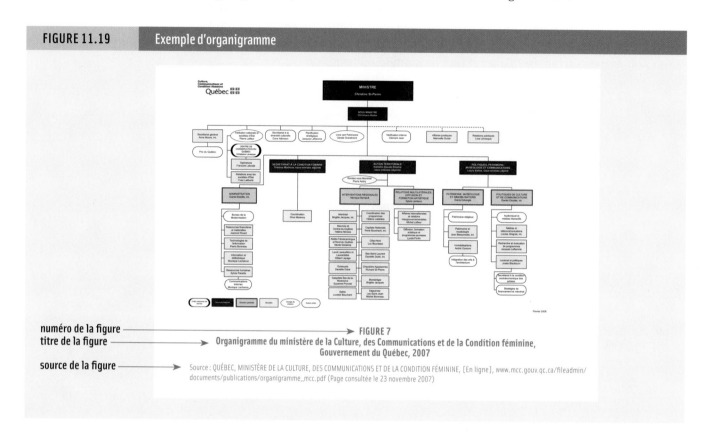

numéro de la figure ⟶ FIGURE 7
titre de la figure ⟶ **Organigramme du ministère de la Culture, des Communications et de la Condition féminine, Gouvernement du Québec, 2007**
source de la figure ⟶ Source : QUÉBEC, MINISTÈRE DE LA CULTURE, DES COMMUNICATIONS ET DE LA CONDITION FÉMININE, [En ligne], www.mcc.gouv.qc.ca/fileadmin/documents/publications/organigramme_mcc.pdf (Page consultée le 23 novembre 2007)

Le schéma de concepts

Le schéma (ou réseau) de concepts propose des liens entre les concepts avec des flèches, des encadrés ou des bulles de manière à dégager une hiérarchie entre les concepts.

FIGURE 11.20 — Exemple de schéma de concepts

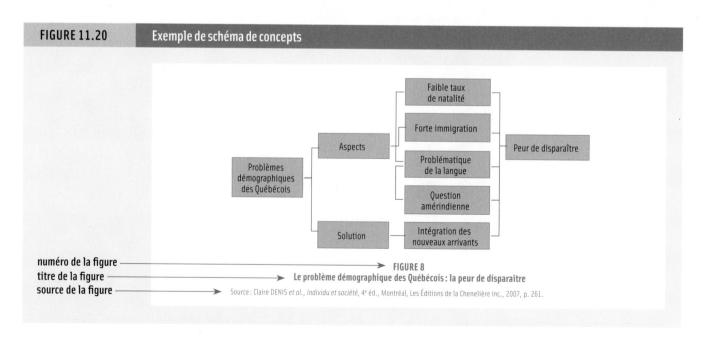

numéro de la figure ⟶ FIGURE 8
titre de la figure ⟶ **Le problème démographique des Québécois : la peur de disparaître**
source de la figure ⟶ Source : Claire DENIS et al., Individu et société, 4ᵉ éd., Montréal, Les Éditions de la Chenelière inc., 2007, p. 261.

LES CITATIONS ET LES RÉFÉRENCES

LES CITATIONS

Comme on l'a vu au chapitre précédent, il faut parfois citer un auteur pour appuyer son argumentation, pour faire état des travaux scientifiques dans un domaine donné ou pour donner un exemple de point de vue sur un sujet. Les citations peuvent être courtes ou longues; elles peuvent reproduire exactement le texte d'un autre ou évoquer l'idée ou la thèse d'un auteur. Le tableau 11.2 présente les consignes à respecter dans tous les cas de citation.

TABLEAU 11.2	Les citations
Éléments à surveiller	**Consignes**
La citation courte	Insérer la citation courte, de moins de cinq lignes, dans le texte entre guillemets (« »); la faire suivre d'un appel de note placé en exposant ou surélevé ([1]) que l'on ajoute après le dernier mot cité, avant les guillemets fermants et avant la ponctuation. L'appel de note renvoie à une notice bibliographique qui porte le même numéro et que l'on écrit en bas de la page ou à la fin du rapport, selon les exigences de l'enseignant. **Exemple** Montréal devient ainsi un havre de paix, un « lieu déroutant où le Nouveau Monde se profile encore[1] », un lieu où il fait bon revenir sans cesse. 1. Pierre NEPVEU, *Intérieurs du Nouveau Monde*, Montréal, Boréal, 1998, p. 345.

La citation longue	Insérer la citation de cinq lignes et plus en retrait de huit espaces de la marge de gauche et de celle de droite, à simple interligne et sans guillemets; la faire suivre d'un appel de note surélevé qui renvoie à la notice bibliographique en bas de la page. Utiliser l'élément « référence » dans le menu « Insertion » du logiciel Word pour l'insertion et la numérotation continue des appels de note.
	
	Exemple Sur la création de l'UNESCO, le philosophe Alain Finkielkraut ajoute une dimension historique incontournable :
	
	    Tirant de l'épisode nazi la leçon qu'il existait un lien entre barbarie et absence de pensée, les fondateurs de l'Unesco avaient voulu créer à l'échelle mondiale un instrument pour transmettre la culture à la majorité des hommes. Leurs successeurs ont recours au même vocabulaire, mais ils lui attribuent une tout autre signification[2].
	
	    2. Alain FINKIELKRAUT, *La défaite de la pensée*, Paris, Gallimard, 1987, p. 113.

La citation d'idée	Insérer une référence bibliographique en bas de la page lorsqu'on reprend l'idée d'un auteur pour la résumer ou la reformuler. **Exemple** Lorsqu'on étudie un phénomène comme le régime de Vichy en France, il faut en faire ressortir la complexité[3]. Ce qui [...] 3. Julian JACKSON, *La France sous l'occupation, 1940-1944*, Paris, Flammarion, 2004, p. 25.
La citation de seconde main	Insérer une référence bibliographique en bas de la page lorsqu'on cite le texte d'un auteur cité par un autre auteur. Commencer la note de bas de page par la référence au texte du premier auteur cité et finir par la référence au texte du second auteur qui l'a cité en la faisant précéder de l'expression « cité par ». **Exemple** Et comme le déclare Papineau : « Il n'est pas nécessaire qu'on nous envoie de temps en temps quelque sage d'Europe pour nous éclairer dans la démarche qu'il nous convient d'adopter[4]. » 4. Louis-Joseph PAPINEAU, « État du pays », *La Minerve*, 12 mars 1831, cité par Yvan LAMONDE, « Conscience coloniale et conscience internationale dans les écrits publics de Louis-Joseph Papineau (1815-1839) », *Revue d'histoire de l'Amérique française*, vol. 51, n° 1 (été 1997), p. 17.

TABLEAU 11.2	Les citations (suite)
Éléments à surveiller	**Consignes**
La citation de second rang	Insérer une référence bibliographique en bas de la page lorsqu'on cite le texte d'un auteur qui comporte lui-même une autre citation. Remplacer les guillemets déjà contenus dans la citation par des guillemets anglais (" ").
	Exemple Le politologue Gérard Loriot n'hésite pas à identifier la légitimité comme « le moteur de la vie politique. Pas de légitimité, pas de pouvoir, pas de gouvernement. La légitimité permet aux autorités de gouverner. Un auteur a même appelé la légitimité les "génies invisibles de la Cité"[5]. »
	5. Gérard LORIOT, *Pouvoir, idéologies et régimes politiques*, Laval, Éditions Études Vivantes, 1992, p. 67, qui cite G. FERRERO, *Pouvoir, les génies invisibles de la Cité*, Paris, Plon, 1943.
La citation en langue étrangère	Reproduire une citation en langue étrangère telle quelle et en italique. Ajouter la traduction à la fin de la citation ou dans une note de bas de page, s'il y a lieu. Dans ce cas, noter le nom du traducteur. Écrire la mention [notre traduction] entre crochets si c'est vous qui traduisez.
	Exemple Comme le souligne Jean Key Gates, « *A source consulted for aid or information on a topic, a theme, an event, a person, a date, a place, or a word is a reference source* ». (Une source consultée en vue d'une aide ou d'une information sur un sujet, un thème, un événement, une personne, une date, un lieu ou un mot est une source de référence [notre traduction])[6].
	6. Jean Key GATES, *Guide to the Use of Librairies and Information Sources*, 7e éd., New York, McGraw-Hill, 1994, p. 75.
La citation modifiée	**Pour abréger une citation**
	Remplacer les mots retranchés par trois points de suspension, placés entre crochets : [...].
	Exemple « Sans la littérature et le mouvement de modernité qui émane d'elle, [...] il en aurait été bien autrement des luttes contre le racisme, contre le nationalisme, contre le sexisme, contre la censure[7]. »
	7. Jean LAROSE, *L'amour du pauvre*, Montréal, Boréal, 1991, p. 19-20.
	Pour signaler une erreur
	Recopier l'erreur telle quelle et insérer l'expression latine *sic* (qui veut dire « ainsi ») entre crochets et en italique immédiatement après l'erreur.
	Exemple « Les fleurs que j'ai ramassé [*sic*] sont belles[8]. »
	8. Julien FORTIER, *L'horticulture expliquée*, Montréal, Éditeur des exemples, 2008, p. 42.
	Pour donner une explication à l'intérieur d'une citation, afin d'en faciliter la compréhension
	Placer l'explication entre crochets.
	Exemple « Dans cette ville [Saint-Hyacinthe], la crise du verglas a fait des ravages en 1998[9] ».
	9. Jean LABELLE, *Saint-Hyacinthe*, Montréal, Éditeur des exemples, 2008, p. 79.
	Pour mettre en valeur certains mots dans une citation
	Ajouter l'expression (mis en gras par l'auteur) ou encore (c'est nous qui mettons en gras) entre parenthèses.
	Exemple « Dans cette ville [Saint-Hyacinthe], la **crise du verglas** a fait des ravages en 1998[10] » (c'est nous qui mettons en gras).
	10. Jean LABELLE, *Saint-Hyacinthe*, Montréal, Éditeur des exemples, 2008, p. 79.

LES RÉFÉRENCES

Lorsque vous citez une autorité ou que vous empruntez les idées développées par une autre personne, vous devez absolument en indiquer exactement la source. Cette obligation vaut pour les volumes, les périodiques, les encyclopédies, les dictionnaires, les autres ouvrages de référence, tout comme pour les sites Internet, les documents audiovisuels et les cédéroms. Il existe un protocole ou un code en vigueur dans la communauté scientifique pour indiquer au lecteur que l'idée, le texte ou l'illustration que l'on insère dans le texte ne nous appartient pas, que nous n'en sommes pas l'auteur. Ce code est obligatoire pour la rédaction des travaux scolaires, et son application correcte montre que vous êtes honnête et soucieux de l'éthique, que vous respectez les droits d'auteur et que vous ne plagiez pas.

Citez un site Internet, à condition d'en indiquer la source.

Il existe deux méthodes universellement reconnues dans le monde scientifique pour indiquer la source d'une citation : la référence dans le texte ou la note de bas de page.

TABLEAU 11.3	Les références
Éléments à surveiller	**Consignes**
La référence dans le texte	■ Ce type de référence consiste à indiquer, immédiatement après la citation, la source abrégée et mise entre parenthèses. C'est la méthode utilisée en sciences de la nature, en psychologie, dans les sciences de l'éducation, etc.
	■ On indique alors le NOM de l'auteur, en majuscules, l'année de la publication et, s'il y a lieu, la page d'où provient la citation, le tout entre parenthèses.
	■ Cette méthode suppose que l'on donne la référence complète de l'œuvre dans la bibliographie, à la fin du rapport (➤ *voir p. 222*).
	Exemples « Dans son acception contemporaine, qui ne remonte qu'à environ deux cents ans, la nation trouve son sens dans le "Contrat social" tel qu'il a été conçu par Jean-Jacques Rousseau […]» (BALTHAZARD, 1994, p. 24).
	C'est avec Jean-Jacques Rousseau que la nation s'exprime comme un « Contrat social » entre les citoyens (BALTHAZARD, 1994, p. 24).
La référence en note de bas de page	Ce système est employé dans les disciplines telles l'histoire ou la littérature où l'on doit faire référence à de nombreux documents à l'aide de notes de bas de page très détaillées.
	■ La première référence que l'on donne d'un ouvrage doit comporter toutes les indications bibliographiques usuelles, séparées par des virgules.
	■ Dans le cas d'un livre : Prénom, suivi du NOM (en majuscules) de l'auteur, *Titre du livre* (en italique), lieu d'édition, maison d'édition, année de publication, la ou les pages d'où la référence est tirée (➤ *voir la note 1 en exemple ci-après*).
	■ Dans le cas d'un article de périodique : Prénom, suivi du NOM (en majuscules) de l'auteur, « titre de l'article » (entre guillemets) et *Titre du périodique* (en italique), volume, numéro, date de publication, pages qui contiennent l'article (➤ *voir la note 3 en exemple ci-après*).
	■ Dans le cas d'un article tiré d'un ouvrage de référence : Prénom, suivi du NOM (en majuscules) de l'auteur, « titre de l'article » (entre guillemets), dans *Titre de l'ouvrage de référence* (en italique), lieu d'édition, maison d'édition, année de publication, pages qui contiennent l'article (➤ *voir la note 7 en exemple ci-après*).

TABLEAU 11.3	Les références (suite)
Éléments à surveiller	**Consignes**
Les abréviations dans les notes de bas de page	Lorsqu'un ouvrage est cité plus d'une fois, il est recommandé d'utiliser certaines abréviations latines, que l'on écrit en italique, pour éviter de récrire la description bibliographique au complet à chaque référence. ■ *Ibid.* (*Ibidem* : au même endroit) ; même œuvre, citée plus d'une fois et de façon consécutive (➤ *voir la note 2 en exemple ci-après*). ■ *Op. cit.* (*Opere citato* : œuvre déjà citée) ; même œuvre du même auteur citée de façon non consécutive (➤ *voir la note 4 en exemple ci-après*). ■ *Id.* (*Idem* : le même) ; même auteur qu'à la référence précédente, œuvre différente (➤ *voir la note 5 en exemple ci-après*). ■ *Loc. cit.* (*Loco citato* : passage cité) ; même fonction que *op. cit.*, mais s'applique aux articles ou à un texte faisant partie d'un recueil (➤ *voir la note 6 en exemple ci-après*). De même, lorsque le nom d'un auteur revient à plus d'une reprise, on peut ne donner que la première lettre de son Prénom, en majuscule et suivie d'un point et du NOM de l'auteur en majuscules (➤ *voir les notes 4 et 6 en exemples ci-après*).

La présentation des références en notes de bas de page	■ La référence est précédée d'un filet, d'une longueur d'environ 4 cm, qui permet de la séparer du corps du texte. Les logiciels de traitement de texte placent ce filet automatiquement avant les notes de bas de page (menu « Insertion » dans Word).
	
	■ Les références sont présentées à simple interligne.
	
	■ La numérotation des notes de bas de page peut se faire de façon continue du début à la fin du rapport ou encore par parties ou chapitres (dans le cas des volumes, par exemple). Les logiciels de traitement de texte numérotent automatiquement les notes de bas de page.
	
	■ Le numéro précédant chaque référence correspond à l'appel de note qui est dans le texte. Il n'est cependant pas en exposant et on le fait suivre d'un point et de deux espaces.
	
	■ La seconde ligne et les autres sont en retrait, alignées avec le début de la première ligne, de manière à bien faire ressortir les numéros des références.
	
	■ On insère un espace simple entre chaque référence.
	
	■ On utilise l'abréviation « p. » pour page, suivie d'un espace et du numéro de la ou des pages consultées.
	
	Exemples 1. Jacques LACOURSIÈRE, *Histoire populaire du Québec*, tome I, *Des origines à 1791*, Sillery (Québec), Septentrion, 1995, p. 421.
	  2. *Ibid.*, p. 423.
	  3. Brian YOUNG, «Y a-t-il une nouvelle histoire du Québec ? », *Bulletin d'histoire politique*, vol. 4, n° 2 (hiver 1995), p. 10.
	  4. J. LACOURSIÈRE, *op. cit.*, p. 427.
	  5. *Id.*, *Histoire populaire du Québec*, tome II, *De 1791 à 1841*, Sillery (Québec), Septentrion, 1996, p. 167.
	  6. B. YOUNG, *loc. cit.*, p. 11.
	  7. Michel MOURRE, « PAPINEAU, Louis-Joseph », dans *Le Petit Mourre, Dictionnaire de l'Histoire*, Paris, Larousse-Bordas, 1998, p. 838.

LA BIBLIOGRAPHIE

PRÉSENTATION

La bibliographie présente la liste de tous les ouvrages (livres, articles, documents audiovisuels, sites Internet, etc.) consultés pour la rédaction d'un rapport de recherche. Exceptionnellement, elle peut consister en une liste d'ouvrages non consultés, lorsque l'enseignant demande, par exemple, une liste d'ouvrages pertinents sur un problème donné ou la bibliographie complète d'un auteur.

La bibliographie s'insère à la fin du rapport, après la conclusion et les annexes, s'il y a lieu. Les descriptions bibliographiques s'écrivent à simple interligne et un interligne double les sépare l'une de l'autre. La deuxième ligne et les suivantes doivent être en retrait d'environ huit espaces.

Habituellement, on énumère toutes les sources consultées dans l'ordre alphabétique. Toutefois, il peut être utile d'introduire des divisions selon les catégories de documents : on commence avec les ouvrages de référence (dictionnaires, encyclopédies, bibliographies, atlas, etc.), suivis des documents officiels publiés par les différents paliers de gouvernements qui sont classés par ordre d'importance (fédéral, provincial, régional et municipal); on indique ensuite les livres ou monographies, les articles de périodiques et, finalement, les sites Internet, s'il y a lieu. On place les documents dans l'ordre alphabétique des noms d'auteurs à l'intérieur de chaque catégorie et l'on identifie chacune des catégories par un titre.

Une bibliographie peut également être classée selon l'ordre chronologique de parution des documents lorsqu'il s'agit d'une étude sur un auteur en particulier. Dans ce cas, on classe les documents en ordre décroissant, du plus récent au plus ancien. Si l'on utilise un autre mode de classement que l'ordre alphabétique, on doit l'indiquer dans une note au début de la bibliographie.

LES DEUX MÉTHODES DE DESCRIPTION BIBLIOGRAPHIQUE

Il existe différentes méthodes pour décrire les éléments d'une bibliographie : certaines disciplines scientifiques, universités ou départements n'acceptent que la leur. L'important, c'est d'en adopter une et de s'y conformer tout au long de son rapport. À défaut d'indications précises de la part de l'enseignant, nous recommandons d'employer la méthode traditionnelle décrite ci-dessous. Nous vous présentons également la méthode auteur-date, qui est tout aussi valable.

La description bibliographique traditionnelle

Selon cette méthode, les éléments d'une notice bibliographique sont présentés ainsi :

- NOM DE L'AUTEUR (en majuscules), Prénom, le tout suivi d'un point.

- *Titre de l'ouvrage* (en italique), suivi d'une virgule.

- Sont indiqués ensuite dans l'ordre et séparés par une virgule : le lieu d'édition (ville), la maison d'édition, l'année de publication et le nombre total de pages du volume, suivi de l'abréviation « p. » (et non « pp. »).

Exemple

DIONNE, Bernard. *Pour réussir. Guide méthodologique pour les études et la recherche*, 5e éd., Montréal, Beauchemin, 2008, 264 p.

La description bibliographique auteur-date

Utilisée surtout dans les ouvrages scientifiques (notamment en psychologie), cette méthode requiert une insertion de l'année de publication immédiatement après le nom et le prénom de l'auteur.

- NOM DE L'AUTEUR (en majuscules), Prénom, année de publication (entre parenthèses), le tout suivi d'un point.

- *Titre de l'ouvrage* (en italique), suivi d'une virgule.

- Sont indiqués ensuite dans l'ordre et séparés par une virgule : le lieu d'édition (ville), la maison d'édition et le nombre total de pages du volume, suivi de l'abréviation « p. » (et non « pp. »).

Exemple

> DIONNE, Bernard (2008). *Pour réussir. Guide méthodologique pour les études et la recherche*, 5ᵉ éd., Montréal, Beauchemin, 264 p.

RÉFÉRENCES BIBLIOGRAPHIQUES SELON LE TYPE DE DOCUMENT

Les tableaux 11.4 et 11.5 présentent les consignes à suivre en matière de référence bibliographique, que les documents soient électroniques ou imprimés. Dans tous les cas, la première ligne de la description d'un ouvrage commence à la marge de gauche et les autres sont en retrait de huit espaces vers la droite.

TABLEAU 11.4	Références bibliographiques pour les documents imprimés
Type de document	**Description et exemples de références**
Livre ou monographie	■ On entend par livre ou par monographie une étude détaillée d'un sujet sur des pages imprimées et reliées, publiée de façon non périodique. ■ NOM DE L'AUTEUR (en majuscules), Prénom. *Titre du livre* (en italique), lieu d'édition, maison d'édition, année de publication, nombre de pages. **Exemple** TREMBLAY, Michel. *La nuit des princes charmants*, Montréal, Leméac, 1995, 221 p.
Article de périodique (► *voir le chapitre 8*)	■ Les articles de périodiques sont des parties d'une revue, d'un bulletin ou d'un journal, qui sont publiés périodiquement (annuellement, mensuellement, quotidiennement, etc.). ■ Dans le cas des articles de journaux, ne jamais donner le nom ou l'abréviation de l'agence de presse (AFP, Reuters, PC, etc.) comme auteur de l'article. ■ S'il n'y a pas d'auteur, commencer la description par le « Titre de l'article » (entre guillemets). ■ NOM DE L'AUTEUR (en majuscules), Prénom. « Titre de l'article » (entre guillemets), *Titre du périodique* (en italique), date de publication (entre parenthèses), numéros des pages qui contiennent l'article. ■ L'indication du volume et du numéro (LXXXIX et n° 15 dans l'un des exemples qui suit) est facultative dans le cas des articles de journaux. Elle est recommandée dans le cas des revues (la mention du seul numéro peut suffire). De même, s'il est d'usage d'indiquer le volume en chiffres romains (LXXXIX), l'indication en chiffres arabes (89) est tout aussi valable. Les abréviations « vol. » (avec un point) et « n° » (sans point, le « o » en exposant) sont acceptées. **Exemples** BENNASSAR, Bartolomé. « L'Eldorado a-t-il existé ? », *L'Histoire*, n° 322 (juillet-août 2007), p. 36-39. GIGUÈRE, Simon. « Berlin, 1936 : les jeux de la propagande », *Bulletin d'histoire politique*, vol. 11, n° 3 (printemps 2003), p. 142-151. « Mexico est prêt à revoir le déploiement de l'armée », *Le Devoir*, vol. LXXXIX, n° 15 (mardi 27 janvier 1998), p. A5. NORMANDIN, Pierre-André. « Régis Labeaume est le nouveau maire de Québec », *Le Soleil* (2 décembre 2007), p. 1.

TABLEAU 11.4	Références bibliographiques pour les documents imprimés *(suite)*
Type de document	**Description et exemples de références**
Ouvrage de référence (▶ *voir le chapitre 6*)	■ Les ouvrages de référence contiennent des informations regroupées sous forme de notices ou d'articles. Les dictionnaires, encyclopédies, atlas, annuaires, sont des ouvrages de référence. ■ Pour donner la référence de l'ouvrage au complet, procéder comme pour un livre. NOM DE L'AUTEUR (en majuscules), Prénom. *Titre de l'ouvrage* (en italique), lieu d'édition, maison d'édition, année de publication, nombre de pages. ■ Pour donner la référence d'un article de l'ouvrage de référence, procéder comme pour un article de périodique. NOM DE L'AUTEUR (en majuscules), Prénom. « Titre de l'article » (entre guillemets), *Titre de l'ouvrage de référence* (en italique), lieu d'édition, maison d'édition, année de publication, numéros des pages qui contiennent l'article. **Exemples** BRUNET, Michel. « Canada. B. Histoire et politique », *Encyclopédie Universalis*, Paris, Éditions Encyclopædia Universalis, 2002, tome 4, p. 836-846. LEGENDRE, Renald. *Dictionnaire actuel de l'éducation*, 3ᵉ éd., Montréal, Guérin, 2005, 1554 p.
Document officiel	■ Les documents officiels sont produits par un organisme gouvernemental, de quelque niveau qu'il soit : organisation internationale (ONU), gouvernements fédéral, provincial, régional (municipalité régionale de comté, par exemple) ou municipal. ■ De façon générale, on indique en premier lieu le NOM DU PAYS, DE LA PROVINCE ou DE LA MUNICIPALITÉ (en majuscules), suivi, s'il y a lieu, du NOM DE L'ORGANISME (en majuscules) responsable de la publication ou de l'édition : il peut s'agir d'un corps législatif, d'un tribunal (par exemple la Cour suprême), d'un ministère, d'une commission d'enquête, d'un office, d'un bureau, d'une régie, etc. ■ Il est préférable aussi de mentionner le nom du corps public plutôt que celui du directeur ou de la personne élue ou nommée, à moins que le titre de cette dernière soit justement le nom du corps public : par exemple le VÉRIFICATEUR GÉNÉRAL DU CANADA ou l'OMBUDSMAN. **Exemples** QUÉBEC, MINISTÈRE DES RELATIONS INTERNATIONALES. *Le Québec dans un ensemble international en mutation, Plan stratégique 2001-2004*, Québec, Publications du Québec, 2001, 84 p. CANADA, VÉRIFICATEUR GÉNÉRAL. *Plan stratégique du Bureau du vérificateur général du Canada*, Ottawa, Bureau du vérificateur général, février 2003, 2 p.
Texte de loi[3]	■ Il faut distinguer le projet de loi de la loi dûment adoptée. ■ *Titre de la loi* ou du *projet de loi* (en italique), législature, lieu d'édition, maison d'édition, année de publication. **Exemple** Projet de loi n° 7 : *Loi modifiant la Loi sur les services de santé et les services sociaux*, Assemblée nationale du Québec, Québec, Éditeur officiel du Québec, 2003.
Document d'archives	■ Un document d'archives peut être une lettre ou les papiers personnels d'un individu, d'un homme ou d'une femme politique, etc. ; ce document est une source de première main pour la recherche historique. ■ LIEU ET NOM DU DÉPÔT D'ARCHIVES (en majuscules) dans lequel le document est conservé. *Nom du fonds d'archives* (en italique) dans lequel est classé le document, numéro d'accession à ce fonds dans le centre d'archives. **Exemple** OTTAWA, ARCHIVES PUBLIQUES DU CANADA. *Correspondance de sir Wilfrid Laurier*, Mg 26.
Mémoire et thèse	■ Un rapport de recherche rédigé pour obtenir une maîtrise (2ᵉ cycle) à l'université se nomme un mémoire, tandis que la thèse vise l'obtention d'un doctorat (3ᵉ cycle). ■ NOM DE L'AUTEUR (en majuscules), Prénom. *Titre* (en italique), type de document (thèse ou mémoire), discipline scientifique (entre parenthèses), nom de l'université, année de publication et nombre de pages. **Exemples** CHARRON, Catherine. *La question du travail domestique au début du XXᵉ siècle au Québec : un enjeu à la Fédération nationale Saint-Jean-Baptiste, 1900-1927*, mémoire de maîtrise (histoire), Université Laval, 2007, 137 p. DIONNE, Bernard. *Les « unions internationales » et le Conseil des métiers et du travail de Montréal de 1938 à 1958*, thèse de doctorat (histoire), UQÀM, 1988, 834 p.

11

---

3. Pour savoir comment donner la référence d'un jugement d'une des cours canadiennes et québécoises, consulter le site du Conseil canadien de la magistrature : [www.cjc.ccm.gc.ca/francais/ccm_normes.htm].

TABLEAU 11.4	Références bibliographiques pour les documents imprimés (*suite*)
Type de document	**Description et exemples de références**
Œuvre d'art (tableau ou gravure)	■ NOM DE L'AUTEUR (en majuscules), Prénom et dates de sa naissance et de son décès entre parenthèses, s'il y a lieu, suivis d'un point. *Titre de l'œuvre* (en italique), procédé utilisé, dimensions du support et année de production. **Exemple** TOULOUSE-LAUTREC (De), Henri Marie (1864-1901). *Quadrille au Moulin Rouge*, gouache sur toile, 80,1 cm x 60,5 cm, 1892.
Carte géographique	■ NOM DE L'AUTEUR (en majuscules) qui peut être un organisme public, Prénom (s'il y a lieu). *Titre de la carte* (en italique), échelle employée, lieu d'édition, compagnie productrice ou ministère, année, dimensions de la carte, couleur (coul. ou n. et b.). **Exemple** QUÉBEC, MINISTÈRE DE L'ÉNERGIE ET DES RESSOURCES. *Les régions touristiques du Québec*, 1: 20 000 000, Québec, Service de la cartographie du ministère de l'Énergie et des Ressources, 1983, 80 cm x 120 cm, n. et b.
Procès-verbal, compte rendu de congrès ou actes d'un colloque	■ NOM DE L'AUTEUR (en majuscules) qui peut être un organisme, une association, une institution, etc. *Titre du congrès ou du colloque* (en italique), suivi de la mention « actes du », puis du numéro du colloque et du nom de l'organisme, lieu où s'est tenu l'événement, maison d'édition ou éditeur des actes, année de publication, nombre de pages. **Exemple** ASSOCIATION QUÉBÉCOISE DE PÉDAGOGIE COLLÉGIALE. *Réaliser nos ambitions*, actes du 21e colloque annuel de l'AQPC, Jonquière, AQPC, 2001, 151 p.

TABLEAU 11.5	Références bibliographiques pour les documents électroniques
Type de document	**Description et exemples de références**
Site Internet[4]	■ Les sites Internet sont des références à intégrer à la bibliographie. Ils ne sont pas toujours stables ; certains disparaissent, d'autres voient leur contenu se modifier au rythme des mises à jour irrégulières. Il faut toujours indiquer la date de consultation d'un site, entre parenthèses. ■ Donner l'adresse Web (ou adresse URL, pour *Uniform Resource Locator*) complète du site ; celle-ci contient une méthode d'accès au document recherché, le nom du serveur et le chemin d'accès au document. Copier l'adresse en cliquant sur celle-ci et la recopier directement dans la bibliographie ou dans une note de bas de page. ■ NOM DE L'AUTEUR (en majuscules), Prénom. *Titre du site* (en italique), [Type de support] (entre crochets), adresse Web complète (Page consultée le) Ne pas ajouter de point final après l'adresse Web d'un site, ni de point après la parenthèse (Page consultée le) **Exemples** LAPORTE, Gilles. *Les patriotes de 1837@1838*, [En ligne], http://cgi.cvm.qc.ca/glaporte (Page consultée le 12 janvier 2008) UNIVERSITÉ LAVAL, BIBLIOTHÈQUE. *Site de la Bibliothèque de l'Université Laval*, [En ligne], www.bibl.ulaval.ca/ (Page consultée le 15 février 2008)

---

4. Pour plus d'information, consulter Rosaire CARON, « Comment citer un document électronique ? », UNIVERSITÉ LAVAL, BIBLIOTHÈQUE, *Site de la Bibliothèque de l'Université Laval*, [En ligne], www.bibl.ulaval.ca/doelec/citedoce.html (Page consultée le 20 octobre 2007)

TABLEAU 11.5	Références bibliographiques pour les documents électroniques (*suite*)
Type de document	**Description et exemples de références**
Article d'un site Internet	■ NOM DE L'AUTEUR (en majuscules), Prénom. «Titre de l'article» (entre guillemets), date de publication, dans Prénom NOM DE L'AUTEUR (si disponible), *Titre du site* (en italique), [Type de support], adresse Web (Page consultée le) Exemples SAINT-JACQUES, Lyne. «L'enseignement de l'histoire au Québec», 4 juin 2006, dans FÉDÉRATION DES SOCIÉTÉS D'HISTOIRE DU QUÉBEC, *Histoire Québec*, [En ligne], www.histoirequebec.qc.ca/ (Page consultée le 14 octobre 2007) STATISTIQUE CANADA. «Genre de famille de recensement», dans STATISTIQUE CANADA, *Dictionnaire du recensement de 2006*, [En ligne], www12.statcan.ca/francais/census06/reference/dictionary/fam010.cfm (Page consultée le 20 octobre 2007)
Ouvrage de référence sur cédérom	■ NOM DE L'AUTEUR (si disponible, en majuscules), Prénom. «Titre de l'article» (entre guillemets), *Titre de l'ouvrage* (en italique), [Cédérom], lieu d'édition, maison d'édition, année de publication. Exemples LAFOREST, Guy. «Statu quo politique», *L'État du monde 1981-1996 sur CD-ROM*, [Cédérom], Montréal/Paris, CEDROM Sni / La Découverte, 1996. *The Oxford English Dictionary*, [Cédérom], 2e éd., Oxford, Oxford University Press, 2004.
Article tiré d'une base de données	■ NOM DE L'AUTEUR (si disponible, en majuscules), Prénom. «Titre de l'article» (entre guillemets), *Titre du périodique* (en italique), [En ligne], volume (si disponible), numéro et date de publication (entre parenthèses), pages, dans *Titre de la base de données* (en italique) (Page consultée le) Exemple POISSANT, Hélène. «La mémoire et la compréhension : quelques aspects théoriques et pratiques à l'usage des enseignants et des élèves», *Vie pédagogique*, [En ligne], n° 90 (sept.-oct. 1994), p. 4-8, dans *Repère* (Page consultée le 5 septembre 2003)
Courriel	■ NOM DE L'AUTEUR (en majuscules), Prénom (adresse de courriel de l'expéditeur). *Titre du message* (en italique), jour mois année, [courriel au nom du récepteur], (adresse de courriel au nom du récepteur). Exemple LACHANCE, Chantal (clachance@dlgrst.qc.ca). *Les références bibliographiques et les documents électroniques*, 20 janvier 2002, [courriel à Maude NEPVEU], (mnepveu36@yahoo.ca).
Groupe d'intérêt (conférence électronique)	■ NOM DE L'AUTEUR (en majuscules), Prénom. «Sujet du message» (entre guillemets), *Nom du groupe* (en italique) [Type de support], (jour mois année), adresse de courriel du récepteur Exemple CARON, Marco. «Cas de conscience», *Biblio-forum* [En ligne], (21 février 2001), biblioforum@listes.ccsr.qc.ca
Monographie, livre ou document publié dans Internet	■ NOM DE L'AUTEUR (en majuscules), Prénom. *Titre du document* (en italique), [Type de support], année de publication (si disponible), adresse Web complète (Page consultée le) Exemples VILLE DE SAGUENAY. *Mémoire sur les accommodements raisonnables,* [En ligne], septembre 2007, http://classiques.uqac.ca/desintegration/tremblay_jean/memoire_accommodements/Memoire_accommodements_sept_2007.pdf (Page consultée le 20 novembre 2007) ST-LAURENT, Danielle, et Mathieu GAGNÉ. *Surveillance des suicides au Québec : les décès imputables aux suicides dans la population québécoise*, dans ASSOCIATION QUÉBÉCOISE DE PRÉVENTION DU SUICIDE, *Prévention suicide*, [En ligne], 2007, www.aqps.info/activ/sps/2007/statistiques_suicides_2007.pdf (Page consultée le 3 décembre 2007)

11

TABLEAU 11.5	Références bibliographiques pour les documents électroniques (*suite*)
Type de document	**Description et exemples de références**
Article dans un périodique électronique en ligne	■ NOM DE L'AUTEUR (si disponible, en majuscules), Prénom. « Titre de l'article » (entre guillemets), *Titre du périodique* (en italique), date de publication de l'article, [Type de support], adresse Web (Page consultée le)
	Exemple CASTONGUAY, Alec. « Afghanistan : Harper refile le dossier à un comité », *Le Devoir*, 13 octobre 2007, [En ligne], www.ledevoir.com/2007/10/13/160426.html (Page consultée le 14 octobre 2007)
Article dans un cédérom	■ NOM DE L'AUTEUR (en majuscules), Prénom. « Titre de l'article » (entre guillemets), *Titre du cédérom* (en italique), [Type de support], lieu d'édition, maison d'édition, année. (Dans l'exemple ci-dessous, il n'y a pas d'auteur.)
	Exemple « Fontevraud-l'Abbaye », *Encyclopédie Microsoft Encarta,* [Cédérom], Redmond (États-Unis), Microsoft Corporation, 2005.
Article dans une encyclopédie en ligne	■ NOM DE L'AUTEUR (en majuscules), Prénom. « Titre de l'article » (entre guillemets), *Titre de l'encyclopédie* (en italique), [Type de support], lieu d'édition, maison d'édition, année, adresse Web (Page consultée le)
	Exemple DE CASO, Jacques. « RODIN, (A.) », *Universalis.fr*, [En ligne], Paris, Encyclopædia Universalis, 2007, www.universalis.fr/encyclopedie/Q160011/RODIN_Auguste_1840_1917.htm (Page consultée le 21 novembre 2007)
Illustration, photographie ou tableau tirés d'un site Internet	■ NOM DE L'AUTEUR (en majuscules), Prénom. « Titre original de l'image » (entre guillemets), année, [nom du fichier], *Nom du site* (en italique), [Type de support], adresse Web (Page consultée le)
	Exemple CUSSON, Gilles. « Détail d'une flèche de l'église Saint-Jérôme, de Métabetchouan », 2002, [17253 jpg], *Le Québec en images, Un album libre de droits*, [En ligne], www.ccdmd.qc.ca/quebec/ (Page consultée le 14 octobre 2007)
Thèse et mémoire	■ NOM DE L'AUTEUR (en majuscules), Prénom. *Titre de la thèse ou du mémoire* (en italique), Mention du grade universitaire, Nom de l'université, date, [Type de support], adresse Web (Page consultée le)
	Exemple CHARRON, Catherine. *La question du travail domestique au début du xxᵉ siècle au Québec : un enjeu à la Fédération nationale Saint-Jean-Baptiste, 1900-1927*, Mémoire de maîtrise, Université Laval, 2007, [En ligne], www.theses.ulaval.ca/2007/24622/24622.pdf (Page consultée le 10 septembre 2007)
Film, émission de télévision et bande vidéo	■ NOM DE L'AUTEUR ou DU RÉALISATEUR (en majuscules), Prénom. *Titre de l'œuvre* (en italique), nom du pays ou de la ville où l'œuvre a été produite, année, durée, couleur et format (16 mm, 35 mm, etc.).
	■ Dans le cas d'une émission de télévision, indiquer la date de la diffusion entre parenthèses à la fin de la description de l'œuvre.
	Exemples BRAULT, Michel. *Emprise*, Montréal, Canal D, 1988, 60 min, coul. (le 18 novembre 1997).
	BINAMÉ, Charles. *Un homme et son péché*, Canada, 2003, 110 min, coul., 35 mm et DVD.
Carte géographique	■ NOM DE L'AUTEUR (en majuscules), Prénom (s'il y a lieu). « Titre de la carte » (entre guillemets), sur le site *Titre du site* en italique, adresse Web (Page consultée le)
	Exemple « Scénario de précipitations estivales 2100 (map46171894105724875624813.gif) » sur le site *L'Atlas du Canada*, http://atlas.gc.ca/site/francais/maps/climatechange/scenarios/globalsummerprecip2100 (Page consultée le 3 juillet 2003)

TABLEAU 11.5	Références bibliographiques pour les documents électroniques (*suite*)
Type de document	**Description et exemples de références**
Document sonore (disque, cédérom, etc.)	■ L'auteur, dans ce cas, est un compositeur, un auteur (un parolier par exemple) ou un interprète. ■ NOM DE L'AUTEUR (en majuscules), Prénom. *Titre de l'œuvre* (en italique), nom de l'orchestre, nom du chef d'orchestre précédé de l'expression « sous la dir. de », maison de production, numéro de l'œuvre (s'il y a lieu), année de production et type de support. **Exemples** HAENDEL, Georg Friedrich. *Water Music*, English Chamber Orchestra sous la dir. de Raymond Leppard, Philips 65 70 018, 1969, 33t. SÉGUIN, Richard. *Aux portes du matin*, Audiogram, 1991, cédérom.

PROBLÈMES COURANTS DE DESCRIPTION BIBLIOGRAPHIQUE

Le tableau 11.6 présente les consignes à suivre en matière de description bibliographique de l'auteur ou du type d'ouvrage, que les documents soient électroniques ou imprimés. Dans tous les cas, la première ligne de la description d'un ouvrage commence à la marge de gauche, et les autres sont en retrait de huit espaces vers la droite.

TABLEAU 11.6	Problèmes courants de description bibliographique
Problèmes	**Consignes**
S'il y a deux ou trois auteurs	■ Indiquer le NOM du second auteur après la locution « et » en commençant par son prénom, car, dans ce cas, l'ordre alphabétique n'est pas requis. Une virgule sépare la mention du NOM (en majuscules) et du prénom du premier auteur de celle du prénom et du NOM (en majuscules) du second auteur, car la première mention suit l'ordre alphabétique. ■ NOM DE L'AUTEUR (en majuscules), Prénom, et Prénom NOM DE L'AUTEUR (en majuscules). *Titre de l'ouvrage* (en italique), lieu d'édition, maison d'édition, année de publication, nombre de pages. ■ NOM DE L'AUTEUR (en majuscules), Prénom, Prénom NOM DE L'AUTEUR (en majuscules) et Prénom NOM DE L'AUTEUR (en majuscules). *Titre de l'ouvrage* (en italique), lieu d'édition, maison d'édition, année de publication, nombre de pages. **Exemples** BÉRUBÉ, Bernard, et Bruno POELLHUBER. *Un référentiel de compétences pédagogiques*, Montréal, Collège de Rosemont, 2005, 136 p. BARBEAU, Denise, Angelo MONTINI et Claude ROY. *Sur les chemins de la connaissance. La motivation scolaire*, Montréal, AQPC, 1997, 264 p.
S'il y a plus de trois auteurs	■ N'indiquer que le NOM (en majuscules) et le prénom du premier auteur, suivi de l'abréviation *et al.* (expression latine *et alii*, qui veut dire « et les autres »). L'abréviation *et al.* doit être en italique, car il s'agit d'une langue étrangère. Notez que l'expression « et autres » est tout aussi valable. ■ NOM DE L'AUTEUR (en majuscules), Prénom, *et al.* (en italique). *Titre de l'ouvrage* (en italique), lieu d'édition, maison d'édition, année de publication, nombre de pages. **Exemple** LINTEAU, Paul-André, *et al. Le Québec depuis 1930*, tome II, *Histoire du Québec contemporain*, 2e éd., Montréal, Boréal, 1989, 834 p.

TABLEAU 11.6	Problèmes courants de description bibliographique *(suite)*
Problèmes	**Consignes**
S'il y a un directeur (dir.)	■ Le directeur est celui qui collige les textes de plusieurs auteurs et les regroupe dans une publication dont il assume la direction éditoriale. En anglais, on utilise l'abréviation *ed.* (*Editor*), mais dans la bibliographie d'un rapport rédigé en français, on utilise l'abréviation « dir. », même s'il s'agit d'un volume en anglais. ■ NOM DE L'AUTEUR (en majuscules), Prénom, dir. *Titre de l'ouvrage* (en italique), lieu d'édition, maison d'édition, année de publication, nombre de pages. **Exemple** COMEAU, Robert, et Bernard DIONNE, dir. *Le droit de se taire. Histoire des communistes au Québec, de la Première Guerre mondiale à la Révolution tranquille*, Montréal, VLB éditeur, 1989, 542 p.
S'il n'y a pas d'auteur	■ Commencer la description par le titre de l'ouvrage. Dans la bibliographie, placer ce titre dans l'ordre alphabétique en commençant par la première lettre du premier mot autre qu'un article ou une préposition. On peut également écrire ANONYME entre crochets, en majuscules, suivi d'un point. ■ [ANONYME]. *Titre de l'ouvrage* (en italique), lieu d'édition, maison d'édition, année de publication, nombre de pages. ■ « Titre de l'article » (entre guillemets), *Titre du périodique* (en italique), lieu d'édition, année de publication, pages qui contiennent l'article. **Exemples** [ANONYME]. *Contre-poison. La Confédération, c'est le salut du Bas-Canada*, Montréal, Sénécal, 1867. « Le village de Chicoutimi il y a cent ans », *Saguenayensia*, vol. 13, n° 3 (mai-juin 1971), p. 58.
Si l'auteure est une institution, une association	■ L'association, dont le nom doit être écrit au long et en lettres majuscules, est considérée comme l'auteure de l'œuvre. ■ NOM DE L'ASSOCIATION (en majuscules). *Titre de l'ouvrage* (en italique), lieu d'édition, maison d'édition, année de publication, nombre de pages. **Exemple** FÉDÉRATION DES CÉGEPS. *Les cégeps, une réussite québécoise, Mémoire présenté au Forum sur l'avenir de l'enseignement collégial*, Montréal, Fédération des cégeps, 2004, 110 p.
Si l'auteur est un gouvernement, un ministère ou un organisme public	■ Le GOUVERNEMENT, dont le nom doit être écrit au long et en lettres majuscules, est considéré comme l'auteur de l'œuvre. ■ On commence la description par le NOM du pays, de la province ou de la municipalité, qui doit être suivi du nom de l'organisme, le tout en lettres majuscules. ■ NOM DU PAYS, NOM DU GOUVERNEMENT (en majuscules). *Titre de l'ouvrage* (en italique), lieu d'édition, maison d'édition, année de publication, nombre de pages. **Exemples** CANADA, MINISTÈRE DE LA DÉFENSE NATIONALE. *Sécurité des vols dans les Forces canadiennes*, Ottawa, Défense nationale, 2007, 8 p. QUÉBEC, MINISTÈRE DE LA CULTURE ET DES COMMUNICATIONS, DIRECTION DE LA CAPITALE NATIONALE. *Réalisations régionales en culture et communications*, Québec, Culture et Communications Québec, 2006, 35 p.

TABLEAU 11.6	Problèmes courants de description bibliographique (*suite*)
Problèmes	**Consignes**
S'il s'agit d'un ouvrage en plusieurs volumes (tomes), dont les titres sont différents	■ NOM DE L'AUTEUR (en majuscules), Prénom. *Titre général de l'ouvrage* (en italique), tome (ou t.) et numéro (en chiffres romains), *Titre du tome* (en italique), lieu d'édition, maison d'édition, année de publication, nombre de pages, collection (entre parenthèses), s'il y a lieu. **Exemples** ROWLING, J. K. *Harry Potter*, t. V, *Harry Potter and the Order of the Phoenix*, Vancouver, Raincoast Books, 2003, 766 p. TROYAT, Henri. *Les héritiers de l'avenir*, tome III, *L'éléphant blanc*, Paris, Flammarion, 1970, 308 p. (Coll. «J'ai lu», n° 466).
S'il s'agit d'un article dans un livre publié par un directeur	■ NOM DE L'AUTEUR (en majuscules), Prénom. «Titre de l'article» (entre guillemets), dans Prénom NOM DE L'AUTEUR (en majuscules), dir., *Titre de l'ouvrage* (en italique), lieu d'édition, maison d'édition, année de publication et numéros des pages où l'article est présenté dans l'ouvrage. **Exemples** CASTEL, Frédéric. «Envahissement des minorités religieuses au Québec?», dans Michel VENNE et Myriam FAHMY, dir., *L'annuaire du Québec 2008*, Montréal, Fides, 2007, p. 133-140. LEVI, Primo. «Si c'est un homme (1947)», dans Catherine COQUIO, dir., *Primo Levi, Œuvres*, Paris, Laffont, 2005, p. 1-157.
S'il s'agit d'une entrevue réalisée par l'étudiant ou de notes prises lors d'un événement	■ Les notes prises lors d'un cours, d'une conférence ou d'une entrevue peuvent servir de source pour un rapport de recherche. Présenter ces notes dans une notice bibliographique, où l'étudiant est l'auteur de ces notes. ■ Dans le cas d'une entrevue, indiquer à quel titre la personne a été rencontrée. ■ NOM DE L'AUTEUR (en majuscules), Prénom. *Titre de l'entrevue* (en italique), lieu, date de l'entrevue. ■ NOM DE L'AUTEUR (en majuscules), Prénom. Notes prises lors de la conférence de Nom du conférencier, *Titre de la conférence* (en italique), lieu, date de la conférence. **Exemples** MOQUIN, Gilles. *Entrevue avec Madame Thérèse Lanthier, présidente du Rassemblement des citoyennes et des citoyens de Gaspé*, Gaspé, le 15 octobre 2007. BOUCHRA, Naïma. Notes prises lors de la conférence de M. Jean Péloquin, *Le développement durable au Québec*, Montréal, Collège Ahuntsic, 2 octobre 2009.

11

DESCRIPTION DES COMPLÉMENTS BIBLIOGRAPHIQUES D'UN LIVRE

On entend par compléments bibliographiques les indications qui complètent la description de l'ouvrage utilisé et permettent de le retrouver aisément. Ces indications comprennent le numéro de l'édition, la mention du traducteur, du préfacier ou de l'adaptateur, le lieu de l'édition, la maison d'édition, l'année de publication, le nombre de pages et la collection. Les exemples qui suivent présentent ces compléments dans l'ordre où il faut les noter dans la description d'une référence bibliographique.

TABLEAU 11.7	Description des compléments bibliographiques d'un livre
Complément	**Consignes**
Numéro de l'édition	■ Ne jamais écrire « 1re édition », mais lorsqu'on décrit un volume réédité, indiquer le numéro de l'édition après le titre, et, s'il y a lieu, qualifier la nouvelle édition selon qu'elle est revue, augmentée, remaniée, refondue, etc.
	■ NOM DE L'AUTEUR (en majuscules), Prénom. *Titre du livre* (en italique), numéro de l'édition suivi de l'abréviation « éd. », lieu d'édition, maison d'édition, année de publication, nombre de pages.
	Exemple RAMAT, Aurel. *Le Ramat de la typographie*, 8e éd., Montréal, Aurel Ramat éditeur, 2004, 224 p.
Traducteur, préfacier, adaptateur	■ Mentionner le traducteur, le préfacier ou l'adaptateur si cela ajoute quelque chose à la notice bibliographique et au rapport de recherche. Par exemple, le nom de l'adaptateur peut être celui d'un enseignant qui a adapté et pas seulement traduit un manuel pédagogique.
	■ NOM DE L'AUTEUR (en majuscules), Prénom. *Titre du livre* (en italique), trad. de (langue d'origine de l'ouvrage) par Nom du traducteur, lieu d'édition, maison d'édition, année de publication, nombre de pages.
	Exemples DICKINSON, John A., et Brian YOUNG. *Brève histoire socio-économique du Québec*, nouv. éd. mise à jour, trad. de l'anglais par Hélène Filion, Québec, Septentrion, 1995, 384 p.
	RATHUS, Spencer A. *Psychologie générale*, 5e éd., adaptation de L. Marinier *et al.*, trad. de l'anglais par L. Lepage, Montréal, Beauchemin, 2005, 238 p.
Lieu de l'édition	■ Mentionner le nom de la ville où le volume a été édité. Lorsqu'un livre ne mentionne aucun lieu d'édition, l'abréviation [s.l.] pour « sans lieu », placée entre crochets, est suffisante.
	■ Si l'on établit le lieu d'édition d'un ouvrage par d'autres moyens (en cherchant dans une bibliographie spécialisée notamment), il faut le placer entre crochets, par exemple [Montréal].
	■ Si un livre porte la mention de plusieurs villes d'édition, on peut les indiquer toutes ou choisir celle qui est la plus connue ou la plus accessible au lecteur : Montréal plutôt que Paris, Toronto plutôt que Londres, etc.
	■ Dans le cas des villes moins connues que les capitales, il est utile d'indiquer entre parenthèses le nom de la province ou de l'État dans lequel est située cette ville.
	■ NOM DE L'AUTEUR (en majuscules), Prénom. *Titre du livre* (en italique), lieu d'édition ou [s.l.], maison d'édition, année de publication, nombre de pages.
	Exemples FORTIN, Julie. *Écologie sociale*, [s.l.], Éditeur des exemples, 2009, 403 p.
	FOURNIER, Rodolphe. *Lieux et monuments historiques de l'île de Montréal*, Saint-Jean (Québec), Éditions du Richelieu, 1974, 303 p.

TABLEAU 11.7	Description des compléments bibliographiques d'un livre (*suite*)
Complément	**Consignes**
Maison d'édition	■ Il est acceptable de n'indiquer que le nom de la maison d'édition, Leméac, Beauchemin, Flammarion, etc., plutôt que d'ajouter « Les Éditions » ou les abréviations « ltée », « inc. », etc. ■ NOM DE L'AUTEUR (en majuscules), Prénom. *Titre du livre* (en italique), lieu d'édition, maison d'édition, année de publication, nombre de pages. **Exemple** PILOTE, Carole. *Guide littéraire*, 2e éd., Montréal, Beauchemin, 2007, 144 p.
Année de publication	■ L'année de publication se trouve soit sur la page de titre, soit sur l'une des premières pages du volume, soit à la fin. ■ Si l'on ne retrouve aucune mention de l'année de publication, indiquer entre crochets la mention [s.d.] pour « sans date ». Si l'on établit l'année de publication d'un ouvrage par d'autres moyens (en cherchant dans une bibliographie spécialisée notamment), il faut la placer entre crochets, par exemple [1975]. ■ NOM DE L'AUTEUR (en majuscules), Prénom. *Titre du livre* (en italique), lieu d'édition, maison d'édition, année de publication (entre crochets si elle est estimée ou [s.d.] si elle est inconnue), nombre de pages. **Exemple** ROSSIGNOL, Léo, Pierre-Louis LAPOINTE et Gaston CARRIÈRE. *Hull, 1800-1975 : histoire illustrée*, Hull, Comité de la grande fête de Hull, [1975], 89 p.
Nombre de pages	■ Indiquer le total des pages de l'ouvrage à la toute fin de la notice bibliographique. Il faut employer l'abréviation « p. » (« pp. » est désuet et n'est plus utilisé). ■ NOM DE L'AUTEUR (en majuscules), Prénom. *Titre du livre* (en italique), lieu d'édition, maison d'édition, année de publication, nombre de pages. **Exemple** SARRASIN, Nicolas, et Dany DUMONT. *Le petit guide de l'Internet*, Montréal, Les Éditions de l'Homme, 2006, 221 p.
Collection	■ Indiquer le nom de la collection (entre parenthèses) à la fin de la notice bibliographique, immédiatement après le point suivant le nombre de pages. L'abréviation « Coll. » précède le nom de la collection (entre guillemets). Ajouter le numéro du volume dans la collection. ■ NOM DE L'AUTEUR (en majuscules), Prénom. *Titre du livre* (en italique), lieu d'édition, maison d'édition, année de publication, nombre de pages. (Coll. « nom de la collection », numéro de l'ouvrage dans la collection) **Exemple** LORRAIN, Jean-Louis. *Les violences scolaires*, 4e éd., Paris, Presses universitaires de France, 2003, 128 p. (Coll. « Que sais-je ? », n° 3529)

11

- Préparez l'étape de rédaction et de mise en forme du rapport en prenant soigneusement en note, sur des fiches, les références exactes des citations et des sources bibliographiques. Vous gagnerez du temps au moment de la rédaction et vous ferez preuve de rigueur.

- Épatez votre lecteur. Pour mettre votre lecteur dans de bonnes dispositions avant même qu'il commence à lire votre rapport, présentez-lui un document propre et bien ordonné. Soumettre un rapport, c'est offrir à son lecteur un peu de soi-même. Les taches de café, les gribouillis et les pages qui retroussent ne font jamais bonne impression…

- Utilisez toutes les ressources d'un logiciel de traitement de texte : la mise en pages automatique, l'insertion des notes de bas de page, la pagination, le saut de page, etc. Utilisez le gabarit que vous pouvez télécharger sur le site *Pour réussir* [www.pourreussir.com].

- Choisissez une structure claire (usuelle ou décimale) et respectez la même tout au long de la rédaction.

- Aidez le lecteur à cerner votre pensée en lui proposant un texte bien écrit, exempt de fautes de français et de formulations boiteuses. Utilisez un dictionnaire pour l'orthographe (*Le Nouveau Petit Robert*, *Petit Larousse illustré*), une grammaire ou un dictionnaire pour la syntaxe (*Multidictionnaire des difficultés de la langue française*, la collection « Bescherelle », *Le Bon Usage*, etc.). Utilisez le correcteur d'orthographe de votre logiciel qui peut vous aider en vous indiquant quelques coquilles, ou recourez à Antidote s'il est accessible à votre collège.

À RETENIR | La présentation ordonnée

	Oui	Non
Mes rapports sont-ils présentés selon les règles ?	❑	❑
Est-ce que j'utilise des tableaux et des figures pour ajouter une nouvelle dimension à mes rapports ?	❑	❑
Est-ce que je m'acquitte de mes dettes intellectuelles en citant correctement les auteurs consultés ?	❑	❑
Mes notices bibliographiques en bas des pages sont-elles claires, complètes et bien disposées ?	❑	❑
Mes références bibliographiques sont-elles toutes présentées selon les règles ?	❑	❑

Mathieu Laberge

économiste

Mathieu Laberge est né le 9 juin 1979 à Saint-Jean-sur-Richelieu. Après avoir complété deux sessions en Sciences de la nature et deux autres en Sciences humaines au cégep Saint-Jean-sur-Richelieu, il devient membre de la Fédération étudiante collégiale du Québec (FECQ) dont il sera successivement vice-président et directeur. Bien qu'il n'ait pas obtenu son DEC, il réussit à poursuivre des études universitaires en Économie à l'Université de Montréal, et fait un stage à l'Assemblée nationale de France. Après avoir obtenu son baccalauréat, il complète une maîtrise à l'Université de Nottingham. Il enseigne ensuite l'économie au collège Gérald-Godin et collabore au quotidien *La Presse*. Il occupe également la fonction de professionnel de recherche au Centre interuniversitaire en Analyse des organisations et travaille aujourd'hui à l'Institut économique de Montréal.

Rester accroché

Pour Mathieu Laberge, les études n'ont pas toujours été une source de motivation. « Comme j'ai fait mes études secondaires dans une institution privée, le passage au collégial a été plutôt difficile. Je me suis impliqué trop intensivement dans d'autres activités que mes cours. Mes résultats scolaires en ont beaucoup souffert, de sorte que je n'ai jamais obtenu mon DEC. J'étais en quelque sorte le candidat parfait au décrochage scolaire », raconte-t-il. Il a donc dû multiplier les efforts pour entrer à l'université : « Après une première session plutôt difficile, j'ai pris mes études en main pour obtenir de meilleures notes et atteindre mon objectif : j'ai abandonné mon travail pour me consacrer uniquement à mes études pendant les deux dernières années de mon baccalauréat. J'ai terminé mon baccalauréat avec des notes suffisamment élevées pour aller étudier dans l'université anglaise de mon choix et j'ai obtenu ma maîtrise avec la mention honorifique *merit*. »

Contribuer à l'amélioration de notre monde

« Mes études en économie m'ont permis d'acquérir la rigueur et la méthodologie nécessaires à un travail de recherche et de rédaction. Souvent, on considère que la recherche est "plate" ou que c'est "pelleter des nuages". C'est faux ! » assure Mathieu Laberge. « Les chercheurs ont le pouvoir d'apporter des idées qui vont changer le monde, mais elles doivent toujours être basées sur des faits vérifiables et répondre aux meilleurs standards de qualité et d'éthique. C'est certain que passer une journée à se demander si telle information est crédible ou s'il n'y a pas moyen de parfaire un détail dans une recherche peut paraître long. On en récolte toutefois les fruits quand la recherche est publiée et que ses conclusions sont adoptées par les leaders et les décideurs. »

Savoir s'entourer

« Le facteur principal de toute réussite est la persévérance et la foi en nos capacités. Il faut savoir s'entourer de personnes qui vont nous aider à cultiver ces traits de personnalité et qui vont être capables de nous donner l'heure juste, même si c'est désagréable à entendre », conclut-il. ■

Réussir un exposé oral

Julien et Stéphanie au cégep

Stéphanie s'entraîne à la piscine. Elle espère que l'effort physique diminuera son angoisse : elle doit présenter un exposé oral, une épreuve redoutable pour elle. Elle pense même à s'absenter ce jour-là tellement elle est stressée à l'idée de parler en public. Sa dernière expérience n'a pas été très concluante… Elle avait passé des heures à préparer une superbe présentation PowerPoint qui illustrait son exposé et qui contenait les principaux points qu'elle aborderait. Elle n'avait pas préparé de fiches, comptant sur les diapositives pour organiser sa pensée, mais le système informatique a planté… Elle a donc dû improviser quand le document PowerPoint a refusé de s'ouvrir !

À la pensée que cette situation pourrait se reproduire, Stéphanie a le ventre noué par la peur. Elle a beau jurer qu'on ne l'y prendra plus, le stress persiste. Elle décide de nager encore un peu pour réfléchir à une façon de surmonter cette épreuve.

À vrai dire, Stéphanie serait moins inquiète si elle se préparait autrement et si elle s'arrangeait pour ne pas dépendre de l'informatique pour son exposé. Comment surmonter le stress quand on doit faire un exposé oral ? Comment utiliser les outils audiovisuels ? Qu'est-ce qui rend un exposé oral remarquable ?

OBJECTIFS

Après avoir lu attentivement le présent chapitre, vous serez en mesure :

■ de préparer le matériel pour un exposé oral ;

■ de présenter un exposé oral ;

■ d'utiliser les supports audiovisuels appropriés.

L'EXPOSÉ ORAL

L'exposé oral, c'est la présentation verbale du fruit d'un travail de recherche ou d'une réflexion sur un sujet donné. Puisque c'est une communication devant un auditoire qu'il faut instruire et convaincre tout en le séduisant, l'exposé oral est nécessairement visuel et expressif, voire théâtral.

Aujourd'hui, on a recours à la présentatique pour préparer et présenter un exposé oral. La présentatique, c'est une « application de l'informatique et du multimédia à la présentation visuelle de documents qui sont créés pour servir de support à une communication orale[1] ». Ce chapitre donne les bases de la présentatique appliquée à la gestion des exposés oraux en contexte scolaire.

CANALISER SON ANXIÉTÉ ET S'EN SERVIR POUR RÉUSSIR

Votre enseignant de philosophie vous annonce que vous devez exprimer oralement vos idées sur l'éthique dans les relations commerciales. Quelle est votre réaction ? Vous rappelez-vous une expérience qui a mal tourné ? Vous dites-vous en soupirant « encore un exposé oral » ? À quelques jours de l'échéance, sentez-vous monter un vague sentiment d'étouffement, avez-vous des palpitations à l'idée même de devoir « vous produire » devant la classe ?

Plusieurs auront reconnu là les symptômes de l'anxiété, qui peut dégénérer en trouble panique (crise d'anxiété aiguë[2]) ou conduire à une phobie sociale, c'est-à-dire une « peur irrationnelle et excessive d'être l'objet d'un examen minutieux de la part des autres[3] ». Sans aller jusque-là, de nombreuses personnes éprouvent une anxiété qui les paralyse, entraînant conséquemment un effet négatif sur la qualité de leur communication. Rassurez-vous, c'est tout à fait normal ! Une étude menée auprès de 1000 jeunes Américains a révélé que la peur de prendre la parole en public était leur crainte numéro un[4]. Dans une autre étude, menée auprès de 3000 personnes, on demandait aux répondants d'indiquer des situations qui les rendaient anxieux : 70 % d'entre eux considéraient « la parole en public » comme la deuxième situation la plus angoissante, immédiatement après une fête avec des étrangers (74 %) et devant huit autres situations telles la première journée d'un nouvel emploi (59 %) ou une entrevue professionnelle (46 %)[5].

Un élément clé pour surmonter l'anxiété causée par la perspective de parler en public est de comprendre le processus par lequel on passe tous lorsqu'on se trouve dans cette situation. On pourrait dire que l'attitude de la plupart des gens oscille entre deux extrêmes : d'un côté, l'attitude de celui qui se sent tellement sûr de lui – « Pas de problème ! » – qu'il ne fera que le minimum de recherches, ne prendra que quelques notes, s'habillera avec soin le jour de l'exposé et comptera sur son talent d'acteur pour épater la galerie ; de l'autre, l'attitude de celui pour qui l'exposé ne pourra jamais être bon – « Ça va nécessairement être moche » –, parce qu'à ses yeux, pour faire un bon exposé, il faut avoir des talents de comédien qu'il n'a pas. La plupart des gens se situent entre ces deux extrêmes et sont relativement nerveux à l'idée de présenter une communication orale.

1. OFFICE QUÉBÉCOIS DE LA LANGUE FRANÇAISE, *Le grand dictionnaire terminologique*, [En ligne], http://w3.granddictionnaire.com/btml/fra/r_motclef/index1024_1.asp (Page consultée le 4 avril 2008)
2. Spencer A. RATHUS, *Psychologie générale*, 5e éd., Montréal, Beauchemin, 2005, p. 271.
3. *Ibid.*, p. 272.
4. Cité par Sheldon METCALFE, *Building a Speech*, New York, Harcourt Brace College Publishers, 1998, p. 91.
5. *Ibid.*

Tout dépend de la perception que vous avez de l'ensemble du processus et de la façon dont vous agirez sur cette perception des choses. Ainsi, vous pouvez transformer votre nervosité en anxiété ou en excitation devant la tâche à accomplir. La figure 12.1 illustre la complexité du processus mental qui conditionne la réussite ou l'échec d'une communication orale.

Ainsi, une perception négative de votre compétence comme orateur, fondée sur des expériences malheureuses, une comparaison injuste avec les autres ou des idées préconçues, peut transformer la nervosité naturelle en une anxiété qui vous paralyse et qui se traduit par une préparation passive, par de la procrastination (tout remettre au lendemain), voire par un rejet de la tâche à accomplir.

Au contraire, une perception positive de votre compétence comme orateur, fondée sur des expériences heureuses et une comparaison réaliste avec les autres, peut transformer la nervosité naturelle en excitation devant le défi qui se pose et vous motiver à vous préparer activement et à répéter plusieurs fois afin d'arriver fin prêt devant le groupe.

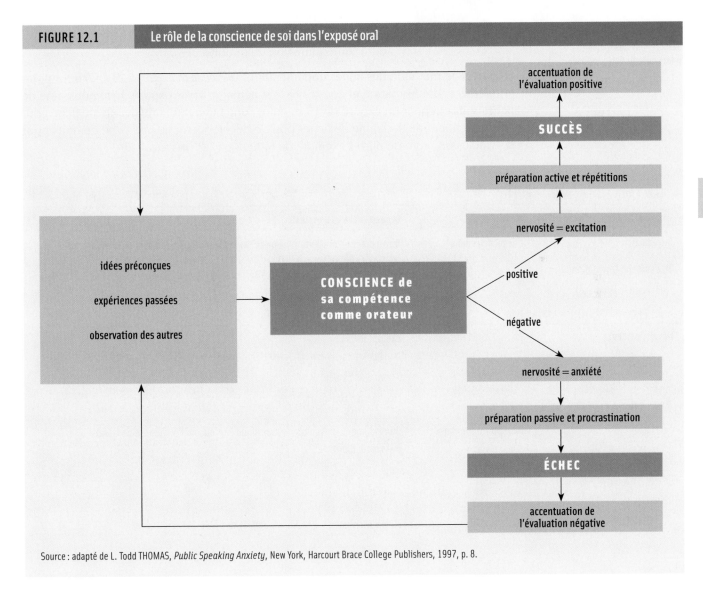

FIGURE 12.1 — Le rôle de la conscience de soi dans l'exposé oral

Source : adapté de L. Todd THOMAS, *Public Speaking Anxiety*, New York, Harcourt Brace College Publishers, 1997, p. 8.

PRÉPARER SOIGNEUSEMENT SON EXPOSÉ

Servez-vous des fiches
pour soutenir votre exposé.

Le secret d'un bon exposé réside dans la préparation. Faire un exposé, c'est communiquer des idées aux autres. Plus vous serez préparé, plus vous maîtriserez le contenu, plus vous vous sentirez à l'aise, meilleur sera l'exposé !

SE DOCUMENTER

Pour vous documenter à fond, ► *consultez les chapitres suivants : chapitre 6*, La bibliothèque : comment s'y retrouver ; *chapitre 7*, Naviguer dans Internet ; *chapitre 8*, Se documenter à l'aide des journaux et des revues ; *chapitre 10*, Effectuer un travail de recherche.

STRUCTURER SES IDÉES

Préparez un plan et tenez-vous-en à ce plan au cours de l'exposé. Le tableau 12.1 donne un exemple de plan d'un exposé qui doit durer une quinzaine de minutes.

Employez la méthode des fiches documentaires (► *voir le chapitre 3, p. 43 à 49*) pour noter les éléments d'information et construire le schéma de votre exposé. Une quinzaine de fiches suffisent pour un exposé de 15 minutes : une fiche titre, une deuxième fiche pour l'introduction, une douzaine de fiches pour le développement, une fiche ou deux pour la conclusion, comme dans l'exemple de la figure 12.2 (► *voir p. 240*).

TABLEAU 12.1	Exemple de plan d'exposé oral	
Contenu	**Durée**	**Suggestion de support matériel**
Introduction Sujet amené (problématique) Sujet posé (hypothèse) Sujet divisé (plan)	Une ou deux minutes	Transparent ou présentation PowerPoint : présentation de l'hypothèse de travail (► *voir la figure 12.3, p. 245*)
Développement 1re idée principale 2e idée principale 3e idée principale	De 8 à 12 minutes	**Exemples** Transparent ou document PowerPoint : graphique (► *voir la figure 12.3*) Extrait d'une vidéo Lien avec un site Internet
Conclusion Retour sur la démarche Retour sur l'hypothèse Autocritique, prospective	Deux ou trois minutes	Transparent ou présentation PowerPoint : retour sur l'hypothèse de travail (► *voir la figure 12.3*)

Source : inspiré de L. CLICHE *et al.*, *Démarche d'intégration des acquis en sciences humaines*, Saint-Laurent, ERPI, 1996, p. 296-297.

Préparer des fiches en vue d'un exposé

- Choisissez des fiches en carton de 12,7 cm sur 20,3 cm ; n'utilisez pas des feuilles de papier, car elles se manipulent mal.

- N'inscrivez qu'une ou deux idées importantes par fiche.

- Écrivez des mots clés et non des phrases complètes.

- Limitez le nombre de fiches : une quinzaine de fiches suffit.

- Numérotez vos fiches (au cas où elles vous glisseraient des mains juste avant l'exposé… inutile d'accroître la tension).

- Utilisez des symboles pour attirer votre attention sur le contenu (couleurs, flèches, marqueurs, etc.) ; après tout, les fiches sont pour vous.

- Exercez-vous : répétez votre exposé, fiches en main, pour avoir l'air le plus naturel possible devant votre auditoire. Répétez deux fois plutôt qu'une.

RESPECTER LE TEMPS ALLOUÉ

Il est très important de suivre les indications de l'enseignant concernant le temps alloué pour l'exposé. Un exposé de cinq minutes n'a rien à voir avec une conférence d'une heure. Il faut préparer l'exposé en fonction du temps accordé. Gardez toujours en tête ces quelques conseils :

- ayez une montre devant vous pendant l'exposé ;

- allouez un temps prédéterminé à chacun des moments forts de l'exposé (introduction, développement de la première idée principale, de la deuxième, etc., conclusion) ;

- évitez d'en dire trop (il s'agit du plus grand danger) ;

- concentrez-vous sur les idées essentielles et les plus intéressantes pour votre auditoire ;

- prévoyez du matériel complémentaire au cas où vous n'auriez plus rien à dire ;

- rappelez-vous que le trac accélère le débit : respirez bien ;

- prévoyez une marge de manœuvre (la possibilité d'abandonner certaines idées secondaires en cours de route) ;

- enfin, répétez votre exposé la veille devant un miroir, montre en main : c'est la meilleure façon de mesurer le temps passé à exposer vos idées.

S'ADAPTER À L'AUDITOIRE

- L'auditoire connaît-il un peu le sujet ? Si tel n'est pas le cas, présentez-le brièvement afin de susciter rapidement l'intérêt de l'auditoire.

- Exprimez-vous simplement. Évitez de reprendre les textes des grands auteurs : la prétention ne remplace jamais la clarté des idées.

- Évitez l'emploi d'un vocabulaire trop technique, que seuls les spécialistes connaissent : définissez les mots compliqués indispensables à la compréhension de l'exposé. Au besoin, écrivez ces mots au tableau ou distribuez une feuille présentant un glossaire des mots employés. Par exemple, dans le cas d'un exposé sur l'informatique contenant des mots tels que « présentatique, progiciel, serveur, octet, mémoire vive, microprocesseur », il faut expliquer le sens de ces mots pour que l'auditoire puisse suivre.

- Présentez des exemples clairs, des figures, des images, des tableaux, etc., qui aideront l'auditoire à mieux comprendre l'exposé.

■ Répondez aux questions : reformulez la question afin de vous assurer d'en avoir compris le sens ; si vous ne connaissez pas la réponse, dites-le franchement ; répondez brièvement et directement ; enfin, demandez à votre interlocuteur si la réponse est satisfaisante[6].

VISUALISER SON EXPOSÉ

Sylvie Bernier visualise le plongeon qui allait lui donner la médaille d'or en 1984.

L'une des causes principales de l'anxiété est la peur de l'inconnu. Pour vaincre cette peur, rien de tel qu'une visualisation de ce que sera l'exposé. Si vous ne connaissez pas l'endroit où aura lieu votre présentation, allez le visiter à l'avance, vous vous sentirez plus en sécurité. Puis, projetez-vous dans le temps et imaginez la scène suivante :

■ vous entrez dans la pièce avec assurance, en marchant lentement ;

■ vous présentez votre sujet, debout, calmement ;

■ vous exposez vos idées avec enthousiasme ;

■ votre auditoire est captivé par vos propos ;

■ vous entendez les applaudissements et les remarques positives de l'enseignant et de vos collègues[7].

FIGURE 12.2	Exemples de fiches pour un exposé oral

INTRODUCTION   1

• Sujet amené
• Sujet posé (HYPOTHÈSE)
• Sujet divisé (PLAN)

PARTIE 1   2

Le divorce au Québec

• Résumé historique

  — avant 1960

  — de 1960 à 1980

• Évolution des statistiques, 1980-2000

PARTIE 3   12

Les comportements des enfants

• La délinquance

• La baisse du rendement scolaire

• Les troubles psychologiques

CONCLUSION   15

• Retour sur la démarche

• Retour sur l'hypothèse

• Prospective

6. Dominique CHASSÉ et Richard PRÉGENT, *Préparer et donner un exposé*, 2e éd., Montréal, Presses internationales Polytechniques, 2005, p. 47.
7. L. CLICHE *et al., op. cit.,* p. 298.

EXPOSER SES IDÉES

CAPTER L'ATTENTION DÈS LE DÉBUT

■ Dès le début, campez le sujet et attirez l'attention de votre auditoire. Une phrase choc, une statistique révélatrice ou une citation bien choisie peuvent vous aider dans ce sens. Par exemple, si vous faites un exposé sur le divorce et la famille au Québec, donnez le nombre total de divorces au Québec depuis dix ans et vous capterez immédiatement l'attention !

■ Posez des questions à l'auditoire : « Saviez-vous que… », « Croiriez-vous que… », « Pensez-vous qu'il est possible que… » et ainsi de suite. Les questions forcent les auditeurs à suivre l'exposé, car elles les interpellent directement. Toutefois, il ne faut pas abuser de cette technique : utilisez-la à des moments propices.

■ Assurez-vous de parler assez fort pour que tout le monde vous entende. Au besoin, demandez si les gens au fond de la salle vous entendent.

■ Expliquez le plan de votre exposé dès le début. Insistez sur votre hypothèse de travail ou sur le sens de votre exposé, de manière à bien informer l'auditoire de votre intention.

ADOPTER UNE ATTITUDE DYNAMIQUE

Adoptez une attitude dynamique.

■ Regardez l'auditoire. Levez la tête, ne gardez pas les yeux fixés sur le papier (l'œil va plus vite que la parole, on retient facilement un ensemble de mots). Regardez les gens dans les yeux, tentez d'établir un contact avec eux.

■ Articulez bien, prenez le temps de prononcer chaque mot.

■ Respirez profondément de temps en temps, de façon à ralentir le débit.

■ Soyez animé. Variez le débit. Faites des pauses. Changez le ton (gare aux fins de phrases tombantes). Ajoutez une pointe d'humour, sans abuser. Questionnez l'auditoire afin de susciter sa participation.

■ Éliminez les tics tels que « Écoutez », « Euhhhh ! », « À ce moment-ci », « Bien… », « J'veux dire », « Vous savez… », « En quelque part », « C'est comme lourd… » (au lieu de « C'est lourd ») et ainsi de suite.

■ Attention au choix des mots : soyez précis, n'utilisez pas des mots vagues tels que l'« affaire », la « chose », le « stuff », ou des expressions populaires telles que « Tsé veux dire » (en voulant parler d'une évidence qui ne l'est peut-être pas pour tout le monde), « Lui y l'a l'affaire » (par exemple à propos d'un juge ou d'un politicien), « Y a eu d'l'air fou » (au sujet d'une entrevue avec une vedette), « Y a mangé une volée » (en parlant d'une défaite électorale), « Y disent que… » (pour remplacer l'auteur d'un énoncé) ; utilisez des mots justes et des expressions pertinentes, sans être prétentieux : « il a montré sa compétence », « il n'a pu défendre ses idées », « selon tel auteur », « selon l'Institut de la statistique du Québec », etc.

Imaginez un exposé sur la dénatalité qui commencerait ainsi :

« Ça fait que chaque femme en a à peu près 1,5, pis ça en prend 2 pour qu'on se reproduise. »

au lieu de :

« Les statistiques du dernier recensement, en 2006, montrent que le taux de fécondité atteint 1,5 enfant par Québécoise en âge de procréer, ce qui est bien inférieur au taux minimal de 2,1 enfants par femme requis pour qu'une population se reproduise. »

La seconde phrase n'aura-t-elle pas un effet plus percutant sur l'auditoire ?

PERSUADER L'AUDITOIRE

> La persuasion peut être définie comme la communication qui influence et transforme les croyances, les émotions ou le comportement d'un auditeur. Les exposés persuasifs convainquent en énonçant des faits rigoureux, stimulent en exprimant des jugements de valeur qui vont droit au cœur et motivent en proposant des solutions réalistes[8].

Après avoir choisi le sujet de votre exposé, formulez une proposition ou une hypothèse que vous défendrez devant votre auditoire. On peut dégager trois types de propositions : l'énoncé factuel, le jugement de valeur et la solution.

L'énoncé factuel (l'état de fait)

L'appel à la raison présente des faits précis, une preuve complète et un raisonnement juste. « Les pertes d'Hydro-Québec lors de la crise du verglas de 1998 s'élèvent à 400 millions de dollars », « La guerre civile en Irak a fait X milliers de morts dans la population civile en 2008 », « Le facteur décisif dans la réussite scolaire est la motivation, selon les recherches du psychoéducateur Untel » sont des exemples de preuves ou d'énoncés factuels qui permettent de convaincre les auditeurs, s'ils sont véridiques bien entendu.

Le jugement de valeur (l'évaluation)

Lorsque vous énoncez des arguments tels que « Comment peut-on accepter que les femmes reçoivent encore des salaires inférieurs à ceux des hommes à l'aube du 21e siècle? », vous faites appel à l'éthique et aux valeurs des auditeurs. Vous faites valoir l'égalité entre les hommes et les femmes, la justice la plus élémentaire, la nécessité d'une équité salariale, etc. Souvenez-vous, toutefois, que l'appel aux valeurs ne suffit pas ; il faut apporter des faits, des arguments et des solutions. Enfin, notez que, dans tout discours sur les valeurs, il faut éviter l'incitation à la violence et le langage abusif.

La solution (la nécessité de l'application de telle proposition)

Si vous désirez présenter une solution à un problème précis, exposez d'abord les paramètres du problème, puis énoncez clairement votre solution, par exemple : « Le prix d'une place en garderie devrait être fixé à sept dollars par jour quel que soit l'âge de l'enfant. » Donnez ensuite trois séries d'arguments pour appuyer cette solution. N'hésitez pas à soulever vous-même une objection à cette solution, puis à énoncer les arguments qui vous permettent d'écarter cette objection. Votre force de persuasion n'en sera que plus grande.

Chaque sorte de proposition implique un raisonnement particulier et des types d'arguments différents. Un bon exposé combinera les appels aux valeurs, à l'émotion et à la raison. Exercez-vous à construire des arguments variés qui font appel à l'une ou l'autre de ces facettes de la nature humaine.

UTILISER CORRECTEMENT LES SUPPORTS AUDIOVISUELS

■ Conformez-vous aux consignes de votre enseignant : les supports visuels sont-ils autorisés pour les exposés oraux ? Certains enseignants ne les autorisent pas ; il est donc prudent de s'en assurer avant l'exposé.

---

8. Cette section est inspirée de S. METCALFE, *op. cit.*, chap. 17, p. 395-433.

- Utilisez des supports audiovisuels afin de mettre l'accent sur certains éléments essentiels de votre exposé. Cependant, vous devez toujours maintenir le contact visuel avec l'auditoire et ne pas vous laisser accaparer par l'aspect technique du support audiovisuel.

- Assurez-vous que tous les auditeurs puissent bien voir et entendre ce que vous allez montrer, qu'il s'agisse de diapositives, de films, de cédéroms, d'une présentation à l'aide de PowerPoint, de transparents ou d'illustrations.

- Choisissez le bon moment pour recourir aux supports visuels : ne présentez pas un diaporama avant d'avoir terminé les explications préliminaires. N'attendez pas à la fin d'un cours de trois heures pour présenter votre diaporama ou un extrait de film.

- Si vous présentez des cartes géographiques ou historiques, assurez-vous, avant de faire l'exposé, que l'auditoire verra bien les légendes, les noms de lieux et les chiffres (par exemple les degrés).

- Écrivez au tableau les mots difficiles, les idées principales, mais retournez-vous rapidement vers l'auditoire. Avant de faire l'exposé, vous pouvez faire des schémas ou des tableaux statistiques au tableau, et écrire quelques mots, pour vous permettre de vous concentrer sur ce que vous aurez à dire.

- N'abusez pas du rétroprojecteur ni des présentations à l'aide de PowerPoint : utilisez quelques transparents (le terme « acétate » est fautif) ou quelques diapositives.

- Si vous utilisez le rétroprojecteur, n'écrivez qu'une seule idée par transparent et grossissez le texte pour améliorer la lisibilité. Vous pouvez photocopier des illustrations, des tableaux et des figures sur des transparents, en noir et blanc ou en couleurs (des coopératives scolaires, des pharmacies et des librairies offrent ce service).

- Les films ou les diaporamas doivent être brefs. Il faut les commenter, en présenter l'intérêt au début et en dégager l'essentiel à la fin.

- Enfin, il peut être très utile de distribuer des documents écrits pendant l'exposé, par exemple le plan de l'exposé, un extrait de texte, un tableau, une carte, etc., afin d'ajouter une information à un élément essentiel de votre document audiovisuel. Toutefois, il ne faut pas en distribuer trop. Cela risque de distraire l'auditoire pendant que vous parlez. N'oubliez pas de commenter les documents que vous distribuez.

TACTIQUE **Réussir ses présentations avec PowerPoint**

La compagnie Microsoft offre le logiciel PowerPoint, qui facilite la mise en pages et met en valeur les présentations audiovisuelles multimédias[12]. Ce logiciel, relativement facile à maîtriser, permet d'élaborer des diaporamas en y intégrant du texte, des images, des extraits vidéo, des liens hypertextes vers des sites Internet et même du son. L'utilisation de PowerPoint comporte des avantages et des inconvénients.

Les avantages

- Permet de créer des diapositives sans recourir à un graphiste.
- Harmonise les présentations en utilisant un seul et même design.
- Combine le son, les images et le texte.
- Incorpore des tableaux, des graphiques, des organigrammes, des liens Internet et des séquences vidéo (➤ *voir la figure 12.3*).
- Dynamise les présentations à l'aide d'animations.
- Facilite le travail grâce à l'automatisation d'un diaporama ou au pointeur laser, qui permet d'insister sur certains éléments d'une diapositive.

Les inconvénients

- Requiert un canon électronique et un ordinateur.

- Nécessite une connaissance de l'ordinateur, des logiciels, du matériel, etc.

- Rend la prise de notes difficile parce que les présentations doivent se faire dans une pièce où la lumière est éteinte.

- Demande une bonne coordination de la part du présentateur : suivre le fil de son exposé, changer les diapositives, regarder l'auditoire, s'assurer de présenter la bonne diapositive au bon moment, etc.

- Empêche de modifier une séquence de diapositives pendant la présentation, ce qui pourrait être utile quand il faut s'adapter à un auditoire spécifique, par exemple.

- Exige beaucoup de temps de préparation, surtout lorsqu'on incorpore des images, des extraits vidéo, des animations, etc.

- Entraîne parfois des abus d'effets spéciaux qui peuvent détourner le public du contenu du message.

Quelques conseils d'utilisation*

- Pendant la présentation, ne vous contentez pas de lire ce qui apparaît à l'écran : commentez vos diapositives en vous adressant au public.

- Tournez-vous vers le public, pas vers l'écran ni vers l'ordinateur.

- Utilisez des gros caractères afin que le public puisse lire vos textes même dans le fond de la salle.

- Utilisez un fond pâle et des caractères foncés, ou l'inverse, pour faire ressortir le texte.

- N'encombrez pas vos diapositives d'éléments de présentation ou d'animation.

- Conservez une présentation simple dans vos tableaux, graphiques et illustrations.

- Utilisez des listes de mots clés précédés de puces ; évitez les phrases complètes, sauf pour citer des extraits de textes.

- Associez un court titre à chaque diapositive.

- Découvrez progressivement les titres et les sous-titres les uns à la suite des autres : par exemple, ne dévoilez pas d'un seul coup les trois arguments ou les deux conclusions d'une diapositive. Si vous procédez de cette façon, les auditeurs liront le contenu de la diapositive avant que vous ayez eu le temps de l'expliquer.

- Contentez-vous d'un seul élément, d'une seule idée par diapositive.

- Séparez un élément complexe en plusieurs diapositives.

- Recourez à la couleur pour accentuer un élément, un mot.

- Utilisez un seul arrière-plan et une mise en pages uniforme d'une diapositive à l'autre.

- Évitez de faire suivre plusieurs diapositives contenant seulement du texte.

- Soignez vos textes : les fautes d'orthographe sont plus évidentes lorsqu'elles sont projetées sur un grand écran.

- Utilisez des images. Voici quelques exemples de banques d'image libres de droit (pour une liste plus complète,
  ➤ *voir le site* Pour réussir *[www.pourreussir.com]*) :

  - *Clio-Photos* [http://cliophoto.clionautes.org/category.php] ;

  - *Google, recherche avancée* [www.google.com/advanced_search] ;

  - *Multimodes* [http://dsf.sk.ca/refad/multimodes/liste4col.php?id=ress_banqueobjets.php] ;

  - *Le Québec en images* du Centre collégial de développement de matériel didactique [www.ccdmd.qc.ca/quebec/] ;

  - *Microsoft office on line* pour des cliparts [http://office.microsoft.com/clipart/default.aspx?cag=1].

* Pour une description du logiciel PowerPoint et des conseils, voir le site Internet de Microsoft [http://office.microsoft.com/home/default.aspx].

Source : inspiré de Paul V. ANDERSON, *Technical Communication, A Reader-Centered Approach*, 4ᵉ éd., Fort Worth (Texas), Harcourt Brace, 1999, p. 409-427.

FIGURE 12.3	Exemple de présentation avec PowerPoint

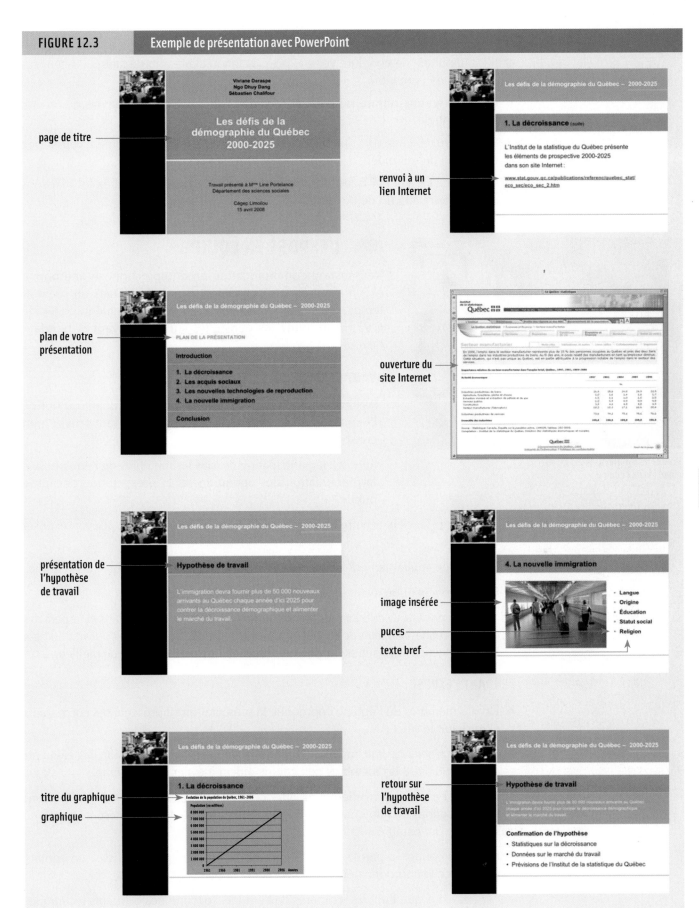

page de titre

plan de votre présentation

présentation de l'hypothèse de travail

titre du graphique

graphique

renvoi à un lien Internet

ouverture du site Internet

image insérée

puces

texte bref

retour sur l'hypothèse de travail

LAISSER UNE IMPRESSION DURABLE (EN CONCLUSION)

■ Il est important de conclure votre exposé de façon claire afin de laisser les gens sur une bonne impression.

■ Dégagez en une phrase ou deux le sens de l'exposé. Ne craignez pas de répéter l'idée centrale.

■ S'il y a lieu, revenez sur votre hypothèse de travail et expliquez comment vous l'avez confirmée ou infirmée.

■ Demandez s'il y a des questions, des commentaires, bref, recherchez les réactions de l'auditoire à la fin de l'exposé.

Divisez le travail entre les membres de l'équipe.

L'EXPOSÉ EN ÉQUIPE

Réussir une communication en équipe suppose une bonne préparation et une coordination efficace. Dans un premier temps, consultez le chapitre 5 sur le travail en équipe (➤ *voir p. 72*). Appliquez les consignes suivantes avant et pendant l'exposé.

AVANT L'EXPOSÉ

Assurez-vous de partager les mêmes idées quant au but de l'exposé et à la manière de le présenter : il faut arriver à un consensus.

Suscitez la participation de tous les membres de l'équipe dans la planification des opérations et la présentation devant le public.

■ Encouragez les débats entre les membres de l'équipe : tous doivent pouvoir exposer leurs idées.

■ Répartissez équitablement les éléments de contenu entre les membres de l'équipe.

■ Faites une répétition avant le jour de l'exposé.

■ N'hésitez pas à vous critiquer les uns les autres lors de la répétition, dans le respect des personnes et des habiletés de chacun. Chaque membre de l'équipe doit pouvoir corriger les imperfections des autres ; ainsi, votre exposé collectif n'en sera que meilleur.

PENDANT L'EXPOSÉ

■ Un des membres de l'équipe coordonne la présentation : il présente ses coéquipiers et introduit le sujet.

■ Évitez de répéter ce que l'autre a dit avant vous : une bonne répartition des éléments du contenu entre les membres de l'équipe aidera à éviter ce problème.

■ Planifiez l'exposé de manière à montrer qu'il s'agit d'un véritable travail d'équipe : les explications de l'un complètent celles de l'autre et le tout est présenté dans une séquence qui paraît évidente.

■ Évitez de couper la parole à l'un des membres de l'équipe : établissez un contact visuel avec le coordonnateur qui vous cédera la parole.

■ Assurez-vous que l'un des membres de l'équipe s'occupe des éléments techniques (ordinateur, projecteur, etc.).

■ Le coordonnateur conclut l'exposé.

L'ÉVALUATION D'UN EXPOSÉ

La figure 12.4 présente un exemple de grille d'évaluation d'un exposé oral. Cette grille peut varier d'un enseignant à l'autre. Dans cet exemple, on accorde 75 % des points au contenu de l'exposé et 25 % à la forme. L'enseignant peut évaluer votre rendement selon trois niveaux de compétence : un excellent exposé vaut 4 ou 5 sur 5, ou de 8 à 10 sur 10 ; un exposé satisfaisant vaut 3 sur 5, ou 6 ou 7 sur 10, tandis qu'un exposé insatisfaisant ne vaut que de 0 à 2 sur 5, ou de 0 à 5 sur 10. N'hésitez pas à demander les commentaires de votre enseignant. Vous pourrez ainsi améliorer vos points faibles en vue des prochains exposés.

FIGURE 12.4	Exemple de grille d'évaluation			

Nom de l'étudiant :			**Note :**	**/100**
Sujet :				
Contenu		Excellent	Satisfaisant	Insatisfaisant
1. Contenu (75 %)				
Introduction				
Sujet amené (problématique)	(/5)			
Sujet posé (hypothèse)	(/5)			
Sujet divisé (plan)	(/5)			
Développement				
Pertinence des arguments	(/10)			
Liens entre les idées	(/10)			
Référence aux auteurs consultés	(/10)			
Originalité du propos	(/10)			
Conclusion				
Retour sur l'hypothèse	(/5)			
Retour sur la démarche	(/5)			
Capacité d'autocritique	(/5)			
Réponse aux questions				
Pertinence des réponses	(/5)			
2. Forme (25 %)				
Ton, débit	(/5)			
Attitude, contact visuel	(/5)			
Supports audiovisuels	(/5)			
Respect du temps alloué	(/5)			
Niveau de langage	(/5)			

Source : inspiré de Dominique CHASSÉ et Richard PRÉGENT, *op. cit.*, p. 65-71.

12

COMPÉTENCE	Communiquer oralement ses idées avec dynamisme et conviction

- Préparez-vous dès maintenant à exprimer clairement votre point de vue. Au cours de votre carrière, vous devrez fréquemment exposer vos idées aux autres pour que des projets fonctionnent, pour que vos associés et vous puissiez suivre la même voie ou, tout simplement, pour que vos collègues de travail soient au courant de ce que vous pensez sur un sujet d'intérêt commun.

- Osez exprimer vos idées, mais assurez-vous d'être bien préparé pour le faire. Un exposé oral ne s'improvise pas. Mieux vous serez préparé et plus vous aurez répété, plus vos arguments seront percutants et plus vous serez à l'aise devant un auditoire.

- Croyez en ce que vous faites, épousez passionnément « la cause » que vous allez défendre devant les autres : vous en serez d'autant plus convaincant.

- Ayez confiance en vous, en vos gestes, en votre voix, en vos arguments et en vos outils audiovisuels ; apprenez à maîtriser le logiciel PowerPoint et peaufinez vos présentations. Dégagez une impression de calme et de confiance : votre auditoire sera plus aisément conquis.

- Soyez respectueux des idées des autres. Ce n'est pas en les ridiculisant, par exemple, que vous gagnerez l'estime de votre auditoire. Vous pouvez défendre vos arguments et montrer les limites de ceux des autres, mais ne vous lancez pas dans des charges à l'emporte-pièce… Cela pourrait vous retomber sur le nez !

À RETENIR	L'exposé remarquable		
		Oui	Non
Ai-je bien préparé mon exposé ?		❏	❏
Ai-je fait ma recherche documentaire ?		❏	❏
Mes idées sont-elles structurées et mon plan est-il clair ?		❏	❏
Ai-je eu le temps de m'exercer avec mes fiches en main ?		❏	❏
Ai-je présenté mes idées calmement, avec enthousiasme et précision ?		❏	❏
Ai-je utilisé de bons supports audiovisuels ?		❏	❏
Ai-je conclu de façon claire ?		❏	❏

Guylène Beaugé

juge à la Cour supérieure du Québec

Collège international
Marie de France

Guylène Beaugé est née le 5 octobre 1963 à Montréal. Elle poursuit des études au collège Marie-de-France, où elle obtient un baccalauréat ès arts avec mention en 1981. Elle obtient ensuite un baccalauréat en droit à l'Université de Montréal et devient membre du barreau du Québec. Elle exerce d'abord son métier d'avocate dans différents cabinets, touchant notamment au droit du travail et de l'emploi et au droit civil. Très active dans son milieu, elle préside plusieurs comités, dont celui sur la justice et l'égalité du Centre de recherche-action sur les relations raciales et celui des plaintes et de l'éthique du Conseil de presse du Québec. Elle occupe divers postes au sein du barreau de Montréal et du barreau du Québec et préside, de 1999 à 2000, la division Québec de l'Association du barreau canadien. Membre du conseil d'administration de l'Institut canadien d'administration de la justice depuis 2004, elle a été nommée juge à la Cour supérieure du Québec en 2007.

« Ce que l'on conçoit bien s'énonce clairement »

Comme avocate, Guylène Beaugé a mis en pratique les compétences orales développées au cours de ses études : « Ma pratique m'amenait à faire valoir le bien-fondé de mes positions et arguments, à construire une entente tout en défendant les intérêts de la partie que je représentais, à amener des parties aux intérêts opposés à trouver un compromis gagnant-gagnant. » Les mots étaient alors ses outils. Comme juge, elle doit désormais motiver ses décisions et les faire comprendre par les justiciables. « Ce travail requiert la même compétence orale puisque souvent, les jugements sont rendus verbalement, séance tenante », précise-t-elle. Les activités auxquelles elle a participé pendant ses études ont certainement contribué à développer ses aptitudes en la matière : elle a notamment été membre d'une troupe de théâtre et a fait partie du Comité d'animation pédagogique.

L'éloge de l'effort

« J'ai eu la chance de n'avoir jamais éprouvé de difficulté notable pendant mes études. Mes parents ont toujours privilégié les études et nous ont encouragées, mes sœurs et moi, à nous réaliser », raconte Guylène Beaugé. Cependant, la chance et les encouragements ne suffisent pas : pour elle, la persévérance, la détermination et le dépassement sont les clés du succès. « Rien ne s'obtient sans effort, travail et confiance en soi », conclut-elle. ■

Bibliographie

Bibliothèque et recherche documentaire

BISSONNETTE, Lise. « La Grande Bibliothèque, portrait d'une institution », dans Michel VENNE, dir., *L'annuaire du Québec 2005*, Montréal, Fides, 2004, p. 356-364.

CHARTIER, Lise. *Mesurer l'insaisissable : méthode d'analyse du discours de presse*, Sainte-Foy (Québec), Presses de l'Université du Québec, 2003, 263 p.

GAGNON, Maryse, et Francis FARLEY-CHEVRIER. *Guide de la recherche documentaire*, Montréal, Presses de l'Université de Montréal, 2004, 110 p.

GATES, Jean Key. *Guide to the Use of Libraries and Information Sources*, 7e éd., New York, McGraw-Hill, 1994, 304 p.

MARCIL, Claude, et Joanne LAUZON. *Comment chercher. Les secrets de la recherche d'information à l'heure d'Internet*, Sainte-Foy (Québec), Éditions MultiMondes/ASTED, 2001, 224 p.

WHITE, Patrick. *Le village CNN. La crise des agences de presse*, Montréal, Presses de l'Université de Montréal, 1997, 190 p.

Enseignement et pédagogie

ANGELO, Thomas A., et K. Patricia CROSS. *Classroom Assessment Techniques. A Handbook for College Teachers*, 2e éd., San Francisco, Jossey-Bass, 1993, 427 p.

AYLWIN, Ulric. *Petit guide pédagogique*, Montréal, Association québécoise de pédagogie collégiale, 1994, 102 p.

GOULET, Jean-Pierre, dir. *Enseigner au collégial*, Montréal, Association québécoise de pédagogie collégiale, 1995, 417 p.

GOUPIL, Georgette. *Portfolio et dossiers d'apprentissage*, Montréal, Chenelière/McGraw-Hill, 1998, 78 p.

LAFORTUNE, Louise, et Lise SAINT-PIERRE. *Les processus mentaux et les émotions dans l'apprentissage*, Montréal, Éditions Logiques, 1994, 396 p.

LEGENDRE, Renald. *Dictionnaire actuel de l'éducation*, 3e éd., Montréal, Guérin, 2005, 1554 p.

PELPEL, Patrice. *Se former pour enseigner*, 3e éd., Paris, Dunod, 2002, 386 p.

Internet et TIC

ACADÉMIE DE NANCY-METZ. *Compétences informationnelles et B2i, 2003-2004*, [En ligne], www.ac-nancy-metz.fr/enseign/CDI/B2i/Competences_informationnelles.htm (Page consultée le 2 août 2007)

BIBEAU, Robert. *Cent références pour le portfolio numérique*, [En ligne], http://ntic.org/guider/textes/portfolio.html (Page consultée le 2 juin 2007)

CARON, Rosaire. « Comment citer un document électronique ? », UNIVERSITÉ LAVAL, BIBLIOTHÈQUE, *Site de la Bibliothèque de l'Université Laval*, [En ligne], www.bibl.ulaval.ca/doelec/citedoce.html (Page consultée le 20 octobre 2007)

COUILLARD, Claude. *Écrire pour Internet*, Montréal, Éditions Logiques, 2002, 219 p.

GUGLIELMINETTI, Bruno. *Les 1000 meilleurs sites en français de la planète*, 10e éd., Montréal, Éditions Logiques, 2003, 319 p.

MARQUIS, Daniel. *Valider l'information dans Internet en 8 questions*, Biblioguide no 2, Granby, Cégep de Granby–Haute-Yamaska, [En ligne], www.cegepgranby.qc.ca/biblio/ressources/biblioguide2.pdf (Page consultée le 8 janvier 2008)

ROMAN-AMAT, Béatrice, et Delphine SOULAS. « Peut-on faire confiance à Wikipédia ? », *L'histoire*, no 325, novembre 2007, p. 6-11.

SARRASIN, Nicolas, et Dany DUMONT. *Le petit guide de l'Internet*, Montréal, Les Éditions de l'Homme, 2006, 221 p.

Méthodologie des sciences humaines

ANGERS, Maurice. *Initiation pratique à la méthodologie des sciences humaines*, 4e éd., Montréal, CEC, 2005, 198 p.

GAUTHIER, Benoît, dir. *Recherche sociale. De la problématique à la collecte des données*, 4e éd., Québec, Presses de l'Université du Québec, 2003, 632 p.

GIROUX, Sylvain, et Ginette TREMBLAY. *Méthodologie des sciences humaines. La recherche en action*, Montréal, ERPI, 2002, 262 p.

GRAWITZ, Madeleine. *Lexique des sciences sociales*, 8e éd., Paris, Dalloz, 2004, 425 p.

GRAWITZ, Madeleine. *Méthodes des sciences sociales*, 11e éd., Paris, Dalloz, 2001, 1019 p.

LAMOUREUX, Andrée. *Recherche et méthodologie en sciences humaines*, 2e éd., Laval, Éditions Études Vivantes, 2000, 352 p.

LAVILLE, Christian, et Jean DIONNE. *La construction des savoirs*, Montréal, Chenelière/McGraw-Hill, 1996, 346 p.

RATHUS, Spencer A. *Initiation à la psychologie*, 5e éd., adaptation de P. Cloutier et al., Montréal, Beauchemin, 2005, 339 p.

Méthodologie du travail intellectuel

ASSOCIATION CANADIENNE POUR LA SANTÉ MENTALE. *Le stress apprivoisé*, [En ligne], www.cmha.ca/bins/content_page.asp?cid=2-28-30&lang=2 (Page consultée le 29 mai 2007)

BERTRAND, Denis, et Hassan AZROUR. *Réapprendre @ apprendre au collège, à l'université et en contexte de travail*, Montréal, Guérin, 2004, 718 p.

BUZAN, Tony. *Une tête bien faite*, 3e éd., Paris, Les Éditions d'Organisation, 2004, 184 p.

CHASSÉ, Dominique, et Richard PRÉGENT. *Préparer et donner un exposé*, 2e éd., Montréal, Presses internationales Polytechniques, 2005, 79 p.

CHEVALIER, Brigitte. *Lecture et prise de notes. Gestion mentale et acquisition de méthodes de travail*, Paris, A. Colin, 2004, 128 p.

CORDIER, Françoise, et Daniel GAONAC'H. *Apprentissage et mémoire*, Paris, A. Colin, 2005, 128 p.

DUBÉ, Dominique. *La procrastination*, Sainte-Foy, Université Laval, Centre d'orientation et de consultation psychologique, 2003, [En ligne], www.cocp.ulaval.ca/sgc/pid/1108 (Page consultée le 27 mai 2007)

FELDMAN, Robert S., et Sheila CHICK. *P.O.W.E.R. Learning : Strategies for Success in Higher Education and Life*, 2e éd., Toronto, McGraw-Hill Ryerson, 2005, 412 p.

HERMEL, Laurent. *La gestion du temps*, Paris, AFNOR, 2005, 130 p.

LETARTE, Andrée, et François LAFOND. *La concentration et la gestion du temps*, Sainte-Foy, Université Laval, Centre d'orientation et de consultation psychologique, 2003, [En ligne], www.cocp.ulaval.ca/webdav/site/cocp/shared/reussite/Guide_Concentration.pdf (Page consultée le 27 mai 2007)

LÉTOURNEAU, Jocelyn. *Le coffre à outils du chercheur débutant. Guide d'initiation au travail intellectuel*, 2e éd., Montréal, Boréal, 2006, 260 p.

MUCCHIELLI, Roger. *Le travail en équipe : clés pour une meilleure efficacité collective*, 10e éd., Issy-les-Moulineaux, ESF, 2007, 208 p.

PIOLAT, Annie. *La prise de notes*, 2e éd., Paris, PUF, 2006, 128 p. (Coll. « Que sais-je ? », no 3630)

SIMONET, Renée, et Jean SIMONET. *Savoir prendre des notes*, 3e éd., Paris, Eyrolles, 2005, 169 p.

Rédaction et explication de texte

BERGER, Richard, Diane DÉRY et Jean-Pierre DUFRESNE. *L'épreuve uniforme de français, Pour réussir sa dissertation critique*, 2e éd., Montréal, Beauchemin/CCDMD, 2005, 240 p.

CCDMD. *Répertoire des meilleurs sites Internet pour l'amélioration de la langue*, Montréal, Centre de développement de matériel didactique, 2008, [En ligne], www.ccdmd.qc.ca/fr/repertoire/ (Page consultée le 21 avril 2008)

DURAND, Michel. *Petit guide pour la rédaction de la première dissertation*, Montréal, Collège de Bois-de-Boulogne, 2006, [En ligne], www.colvir.net/prof/michel.durand/redaction1A06.pdf (Page consultée le 9 juin 2007)

GIRAUDY, Marie-Agnès. *De la prise de notes au compte-rendu efficace*, Paris, Chiron, 2002, 127 p.

LARAMÉE, Hélène. *Introduction à la philosophie*, 2e éd., Montréal, Chenelière, 2003, 192 p.

MALO, Marie. *Guide de la communication écrite au cégep, à l'université et en entreprise*, Montréal, Québec-Amérique, 1996, 322 p.

PAPPE, Jean, et Daniel ROCHE. *La dissertation littéraire*, Paris, A. Colin, 2004, 128 p.

PILOTE, Carole. *Guide littéraire*, 2e éd., Montréal, Beauchemin, 2007, 144 p.

RAMAT, Aurel. *Le Ramat de la typographie*, 7e éd., Montréal, Aurel Ramat éditeur, 2003, 224 p.

RIOUX, Jocelyne. *Apprivoiser la philosophie. Guide méthodologique pour les cours de philosophie*, Montréal, CCDMD/Beauchemin, 2005, 144 p.

SIMARD, Jean-Paul. *Guide du savoir-écrire*, nlle. éd. rev. et corr., Montréal, Éditions de l'Homme, 2005, 534 p.

TURABIAN, Kate L. *A Manual for Writers of Term Papers, Theses, and Dissertations*, 5e éd., Chicago, University of Chicago Press, 1987, 300 p.

VILLERS, Marie-Éva de. *Multidictionnaire de la langue française*, 4e éd., Montréal, Québec Amérique, 2003, 1542 p.

Réussite

BARBEAU, Denise. *Interventions pédagogiques et réussite au cégep. Méta-analyse*, Québec, Presses de l'Université Laval, 2007, 444 p.

BARBEAU, Denise, Angelo MONTINI et Claude ROY. *Sur les chemins de la connaissance. La motivation scolaire*, Montréal, AQPC, 1997, 264 p.

CHENARD, Pierre, et Claire FORTIER. « La réussite scolaire, évolution d'un concept », dans Michel VENNE, dir., *L'annuaire du Québec 2005*, Montréal, Fides, 2004, p. 341-348.

LAPOSTOLLE, Lynn. « Réussite scolaire et réussite éducative : quelques repères », *Pédagogie collégiale*, vol. 19, no 4 (été 2006), p. 5-7.

ROY, Jacques. « Étude de la réussite au collégial », *Le Devoir*, 29 avril 2003, p. A7.

ROY, Jacques. *Les logiques sociales et la réussite scolaire des cégépiens*, Québec, Presses de l'Université Laval, 2006, 116 p.

Index

Note : dans l'index qui suit, il faut chercher les mots sous leur forme nominale (par exemple, Prise de notes en classe).